Obras da autora publicadas pela Editora Record

Becky Bloom – Delírios de consumo na 5ª Avenida
O chá de bebê de Becky Bloom
Os delírios de consumo de Becky Bloom
A irmã de Becky Bloom
Lembra de mim?
As listas de casamento de Becky Bloom
Samantha Sweet, executiva do lar
O segredo de Emma Corrigan

SOPHIE KINSELLA

Mini Becky Bloom
tal mãe, tal filha

Tradução
Mariana Lopes

2ª EDIÇÃO

EDITORA RECORD
RIO DE JANEIRO • SÃO PAULO
2011

CIP-Brasil. Catalogação-na-fonte
Sindicato Nacional dos Editores de Livros, RJ

K64m
2ª ed.
Kinsella, Sophie, 1969-
    Mini Becky Bloom / Sophie Kinsella; tradução de
Mariana Lopes. 2ª ed. – Rio de Janeiro: Record, 2011.

Tradução de: Mini shopaholic
Sequência de: O chá de bebê de Becky Bloom
ISBN 978-85-01-09283-0

1. Mãe e filhas - Ficção. 2. Compras - Ficção.
3. Ficção inglesa. I. Peixoto, Mariana Lopes. II. Título.

11-4333.
CDD: 823
CDU: 821.111-3

Título original em inglês:
Mini shopaholic

Copyright © Sophie Kinsella 2010

Texto revisado segundo o novo Acordo Ortográfico da Língua Portuguesa.

Todos os direitos reservados. Proibida a reprodução, no todo ou em parte, através de quaisquer meios. Os direitos morais da autora foram assegurados.

Editoração eletrônica: Abreu's System
Ilustração de capa: Marilia Bruno

Direitos exclusivos de publicação em língua portuguesa somente para o Brasil adquiridos pela
EDITORA RECORD LTDA.
Rua Argentina, 171 – Rio de Janeiro, RJ – 20921-380 – Tel.: 2585-2000,
que se reserva a propriedade literária desta tradução.

Impresso no Brasil

ISBN 978-85-01-09283-0

Seja um leitor preferencial Record.
Cadastre-se e receba informações sobre nossos
lançamentos e nossas promoções.

Atendimento e venda direta ao leitor:
mdireto@record.com.br ou (21) 2585-2002.

EDITORA AFILIADA

Para Allegra, uma futura mini Becky Bloom

Grupo Recreativo Tic Tac

The Old Barn
4 Spence Hill
Oxshott
Surrey

À Sra. Rebecca Brandon   1º de setembro de 2005
The Pines
43 Elton Road
Oxshott
Surrey

Prezada Sra. Brandon,

Foi um prazer conhecê-las ontem. Temos certeza de que Minnie será muito feliz em no nosso grupo recreativo. Estamos ansiosas para ver vocês semana que vem.

Um abraço,

Teri Ashley
Líder do Grupo

OBS: Por favor, não se preocupe com o pequeno incidente com o jato de tinta. Estamos acostumadas com crianças e podemos sempre repintar aquela parede.

Grupo Recreativo Tic Tac

The Old Barn
4 Spence Hill
Oxshott
Surrey

À Sra. Rebecca Brandon
The Pines
43 Elton Road
Oxshott
Surrey

4 de outubro de 2005

Prezada Sra. Brandon,

Temos apenas algumas preocupações em relação a Minnie. Ela é uma criança ótima e cheia de entusiasmo.

No entanto, ela precisa aprender que não pode usar, diariamente, *todas* as fantasias, e que os sapatos de "princesa" não são adequados para as brincadeiras ao ar livre. Nós poderemos conversar sobre isso durante a nossa próxima manhã de atividades com pais e filhos.

Um abraço,

Teri Ashley
Líder do Grupo

OBS: Por favor, não se preocupe com o pequeno incidente com a cola. Estamos acostumadas com crianças e sempre podemos envernizar novamente aquela mesa.

Grupo Recreativo Tic Tac

The Old Barn
4 Spence Hill
Oxshott
Surrey

À Sra. Rebecca Brandon   9 de novembro de 2005
The Pines
43 Elton Road
Oxshott
Surrey

Prezada Sra. Brandon,

Obrigada pela sua carta. Fiquei feliz em saber que você está aguardando ansiosamente nossa manhã de atividades com pais e filhos. Infelizmente, não teremos fantasias para adultos, nem uma área para a "troca de roupas com outros pais", como você sugeriu.

Fico contente em dizer que Minnie está participando de mais atividades em grupo e passado muito tempo em nosso cantinho de "compras".

Um abraço,

Teri Ashley
Líder do Grupo

OBS: Por favor, não se preocupe com o pequeno incidente com a tinta de caneta. Estamos acostumadas com crianças e a Sra. Soper sempre pode tingir novamente o cabelo.

UM

Tudo bem. Sem pânico. Estou no comando. Eu, Rebecca Brandon (ex-Bloomwood), sou a adulta, e *não* a minha filha de 2 anos.

O problema é que eu não sei se ela tem noção disso.

— Minnie, querida, me dá o pônei. — Tento parecer calma e segura, como a Nanny Sue, da TV.

— Poniiii. — Minnie segura o pônei com mais força.

— Nada de pônei.

— Meu! — ela grita histericamente. — *Meeeeu* poniiii!

Argh. Estou carregando um milhão de sacolas de compras, meu rosto está suando e eu *realmente* não precisava disso.

Tudo estava indo tão bem... Andei o shopping inteiro e comprei as últimas coisinhas da minha lista de Natal. Minnie e eu estávamos a caminho da gruta do Papai Noel quando parei um segundo para olhar uma casa de boneca. Foi nesse instante que Minnie pegou o pônei de brinquedo da vitrine e se recusou a devolvê-lo. Agora, estou no meio de uma batalha.

Uma mulher de calça jeans skinny J Brand e sua filha impecavelmente bem-vestida passam por mim. Ela me dá aquela "analisada de mãe" e eu me encolho. Desde que tive a Minnie, percebi que a "conferida de mãe" é muito mais agressiva do que a "analisada de Manhattan". As mães não apenas avaliam sua roupa e estimam o valor com precisão após um breve olhar. Não, não. Elas também avaliam a roupa do seu filho, o carrinho de bebê, a bolsa para levar as fraldas, o lanchinho e, ainda, se a criança está sorrindo, se está com meleca ou gritando.

Eu sei que é muita coisa para alguém verificar em apenas um segundo, mas, acredite em mim, mães são multitarefas.

Minnie, sem dúvida, ganha muitos pontos com as suas roupas (vestido: Danny Kovitz exclusivo; casaco: Rachel Riley; sapatos: Baby Dior.), e eu a mantenho perto de mim com a coleira-mochila (da Bill Amberg, de couro, muito legal, vi na *Vogue*). No entanto, em vez de sorrir angelicalmente, como a menininha da revista, ela está se rebelando como um touro prestes a entrar na arena. As sobrancelhas estão franzidas de tanta fúria, as bochechas estão vermelhas e ela toma ar para gritar novamente.

— Minnie.

Solto a coleira e a abraço, para que se sinta protegida e segura, como Nanny Sue recomenda no livro *Dominando a sua criança travessa*. Comprei um dia desses, só para dar uma olhadinha, por pura curiosidade. Quer dizer, não significa que eu tenha *problemas* com a Minnie ou algo do tipo. Também não significa que ela seja *difícil* ou "descontrolada e cheia de vontade", como disse aquela professora idiota do grupo de música infantil. (O que é que ela sabe? Não consegue nem tocar triângulo direito.)

A questão com a Minnie é que ela é... determinada. Ela tem opiniões fortes sobre as coisas. Quando se trata de calça jeans (que ela se recusa a usar) ou cenoura (que ela se recusa a comer). E, neste momento, ela acha que precisa de um pônei de brinquedo.

— Minnie, querida, mamãe te ama tanto — digo, com uma voz calma e sentimental. — E ficaria muito feliz se você me desse este pônei. Isso mesmo, dá pra mamãe... — Estou quase conseguindo. Meus dedos seguram com firmeza a cabeça do pônei...

Ha! Eu consegui. Não consigo deixar de olhar em volta para ver se alguém percebeu as minhas habilidades maternais.

— Meeeeeu!

Minnie arranca o pônei das minhas mãos e sai correndo pela loja. Droga.

— Minnie! MINNIE! — grito.

Pego as sacolas e saio correndo, furiosamente, atrás de Minnie, que já desapareceu novamente. Não sei por que perdemos tempo treinando tantos atletas para as Olimpíadas. É só formar uma equipe de crianças!

Quando a alcanço, já estou ofegante. Eu realmente preciso começar a fazer exercícios depois do Natal.

— Me dá o pônei! — Tento pegá-lo, mas ela o agarra com força.

— *Meu* poniii!

Seus olhos negros me encaram decididos. Às vezes eu olho para ela e a acho tão parecida com o pai que chego a ficar assustada.

Por falar nisso, onde está o Luke? Nós deveríamos fazer as compras de Natal *juntos*, como uma *família*. Mas ele desapareceu há uma hora, depois de mencionar alguma coisa sobre uma ligação que precisava fazer, e não o vejo desde então. Ele deve estar sentado em algum lugar, tomando um cappuccino civilizadamente e lendo jornal. Típico dele.

— Minnie, nós não vamos comprar isso — falo com ela, da maneira mais firme que consigo. — Você já tem milhares de brinquedos e não precisa de um pônei.

Uma mulher com cabelo escuro e despenteado e olhos cinzentos com duas crianças dentro de um carrinho para gêmeos acena com a cabeça para mim, em sinal de aprovação. Não consigo deixar de dar a minha "analisada de mãe" e percebo que ela é daquele tipo que usa Crocs, com meias feitas em casa. (Por que alguém faria isso? Por quê?)

— É um absurdo, não é? — diz ela. — Esses pôneis custam 40 libras! Meus filhos já sabem que nem adianta pedir. — Ela olha rapidamente para os dois meninos que estão deitados, em silêncio, chupando o dedo. — Se você ceder, é o começo do fim. Os meus estão bem treinados.

Exibida.

— Com certeza — digo, num tom digno. — Concordo plenamente.

— Alguns pais comprariam esse pônei simplesmente para terem tranquilidade. Não existe disciplina. É horrível.

— Péssimo — concordo, e tento, secretamente, pegar o pônei, mas Minnie percebe e o afasta de mim. Droga.

— O maior erro é ceder. — A mulher olha para Minnie com uma expressão séria. — É assim que começa o problema.

— Bem, eu nunca cedo aos caprichos da minha filha — digo de uma forma convincente. — Você não vai ganhar o pônei, Minnie, e ponto final.

— Poniiii! — Os gritos de Minnie transformaram-se num chorinho de partir o coração. Ela é muito dramática. (Puxou a minha mãe.)

— Boa sorte, então — diz a mulher, indo embora. — Feliz Natal.

— Minnie, para com isso! — falo firme com ela assim que a mulher desaparece. — Está nos fazendo passar vergonha! Por que você quer este pônei bobo?

— Poniiiii!

Ela faz carinho no pônei como se ele fosse o bichinho de estimação que ela perdeu e foi vendido num mercado distante mas que agora volta para ela, mancando e relinchando.

— É só um brinquedo bobo — digo, impacientemente. — O que há de tão especial nele?

E, pela primeira vez, olho com atenção para o pônei.

Nossa! Na verdade... ele *é* muito especial. É feito de madeira, é todo branco e tem estrelinhas brilhantes espalhadas pelo corpo, e seu rosto, pintado à mão, é o mais fofo do mundo. E ainda tem rodinhas vermelhas, que giram.

— Você não precisa de um pônei, Minnie — digo, agora com menos convicção.

Acabei de reparar na sela. É de couro mesmo? Tem uma rédea com fivelas e a crina é feita de pelo de cavalo de verdade. *E vem com um kit de beleza!*

Por 40 libras até que vale a pena. Empurro uma das rodinhas vermelhas: gira perfeitamente. Pensando bem, a Minnie não tem um pônei. É uma ausência bem evidente no seu armário de brinquedos.

Ou seja, não significa que eu esteja *cedendo*.

— Ele também dá corda. — Surgiu uma voz atrás de mim, e eu me viro e vejo que uma vendedora idosa está se aproximando de nós duas. — Tem uma chave na base. Veja!

Ela dá corda na chave e tanto eu quanto Minnie observamos, hipnotizadas, o pônei subir e descer, como se estivesse num carrossel, enquanto toca uma musiquinha de fundo.

Meu Deus, eu *amei* esse pônei.

— Está na oferta especial de Natal por 40 libras — acrescenta a vendedora. — Normalmente ele sairia por 70. São suecos e feitos à mão.

Praticamente cinquenta por cento de desconto. Eu *sabia* que valia a pena. Não disse que valia a pena?

— Você gostou, né, querida? — A assistente sorri para Minnie, que também sorri para ela, sem nenhum vestígio da birra. Na verdade, não quero me gabar, mas ela está uma graça com seu casaquinho vermelho, de maria-chiquinha e covinhas nas bochechas. — Então, vai levar um?

— Eu... bem... — Limpo a garganta.

Vamos, Becky. Diga "não". Seja uma boa mãe. Vá embora.

Minha mão acaricia, furtivamente, a crina do pônei.

Mas é tão *lindo*! Olhe a carinha fofa dele. E um pônei não é uma bobagem qualquer, certo? Ninguém se cansa de um pônei. É um clássico. É praticamente a jaqueta Chanel dos brinquedos.

É Natal. E ele está com desconto. Quem sabe Minnie pode ter um dom para equitação, penso agora. Um pônei de brinquedo pode ser o estímulo de que ela precisa. Imediatamente a vejo aos 20 anos, com uma jaqueta vermelha, em pé ao lado de um lindo cavalo, nas Olimpíadas, dizendo para as câmeras de TV: "Tudo começou em um Natal, quando ganhei um presente que mudou a minha vida..."

Minha mente dá voltas e voltas como uma máquina processando resultados de DNA, tentando encontrar alguma compatibilidade. Preciso encontrar um jeito de simultaneamente: 1. não ceder à birra de Minnie, 2. ser uma boa mãe e 3. comprar o pônei. Preciso de uma solução inteligente e clara, como aquelas que os consultores de negócios, que ganham rios de dinheiro do Luke, sempre têm...

E então surge a resposta. Uma ideia genial. *Como não pensei nisso antes?* Pego rapidamente o celular e envio uma mensagem para Luke:

Luke! Tive uma ideia ótima. Acho que a Minnie deve ganhar uma mesada.

Imediatamente uma resposta apita de volta: O quê? Pq?

Para ela comprar coisas, ora!, começo a escrever, mas depois penso melhor. Apago o texto e cuidadosamente digito:

As crianças precisam aprender sobre as finanças desde cedo. Li isso num artigo. Gera poder e responsabilidade.

Instantes depois, Luke responde: Não podemos apenas comprar o *Financial Times* para ela?

Cala a boca, digito. O que você acha de 2 libras por semana?

Pirou? A resposta chega rápido. Dez centavos por semana já é muito.

Encaro o celular indignada. *Dez centavos?* Ele é muito mão de vaca mesmo. O que ela vai conseguir comprar com isso?

E nunca vamos poder comprar o pônei com 10 centavos por semana.

Cinquenta centavos por semana, digito com firmeza, é a média nacional. (Ele nunca vai verificar isso.) Cadê vc? Já está quase na hora do Papai Noel!

OK, que seja. Estarei lá, responde ele.

Consegui! Enquanto guardo o celular, faço um rápido cálculo mental. Com 50 centavos por semana, teremos 52 libras em dois anos. É o suficiente. Como eu nunca pensei em mesada antes? É perfeito! Vai dar toda uma nova dimensão às nossas compras.

Olho para Minnie, me sentindo muito orgulhosa.

— Preste atenção, querida — anuncio. — Não vou comprar o pônei para você, porque eu já disse "não". Mas você mesma pode comprá-lo com *sua própria mesada*. Não é legal?

Minnie olha para mim com carinha de dúvida. Vou fingir que é um "sim".

— Como você ainda não gastou nada, tem dois anos de mesada acumulada, o que é bastante coisa. Viu como juntar dinheiro é ótimo? — acrescento animada. — Não é divertido?

Minnie e eu seguimos para o caixa. Me sinto satisfeita comigo mesma. Alguém falou em criação responsável? Estou apresentando minha filha aos princípios do planejamento financeiro! Posso ser uma guru da TV! *O guia da Super Becky para a criação fiscal responsável*. Posso usar botas diferentes a cada episódio...

— Carrinho.

Interrompo, assustada, meu devaneio ao ver que Minnie largou o pônei e agora está agarrada a uma monstruosidade de plástico cor-de-rosa. Onde foi que ela arranjou isso? É o carrinho do Ursinho Puff.

— Carrinho? — Ela levanta os olhos, me fitando cheia de esperança.

O quê?

— Não vamos comprar isso, querida — digo, com paciência. — Você queria o pônei. O *pônei* lindo, lembra?

Minnie examina o pônei com total indiferença.

— Carrinho — ela repete.

— Pônei! — Pego o pônei do chão.

Que coisa frustrante! Como ela pode ser tão volúvel? Com certeza herdou isso da minha mãe.

— Carrinho!

— Pônei! — grito, mais alto do que pretendia, e balanço o pônei na frente dela. — Quero o pôniiii...

De repente, sinto um arrepio na nuca. Olho em volta e percebo que a mulher com os filhos gêmeos está parada, a poucos metros, olhando para mim com uma expressão séria.

— Quer dizer... — Rapidamente abaixo o pônei e sinto minhas bochechas ardendo. — Sim, eu *deixo* você comprar o pônei com a sua mesada. É um plano financeiro básico — acrescento, enfaticamente, para a mulher de olhar rígido. — O que aprendemos hoje é que você precisa *economizar* antes de comprar as coisas, não é, querida? A Minnie gastou toda a mesada no pônei, e foi uma ótima escolha...

— Achei o outro! — A vendedora reaparece de repente, ofegante e com uma caixa empoeirada nas mãos. — Eu sabia que ainda tinha um no estoque. Eles eram originalmente um par, sabe...

Tem *outro* pônei?

Fico sem fôlego quando ela o tira da caixa. É azul-escuro com uma crina negra, salpicado de estrelas e com rodinhas douradas. É simplesmente maravilhoso. Complementa o outro perfeitamente. Meu Deus, nós precisamos comprar os dois. Simplesmente *precisamos*.

Fico um pouco irritada com a mulher de olhar rígido, que ainda está ali com o carrinho, nos observando.

— Que pena que você gastou toda a sua mesada, não é mesmo? — diz ela a Minnie, com um daqueles sorrisos frios e antipáticos que provam que ela nunca se diverte nem faz sexo. Sempre dá para perceber isso nas pessoas, eu acredito.

— Não é mesmo? — digo, educadamente. — É um problema. Então vamos ter que pensar em uma solução. — Penso durante um tempo e, depois, me viro para Minnie: — Querida, essa é a sua segunda importante lição sobre planejamento financeiro. Às vezes, quando vemos uma pechincha maravilhosa, uma oportunidade única, podemos abrir uma *exceção* na regra de economizar. Chama-se "aproveitar a oportunidade".

— Você vai *mesmo* comprar? — diz a mulher, com um tom incrédulo.

O que ela tem a ver com isso? Meu Deus, odeio as outras mães. Elas sempre se intrometem. Assim que você tem um filho é como se, subitamente, fosse transformada na caixa de comentários de um site, que informa: "Por favor, escreva todas as suas observações grosseiras e insultantes aqui."

— É claro que eu não vou *comprar* — digo, com um pouco de frieza. — Ela vai ter que usar a mesada. Querida — me abaixo para ter a atenção de Minnie —, se você pagar o outro pônei com 50 centavos por semana, vai levar cerca de... seis semanas. Você vai precisar de um adiantamento, uma espécie de "saque a descoberto" — enuncio claramente. — Então, você terá gasto o equivalente a toda a sua mesada até fazer 3 anos e meio. Tudo bem?

Minnie parece um pouco confusa, mas eu acho que também fiquei assim quando fiz o meu primeiro saque a descoberto. É normal.

— Tudo resolvido. — Sorrio para a vendedora e apresento meu cartão Visa. — Vamos levar os dois pôneis, por favor. Viu só, querida? — Olho para Minnie. — A lição que aprendemos hoje é: nunca desista de uma coisa que você quer muito. Por mais que possa parecer impossível, sempre haverá uma solução.

Não consigo deixar de sentir orgulho de mim mesma ao transmitir esta pérola de sabedoria para minha menina. Criar um filho *é isso*: ensinar a ele como o mundo funciona.

— Certa vez eu tive uma oportunidade maravilhosa — falo enquanto digito minha senha. — Era uma bota Dolce & Gabbana com noventa por cento de desconto! Só que, o meu crédito estava no limite. Eu desisti? Não! Claro que não!

Minnie ouve atentamente, como se eu estivesse contando a história dos três ursinhos.

— Fui para casa e procurei moedinhas em todos os meus bolsos e bolsas. E adivinha só? — Pausa de efeito. — Eu tinha dinheiro suficiente! Consegui comprar a bota! Uhul!

Minnie bate palmas e, para a minha surpresa, os meninos gêmeos também estão se divertindo.

— Vocês querem ouvir outra história? — Sorrio para eles. — Querem ouvir sobre a liquidação de Milão? Um dia eu estava andando na rua e vi uma *placa misteriosa*. — Abro bem os olhos. — O que vocês acham que estava escrito?

— *Ridículo*. — A mulher de olhar rígido vira o carrinho de maneira abrupta. — Vamos! Está na hora de ir para casa.

— História! — grita um dos meninos.

— Nós não vamos ouvir a história — responde ela rapidamente. — Você é louca — ela vira o rosto e fala antes de ir embora. — Não é à toa que a sua filha é mimada. Que sapatinhos são esses que ela está usando, hein? Gucci?

Mimada?

Meu sangue sobe num instante para o rosto e eu a encaro chocada, sem saber o que dizer. De onde veio *isso*? Minnie não é mimada!

E a Gucci nem *faz* sapatos como este!

— Ela não é mimada! — eu digo, finalmente.

Mas a mulher já desapareceu atrás da vitrine do Postman Pat. Bem, com certeza eu não vou correr atrás dela, gritando: "Pelo menos a minha filha não fica largada no carrinho, chupando dedo o dia inteiro. Aliás, já pensou em limpar o nariz dos seus filhos?" Isso não seria um bom exemplo para Minnie.

— Venha, Minnie. — Tento me recompor. — Vamos ver o Papai Noel. Assim vamos nos sentir melhor.

DOIS

Não existe a menor possibilidade de a Minnie ser mimada. A menor.

Tudo bem, ela tem seus momentos, como todos temos, mas não é mimada. Se ela fosse mimada, eu *saberia*. Sou a *mãe* dela.

Mesmo assim, fico incomodada enquanto nos encaminhamos para a gruta do Papai Noel. Como uma pessoa pode ser tão cruel, ainda mais na véspera do Natal?

— Mostre para todo mundo como você é bem-comportada, querida — sussurro, determinada, para Minnie, enquanto andamos de mãos dadas. — Seja um anjinho para o Papai Noel, está bem?

"Jingle Bells" está tocando no alto-falante e eu acabo me animando, enquanto vamos nos aproximando. Eu vinha para essa mesma gruta do Papai Noel quando era pequena.

— Veja só, Minnie! — aponto, toda feliz. — Olha a rena! Veja quantos presentes!

Há um trenó, duas renas de tamanho real e neve falsa cobrindo todo o espaço. Há também várias garotas fantasiadas de elfas, com roupas verdes, o que é um detalhe novo. Na entrada, não consigo deixar de olhar surpresa para a elfa que nos recebe com um decote bronzeado. Agora o Papai Noel procura elfas em agências de modelo glamourosas? E será que as elfas deveriam ter unhas postiças roxas?

— Feliz Natal! — ela nos recebe, e carimba o ingresso. — Não deixe de visitar o nosso poço de desejos natalinos e fazer seu pedido. O Papai Noel vai ler todos eles mais tarde!

— Ouviu isso, Minnie? Podemos fazer um pedido! — Olho para Minnie: ela está admirada, observando a elfa em silêncio.

Viu só? Ela está se comportando perfeitamente.

— Becky! Aqui! — Olho para o lado e vejo minha mãe na fila. Ela está usando um cachecol festivo, todo enfeitado, e segurando o carrinho de bebê da Minnie, que está cheio de sacolas e pacotes. — O Papai Noel está no intervalo — diz ela quando nos aproximamos. — Acho que vamos esperar pelo menos mais meia hora. Seu pai foi atrás de DVD, e a Janice foi comprar os cartões de Natal.

Janice é a vizinha da minha mãe. Ela compra todos os cartões de Natal pela metade do preço na véspera do dia 24. Depois, escreve as mensagens no dia 1º de janeiro e os deixa guardados numa gaveta pelo resto do ano. Ela chama isso de "se adiantar".

— Agora, querida, pode dar uma olhada no meu presente para a Jess? — Minha mãe mexe na sacola e, um pouco ansiosa, tira uma caixa de madeira lá de dentro. — Gostou?

Jess é minha irmã. Minha meia-irmã, na verdade. Ela volta do Chile daqui a alguns dias e por isso faremos um segundo Natal para ela e Tom. Com direito a peru, presentes e tudo o mais! Tom é o namorado da Jess e filho único de Janice e Martin. Eu o conheço desde pequena. Ele é muito...

Bem. Ele é muito...

Enfim, a questão é que *eles* se amam. E as mãos suadas não devem ser um problema para ele no Chile, não é mesmo?

É fantástico que eles estejam vindo, principalmente porque *finalmente* poderemos fazer o batizado da Minnie. (Jess será a madrinha.) Mas eu entendo por que minha mãe está estressada. É complicado comprar presentes para Jess. Ela não gosta de nada que seja novo ou caro, que contenha plástico ou conservantes e que venha numa sacola que não seja feita de cânhamo.

— Comprei isto. — Minha mãe abre a tampa da caixa e mostra um bonito conjunto de potes de vidro deitados sobre palha. — É gel para banho — explica ela, rapidamente. — Não é nada para a banheira. Não queremos a Terceira Guerra Mundial de novo!

Houve um incidente ligeiramente diplomático na última vez que Jesse veio nos visitar. Era aniversário dela e Janice a presenteou com uma espuma para banho. O que incentivou Jess a fazer um discurso de três minutos sobre a quantidade de água que gastamos ao usarmos a banheira e como as pessoas no Ocidente são obcecadas por limpeza. Por ela, todo mundo deveria tomar um banho de chuveiro de cinco minutos e apenas uma vez por semana, conforme ela e Tom fazem.

Janice e Martin tinham acabado de instalar em sua casa uma banheira de hidromassagem, então não foi muito legal.

— O que você acha? — perguntou minha mãe.

— Sei lá. — Analiso com cuidado o rótulo na caixa. — Tem aditivos? Explora as pessoas?

— Ah, querida, eu realmente não sei. — Minha mãe examina cuidadosamente a caixa como se fosse um armamento nuclear. — Está escrito "cem por cento natural" — arrisca ela, por fim. — Isso é bom, não é?

— Acho que sim. Mas não conte que comprou no shopping. Diga que foi em uma pequena cooperativa independente.

— Boa ideia. — Minha mãe se anima. — Vou embrulhar com jornal. O que você comprou para ela?

— Comprei um tapete para ioga feito à mão por camponesas da Guatemala — digo com orgulho. — A renda é doada para projetos agrícolas *e* o tapete é feito de material reciclado.

— Becky! — diz minha mãe, admirada. — Como encontrou isso?

— Ah... Eu pesquisei — digo, dando de ombros, fingindo não dar muito importância.

Não vou admitir que pesquisei no Google "presente legal verde reciclado meio ambiente embrulho de lentilha".

— Na-tal! NA-TAL!

Minnie está puxando minha mão com tanta força que parece que vai arrancar meu braço.

— Vá até o poço dos desejos com a Minnie, querida — sugere minha mãe. — Eu guardo o seu lugar.

Largos os pôneis no carrinho e levo Minnie para o poço dos desejos. Está cercado por pinheiros artificiais prata com fadas penduradas nos galhos. Se não fosse pelas crianças, que gritam por todos os lados, seria muito mágico.

Os cartões para fazer os pedidos estão espalhados no toco de árvore falso usado como mesa. Pego um dos cartões, no qual está escrito em verde "Pedido de Natal" bem no topo, e dou uma das canetinhas para Minnie.

Nossa, eu me lembro de quando era pequena e escrevia cartas para o Papai Noel. Eram cartas bem longas e complicadas, com ilustrações e imagens, que eu recortava de catálogos para orientá-lo, caso ele ficasse confuso.

Duas meninas de rostinhos rosados, com cerca de 10 anos, estão postando seus pedidos e não param de rir e cochichar. Só de olhar para elas me sinto nostálgica. Seria errado eu não participar também, pois poderia dar azar ou algo do tipo.

Querido Papai Noel, me vejo escrevendo no cartão. *É a Becky de novo.* Faço uma pausa, penso um pouco e logo começo a escrever umas coisas.

Quer dizer, só umas três. Não sou gananciosa nem nada.

Minnie está rabiscando o cartão todo, as mãos e o nariz sujos de canetinha.

— Tenho certeza de que o Papai Noel entenderá o que você quer dizer — afirmo gentilmente enquanto pego o cartão. — Vamos jogar no poço.

Eu deixo cair os dois cartões, um de cada vez, enquanto flocos são lançados sobre nós, e "Winter Wonderland" está tocando, num alto-falante bem perto. Sinto-me tão natalina que não consigo deixar de fechar os olhos, apertar a mão de Minnie e fazer o meu pedido. Nunca se sabe...

— Becky?

Uma voz grossa entra nos meus pensamentos e meus olhos se abrem rapidamente. Luke está em pé na minha frente. Seu cabelo escuro e seu casaco estão cheios de falsa neve. Ele me olha com se estivesse se divertindo. Percebo, tarde demais, que estou dizendo fervorosamente *"Por favor... por favor..."* com os olhos bem fechados.

— Ah! — digo, um pouco agitada. — Oi, eu estava só...

— Falando com o Papai Noel?

— Não seja ridículo — digo, tentando recuperar minha dignidade. — A propósito, onde você estava?

Luke não me responde e sai andando, fazendo sinal para que eu o siga.

— Deixe a Minnie um pouco com a sua mãe — diz ele. — Preciso mostrar uma coisa para você.

Estou casada com Luke há três anos e meio, mas continuo sem entender muito bem como a cabeça dele funciona. Enquanto andamos, vejo que sua boca está tensa e começo a ficar nervosa. O que pode ser?

— Aqui. — Ele para em um canto vazio do shopping e pega o BlackBerry.

Na tela há um e-mail de Tony, seu advogado. Tem apenas uma palavra escrita: "Acordo."

— "Acordo?" — Por meio segundo eu não entendo, mas então tudo fica claro.

— Você não está falando da *Arcodas*, não é? Eles fizeram um *acordo*?

— Aham. — Agora consigo ver um sorrisinho.

— Mas você não disse... Eu não fazia ideia...

— Eu não quis te dar esperança. Nós vínhamos negociando há três semanas. Não é o melhor dos acordos... mas é bom. Vamos ficar bem. A questão é que acabou.

Minhas pernas tremem um pouco. Acabou. Assim. O caso Arcodas paira sobre nós há tanto tempo que virou parte da família. (Não uma parte boa, obviamente. Era aquela tia bruxa: que é má, tem verrugas no nariz e dá aquela risada maligna.)

Faz dois anos que Luke entrou na luta contra a Arcodas. Digo "luta", mas não como se ele tivesse jogado bombas de fogo neles. Luke apenas se recusou a trabalhar para a Acordas, por uma questão de princípio: não queria representar um monte de valentões que maltratavam os funcionários que ele lhes providenciara. Ele é dono de uma empresa de RP, chamada Brandon Communications, e a maioria de seus funcionários está com ele há anos. Quando descobriu como a Arcodas tratava todos eles, Luke ficou com muita raiva e pediu demissão.

Eles, então, o processaram por quebra de contrato. (O que só prova como são horríveis e autoritários.) Depois disso, foi Luke quem *os* processou por não terem pago os serviços que já tinham sido prestados.

É de se imaginar que o juiz teria percebido quem era o mocinho e que, automaticamente, ficaria a favor de Luke. Alô, os juízes não têm *olhos*? Em vez disso, eles fizeram audiências e prorrogações idiotas, complicando demais o processo e tornando-o totalmente estressante. Preciso dizer que, depois disso, advogados, juízes, supostos "mediadores" e todo o sistema legal caíram muito no meu conceito. Isso é algo que eu teria dito a eles, se tivessem me deixado falar.

Eu *queria muito* que o Luke me chamasse como testemunha. Já tinha até escolhido a minha roupa. (Uma saialápis azul-marinho, camisa branca com babado e sapatos fechados de salto.) Eu também tinha escrito um discurso brilhante, que ainda sei de cor. Começava assim: "Senhoras e senhores do júri, peço que cada um de vocês olhe para dentro do seu coração. Depois, peço que olhem para os dois homens que estão diante vocês. Um deles é um herói honrado e honesto, que colocou o bem-estar dos seus funcionários acima do dinheiro..." (eu apontaria para Luke), "e o outro é um homem odiável e machista que intimida todo mundo e tem tanta integridade quanto noção de moda..." (eu apontaria para Iain Wheeler, da Arcodas). Todo mundo ficaria agitado, comemorando, e o juiz teria que bater o martelo e gritar "Ordem! Ordem!" Em seguida, eu avaliaria o júri com perspicácia, como fazem nos romances de John Grisham, e identificaria quais estavam do nosso lado.

Mas todos os meus planos foram por água abaixo quando Luke avisou que não haveria júri e que o tribunal não era desse tipo. Ele disse que lá era uma espécie de pântano escuro, cheio de truques sujos, e que ficaria muito mal se eu me envolvesse com tudo aquilo. Luke disse que era melhor eu ficar em casa com Minnie, e foi o que eu fiz, apesar de essa frustração quase ter me matado.

Agora Luke passa as mãos no cabelo e desabafa.

— Acabou — ele, quase para si mesmo. — Finalmente.

— Graças a Deus.

Eu o abraço e percebo que em seu rosto ainda há resquícios de todo aquele desgaste. Essa história toda o abalou muito. Ele vinha tentando gerenciar a empresa, lidar com esse caso, manter os funcionários motivados *e* conquistar mais clientes.

— Então — ele coloca as mãos nos meus ombros e me olha — podemos seguir em frente. Em todos os sentidos.

Demoro um pouco para entender o que ele quis dizer.

— Podemos comprar a casa! — Perco o fôlego.

— Já fiz a oferta — ele confirma. — Disseram que darão uma resposta até o final do dia.

— Meu Deus!

Não consigo deixar de dar um pulinho de animação. Não acredito que isso está acontecendo. O caso acabou! Podemos, finalmente, sair da casa dos meus pais e ter o nosso próprio lar!

Nós tentamos sair de lá, uma vez. Na verdade, foram várias vezes. Conseguimos até apresentar propostas para quatro casas, mas cada uma teve um problema. Ou o vendedor não queria realmente vender (casa três); ou, de repente, pediram muito mais do que valia (casa um); ou o imóvel não era deles, e sim do tio, que morava na Espanha, e tudo não passava de um golpe (casa quatro); ou ocorreu um incêndio (casa dois). Comecei a achar que éramos azarados. Depois desses contratempos, Luke disse que deveríamos aguardar o término do caso.

— Casa cinco da sorte? — Levanto os olhos com esperança para Luke, que cruza os dedos e sorri.

Essa casa é perfeita. Fica numa rua maravilhosa, em Maida Vale; tem um jardim lindo e um balanço pendurado numa árvore e é muito espaçosa e é quase nossa! Sinto uma súbita explosão de alegria. *Preciso* sair para comprar uma *Livingetc* e também *Elle Deco*, *House & Garden* e *Wallpaper...*

— Vamos voltar, então? — digo, tentando soar casual. — Acho que no caminho vou passar na Smith's para comprar umas revistas...

É melhor comprar *Grand Designs* e *World of Interiors* e *25 Beautiful Homes*...

— Daqui a pouco.

Alguma coisa na voz de Luke me alerta: olho para ele e vejo que está indo em frente (literalmente, porém). Ele desvia o rosto e noto que seu queixo está tenso. Tem alguma coisa esquisita nele.

— Ei, você está bem? — pergunto, com cuidado. — Aconteceu alguma coisa?

— Não. Mas tem uma coisa que eu queria... falar com você. — Ele faz uma pausa, coloca as mãos na nuca e fica com um olhar distante, como se não conseguisse me encarar. — Aconteceu uma coisa estranha há alguns minutos. Eu estava na livraria Waterstones, esperando a ligação sobre a Arcodas. Só estava dando uma volta... — Ele faz outra pausa, dessa vez longa. — E, quando percebi, estava comprando um livro para Annabel, o novo da Ruth Rendell. Ela teria amado.

Ficamos em silêncio por um momento. Não consigo pensar em nada para dizer.

— Luke... — tento começar.

— Comprei uma droga de um presente de Natal para ela. — Ele aperta os punhos na têmpora. — Estou pirando?

— É claro que você não está pirando! Você só está...

Paro de falar, desamparada, procurando alguma coisa sábia e profunda para dizer; tentando, desesperadamente, me lembrar de partes daquele livro que eu comprei sobre o luto.

Essa foi uma das piores coisas que aconteceram este ano. A madrasta do Luke morreu em maio. Ela ficou doente durante um mês e, subitamente, morreu. Luke ficou arrasado.

Sei que Annabel não era a mãe biológica dele, mas Luke a considerava sua mãe verdadeira. Ela o criou e o entendia como ninguém. O pior é que ele quase não a viu no período anterior à morte dela. Mesmo quando Annabel estava muito mal, ele não pôde largar tudo e ir para Devon, por causa das audiências da Arcodas, em Londres, que tinham sido adiadas muitas vezes e não havia como atrasá-las ainda mais.

Ele não deveria se sentir culpado. Já falei isso com ele um milhão de vezes. Não havia nada que ele pudesse fazer. Mesmo assim, sei que é como ele se sente. E agora que o pai está na Austrália, com a sua irmã, Luke não pode nem compensar esse sentimento passando um tempo com *ele*.

Sobre a sua mãe biológica... Nós não falamos sobre ela. Nunca.

Luke sempre teve uma relação de amor e ódio com Elinor. Faz sentido, já que ela o abandonou com o pai, quando Luke ainda era pequeno. A relação deles, porém, era até civilizada, mas ela conseguiu estragar tudo.

Foi na época do enterro, quando ele a visitou para tratar de assuntos ligados aos negócios da família. Eu não sei exatamente o que Elinor disse para Luke. Foi algo sobre Annabel. Provavelmente alguma coisa insensível e bem grosseira, eu suponho. Ele nunca me disse exatamente o que aconteceu, nem mencionou mais esse incidente. O que sei é que eu nunca o tinha visto tão branco, catatônico e com raiva. Hoje nós nem mencionamos mais o nome da Elinor. Acho que Luke nunca mais vai fazer as pazes com ela. E eu acho isso ótimo.

Quando olho para Luke, sinto um aperto no coração. O desgaste deste ano foi, realmente, muito pesado para ele. Ele tem duas pequenas linhas entre os olhos, que não somem nem quando ele sorri. É como se ele não conseguisse mais parecer cem por cento feliz.

— Vamos. — Engancho o braço no dele e o aperto com força. — Vamos ver o Papai Noel.

Enquanto andamos, eu casualmente levo Luke para o outro lado do shopping. Não havia nenhum motivo para isso, juro. Era só porque as lojas são mais bonitas de se ver, como as joalherias... aquela loja com flores de seda... e a Enfant Cocotte, que é cheia de cavalinhos feitos à mão e berços de madeira escura, criado por designers famosos.

Começo a andar mais devagar e dou um passo na direção da vitrine iluminada, sentindo-me repleta de desejos. Veja só todas essas coisas lindas, esses macaquinhos e as mantinhas.

Se tivéssemos outro filho, poderíamos comprar várias mantas novas. Ele seria bonitinho e fofo, Minnie poderia ajudar a empurrar o carrinho dele e nós seríamos uma família de verdade...

Olho para Luke, tento ver se ele está pensando a mesma coisa e se ele me olha de maneira doce e amorosa. Mas percebo que ele está concentrado em algo em seu BlackBerry. Francamente. Por que ele não está mais em sintonia com os meus pensamentos? Nós estamos casados, não é? Ele deveria me *entender*. Ele deveria *perceber* por que eu o levei até uma loja de bebê.

— Não é uma graça? — Aponto para um móbile de ursinhos de pelúcia.

— Aham — Luke concorda, sem nem olhar para a vitrine.

— Nossa, olha aquele carrinho! — Aponto, animada, para um aparelho hi-tech maravilhoso, com rodas exuberantes que parecem ser de um carro Hummer. — Não é o máximo?

Se tivéssemos outro filho, poderíamos comprar um carrinho novo. Quer dizer, nós *temos* que comprar. A porcaria do carrinho velho da Minnie está todo quebrado. (Não que eu queira ter outro filho só para poder comprar um bom carrinho, obviamente. Mas seria uma espécie de bônus.)

— Luke. — Limpo a garganta. — Eu estava pensando sobre... nós. Quer dizer... todos nós. Na nossa família, inclusive na Minnie. E eu estava pensando se...

Ele levanta a mão e leva o BlackBerry ao ouvido.

— Alô. Oi.

Nossa, detesto o modo silencioso. Eu não consigo saber quando o celular dele está tocando.

— Eu alcanço você — ele sussurra para mim, depois volta para o BlackBerry. — Sim, Gary, eu recebi seu e-mail.

Tudo bem, não é o melhor momento para conversarmos sobre a compra de um carrinho para um segundo filho imaginário.

Deixa pra lá. Vejo isso depois.

No caminho para a gruta do Papai Noel, percebo que posso ter perdido a vez da Minnie, então começo a correr. Chego lá ofegante e vejo que o Papai Noel ainda nem voltou para seu trono.

— Becky! — Minha mãe acena, na frente da fila. — Somos as próximas! A câmera já está pronta para gravar... Ooh, veja!

Uma elfa com um sorriso grande e inexpressivo sobe no palco. Ela sorri para todos e bate no microfone, para chamar atenção.

— Olá, meninos e meninas! — diz. — Agora fiquem quietinhos. Antes de o Papai Noel voltar teremos o momento dos pedidos de Natal! Vamos sortear um pedido e o Papai Noel vai realizá-lo! Vamos ver quem vai ser o sortudo? Será que ele vai ganhar um ursinho de pelúcia? Ou uma casa de boneca? Ou um patinete?

O microfone não funciona direito e ela bate nele com irritação. Mesmo assim, todos estão muito animados e chegam mais para a frente. As câmeras estão suspensas no alto, e as crianças passam no meio das pernas das pessoas, que estão muito felizes.

— Minnie! — minha mãe diz, animada. — O que você pediu, querida? Talvez eles escolham você!

— E a vencedora se chama... Becky! Parabéns, Becky! — A voz amplificada da elfa me faz pular de susto.

Não. Não pode ser...

Deve ser outra Becky. Deve haver muitas garotinhas aqui chamadas Becky.

— E a pequena Becky pediu... — Ela lê o cartão com dificuldade. — "Um top azul-claro do Zac Posen. É o modelo que tem um laço, tamanho 38."

Droga.

— Zac Posen é um novo personagem de TV? — A elfa olha, confusa, para uma colega. — É algum tipo de jogo?

Sinceramente, como é que ela trabalha numa loja de departamento e nunca ouviu falar em Zac Posen?

— Quantos anos tem a Becky? — A elfa está sorrindo para todos. — Becky, querida, você está aqui? Não temos nenhum top, mas talvez você queira outro brinquedo do trenó do Papai Noel.

Estou com a cabeça bem baixa, de tanta vergonha. Não consigo levantar a mão. Eles não disseram que leriam as porcarias dos pedidos *para todo mundo*. Deveriam ter me *avisado*.

— A mãe da Becky está aqui?

— Estou aqui! — minha mãe grita feliz, acenando com a câmera na mão.

— Shhh mãe! — digo. — Desculpa — grito, com o rosto ardendo. — Sou... eu. Eu não sabia que vocês iriam... Sorteiem outro pedido. De uma das crianças. Por favor, jogue o meu fora.

Mas a elfa não me ouve no meio daquele tumulto.

— "Também quero aqueles sapatos Marni que vi com a Suze. Sem ser os de salto de madeira", ela continua lendo alto, sua voz ecoando pelo sistema de som. — Isso faz sentido para alguém? E... — Ela olha o papel mais de perto. — Está escrito "um irmãozinho para a Minnie"? A Minnie é a sua boneca, meu amor? Aaah, que graça!

— Chega! — grito, horrorizada, empurrando a multidão de criancinhas. — Isso é particular! Ninguém podia ver isto!

— "E acima de tudo, Papai Noel, eu queria que o Luke...

— Cala a BOCA! — Em desespero, eu praticamente mergulho dentro da gruta. — Isso é particular! É para ficar entre mim e o Papai Noel! — Chego perto da elfa e tento arrancar o papel da mão dela.

— Ai! — grita ela.

— Desculpa — digo sem ar. — Mas eu sou a Becky.

— *Você* é a Becky?

Ela aperta os olhos lambuzados de rímel. Então, olha novamente para o papel, e eu percebo que ela está começando a entender tudo. Depois de pouco tempo, seu rosto relaxa. Ela dobra o papel e me entrega.

— Espero que o seu pedido de Natal se realize — diz baixinho, longe do microfone.

— Obrigada. — Hesito, mas depois acrescento: — Desejo o mesmo para você, seja qual for o seu pedido. Feliz Natal.

Quando me viro para encontrar minha mãe eu vejo, no meio daquela multidão de cabeças, os olhos escuros do Luke. Ele está em pé, lá atrás.

Meu estômago se revira. O que, exatamente, será que ele ouviu?

Ele vem na minha direção, passando no meio das famílias, com aquela expressão impenetrável.

— Ah, oi. — Tento parecer casual. — Então... Eles leram o meu pedido de Natal, não é engraçado?

— Aham. — Ele não demonstra nenhuma emoção.

Há um silêncio levemente constrangedor entre nós.

Ele *ouviu* o nome dele, tenho certeza. Toda esposa tem um instinto infalível para essas coisas. Ele ouviu seu nome e agora está se perguntando o que foi que eu pedi para ele.

Ou ele pode estar só pensando nos e-mails.

— Mamãe! — Uma voz aguda e inconfundível entra na minha cabeça e eu esqueço Luke.

— Minnie! — Me viro e, por um segundo desesperador, não a vejo.

— Era a Minnie? — Luke também está alerta. — Onde ela está?

— Ela estava com a minha mãe... *Droga.* — Pego Luke pelo braço e aponto, horrorizada, para o palco.

Minnie está sentada em cima de uma das renas do Papai Noel, segurando as orelhas do bicho. Como é que ela subiu ali?

— Com licença... — Abro caminho entre pais e crianças. — Minnie, *desça* já daí!

— Cavalinho! — Minnie chuta a rena, toda feliz, amassando o papel machê.

— Alguém tira essa criança daqui, por favor? — uma elfa pede, no microfone. — Os pais desta criança podem vir aqui, por favor?

— Eu só a soltei por um minuto! — minha mãe diz, se defendendo, enquanto Luke e eu nos aproximamos dela. — Ela simplesmente saiu correndo!

— Muito bem, Minnie — diz Luke, de maneira firme, subindo no palco. — A festa acabou.

— Escorrega! — ela subiu no trenó. — Meu escorrega!

— Não é um escorrega e está na hora de descer. — Ele pega Minnie pela cintura e a puxa, mas ela cruza as pernas no assento e se segura no trenó com uma força absurda.

— Podem tirá-la daqui, por favor? — diz a elfa, sendo quase mal-educada.

Seguro Minnie pelos braços.

— Muito bem — sussurro para Luke. — Você pega as pernas. Vamos arrancá-la daqui. Vou contar até três. Um, dois, três...

Ah, não. Ah... Droga.

Não sei o que aconteceu. Não sei *o que* fizemos, mas a porcaria do trenó está desmoronando. Todos os presentes estão caindo do trenó sobre a falsa neve. Num piscar de olhos, um mar de crianças corre para a frente do palco e começa a pegar os presentes, enquanto os pais gritam, dizendo para voltarem imediatamente ou não terão Natal nenhum.

É um caos.

— Presente! — grita Minnie, esticando os braços e chutando o peito do Luke. — Presente!

— *Tirem essa maldita criança daqui!* — a elfa explode de raiva. Ela olha com ódio para mim e para mamãe e, em seguida, para Janice e Martin, que apareceram do nada, com casacos festivos, cheios de desenhos de renas, segurando bolsas de presentes. — Quero que toda a sua família saia daqui agora.

— Mas é a nossa vez — aviso, humildemente. — Eu realmente sinto muito pela rena e vamos pagar por qualquer prejuízo...

— Com certeza — acrescenta Luke.

— Minha filha queria muito ver o Papai Noel...

— Sinto muito, mas temos uma pequena regra — diz a elfa, sarcasticamente. — A criança que destrói o trenó do Papai Noel perde a vez. Por isso, sua filha está banida da gruta.

— *Banida?* — Eu a encaro apavorada. — Quer dizer...

— Aliás, *todos* vocês estão banidos. — Ela aponta para a saída com sua unha roxa postiça.

— Que belo espírito natalino! — mamãe reclama. — Somos clientes fiéis daqui, e o seu trenó foi, obviamente, muito malfeito. Vou denunciar vocês para a defesa do consumidor!

— Vão logo. — A elfa ainda está parada, o braço rigidamente esticado.

Totalmente humilhada, eu pego o carrinho e nós saímos andando, num silêncio horrível. Vemos meu pai chegando apressado, com seu casaco à prova d'água e seu cabelo grisalho um pouco bagunçado.

— Perdi? Já viu o Papai Noel, Minnie querida?

— Não — consigo admitir. — Fomos banidos.

Meu pai fica boquiaberto.

— Minha nossa. Ah, querida. — Ele suspira pesadamente. — *De novo* não.

— Pois é.

— Foram quantas vezes até agora? — pergunta Janice, um pouco assustada.

— Quatro. — Olho para Minnie, que, é claro, está paradinha segurando a mão do Luke, como um anjinho.

— O que aconteceu desta vez? — pergunta meu pai. — Ela não mordeu o Papai Noel, não é?

— Não! — digo defensivamente. — É claro que não!

O incidente da mordida no Papai Noel da Harrods foi um grande mal-entendido. Aquele Papai Noel, também, era um *fracote*. Ele não precisava ir para o hospital.

— A culpa foi minha e do Luke. Destruímos o trenó ao tentar tirá-la da rena.

— Ah. — Papai balança a cabeça sabiamente, e todos nós nos seguimos, emburrados, para a saída.

— Minnie é muito *elétrica*, não é mesmo? — comenta Janice, timidamente, depois de um tempo.

— Sua pestinha — diz Martin, fazendo cócegas no queixo da Minnie. — Ela dá trabalho!

Talvez eu esteja sensível demais, mas toda essa conversa sobre "dar trabalho", "pestinha" e "elétrica" de repente tocou no meu ponto fraco.

— Vocês não acham que a Minnie é *mimada*, né? — digo, parando abruptamente no meio do shopping. — Sejam sinceros.

Janice inspira fortemente.

— Bem — ela começa, olhando para Martin como se pedisse apoio. — Eu não ia dizer nada, mas...

— *Mimada*? — minha mãe a interrompe, com uma risada. — Que besteira! Não há nada de errado com a Minnie, não é, minha princesa? Ela só é decidida! — Ela passa a mão no cabelo da Minnie com carinho e depois olha para mim. — Becky, querida, você era exatamente igual a ela nessa idade. *Exatamente* igual.

Relaxo imediatamente. Minha mãe sempre diz a coisa certa. Olho para Luke, mas, para minha surpresa, ele não retribui meu sorriso aliviado. Parece estar paralisado por um pensamento novo e alarmante.

— Obrigada, mãe. — Dou um abraço carinhoso nela. — Você sempre melhora as coisas. Venham. Vamos para casa.

Na hora de Minnie ir dormir, eu já estou mais animada. Na verdade, estou me sentindo muito alegre. *Isso é* que é o Natal. Vinho quente, tortas de carne e *White Christmas* passando na TV. Já penduramos a meia da Minnie (de algodão vermelho, linda, da loja Conran), deixei um copo de xerez para o Papai Noel e agora eu e Luke estamos em nosso quarto, embrulhando os presentes da Minnie.

Mamãe e papai são muito generosos. Eles nos deixaram ficar com todo o andar de cima da casa, e por isso temos muita privacidade. O único e pequeno aspecto ruim é que o nosso armário não é *tão* grande. No entanto, isso não é um problema, porque eu também já estou usando o armário do quarto de hóspedes e arrumei todos os meus sapatos nas prateleiras da estante que ficava perto da escada. (Coloquei os livros em caixas. Ninguém lia nenhum deles mesmo.)

Coloquei uma arara no escritório do meu pai, para pendurar casacos e vestidos de festa, e também empilhei umas caixas de chapéu na lavanderia. Guardo toda a minha maquiagem na mesa de jantar, que tem o tamanho ideal. Na verdade, ela poderia ter sido *projetada* para isso. Meus rímeis cabem na gaveta de facas, meus babyliss ficam perfeitos na mesinha com rodas, e empilhei todas as minhas revistas nas cadeiras.

Também guardei algumas coisinhas na garagem, como todas as minhas botas antigas, um conjunto maravilhoso de baús, que encontrei numa loja de antiguidades, e um Power Plate (que comprei no eBay e *preciso* começar a usar). Na verdade, lá está ficando meio cheio, mas é como se meu pai estivesse usando a garagem para o carro, não é mesmo?

Luke termina de embrulhar um quebra-cabeça, pega um cavalete Magic Drawing, olha em volta do quarto e franze a testa.

— *Quantos* presentes a Minnie vai ganhar?

— A quantidade de sempre — digo, na defensiva.

Mas, para ser sincera, estou um pouco surpresa também. Eu havia esquecido de tudo o que tinha comprado pelos catálogos e nas feiras de artesanato ao longo do ano.

— Este é educativo. — Tiro rapidamente o preço do cavalete. — E foi muito barato. Tome um pouco mais de vinho quente! — Sirvo outro copo para ele e pego o chapéu com pompons vermelhos e brilhantes. É a coisa mais fofa do mundo, e também tinham uns para bebês.

Se tivéssemos outro filho, ele poderia usar um chapéu igual ao da Minnie. As pessoas os chamariam de As Crianças com Chapéu de Pompom.

De repente, imagino uma cena fascinante, na qual estou andando na rua com a Minnie. Ela empurra um carrinho de brinquedo com uma boneca e eu empurro outro carrinho, com um bebê de verdade. Ela teria um amigo pelo resto da vida. Tudo seria tão perfeito...

— Becky? Durex? *Becky?*

De repente, percebo que Luke disse meu nome umas quatro vezes.

— Ah! Desculpa! Aqui está. Não é lindo? — balanço os pompons vermelhos para Luke. — Tem para bebês também.

Faço uma pausa significante, deixando que a palavra "bebês" fique suspensa no ar, e uso todos os meus poderes de telepatia de casal.

— Este durex é uma porcaria. Está todo partido. — Ele joga o rolo fora, impacientemente.

Hmm. Telepatia de casal que nada. Talvez seja melhor eu introduzir o assunto de maneira sutil. Uma vez Suze convenceu o marido, Tarkie, a fazer uma viagem para a Disneylândia, e de forma tão sutil que ele só percebeu aonde estavam indo quando já tinham entrado no avião. Lembre-se de que Tarkie é Tarkie (meigo, ingênuo, geralmente pensando em Wagner ou em ovelhas). E Luke é Luke (completamente ligado em tudo e sempre pensando que estou tramando alguma coisa. Mas eu NÃO estou.)

— Então, que notícia fantástica sobre a Arcodas — digo, casualmente. — E sobre a casa.

— Não é ótimo? — Luke dá um sorriso rápido.

— É como se todas as peças do quebra-cabeça estivessem se encaixando. Pelo menos, *quase* todas as peças. — Faço outra pausa significante, mas Luke nem percebe.

Qual é o objetivo de incrementar as conversas com pausas significantes se ninguém percebe? Cansei de ser discreta.

— Luke, vamos ter mais um filho! — digo rapidamente. — Esta noite!

Silêncio. Por um momento eu me pergunto se Luke chegou a ouvir. Então ele levanta a cabeça, com uma cara apavorada.

— Você *pirou*?

Eu o encaro de volta, afrontada.

— É claro que não pirei! Acho que devemos dar um irmãozinho ou irmãzinha para a Minnie. Você não acha?

— Minha flor — Luke senta nos calcanhares. — Nós não conseguimos controlar uma criança. Como é que vamos controlar duas? Você viu como ela se comportou hoje.

Ele também? Ah não.

— O que está dizendo? — Não consigo deixar de me sentir magoada. — *Você* acha que a Minnie é mimada?

— Não estou dizendo isso — ele responde com cuidado. — Mas você precisa admitir que ela é descontrolada.

— Não é nada!

— Analise os fatos. Ela foi banida de quatro grutas do Papai Noel. — Ele conta nos dedos. — E da Catedral de St. Paul. Sem contar o incidente na Harvey Nichols *e* o fiasco no meu escritório.

Ele vai jogar isso na cara dela para sempre? Eles não deveriam *ter* obras de arte caras nas paredes, é o que eu acho. Deveriam estar trabalhando, e não admirando arte o dia inteiro.

— Ela é enérgica — digo, defendendo-a. — Um irmão talvez seja bom para ela.

— E vai nos levar à loucura. — Luke balança a cabeça. — Becky, vamos devagar com essa ideia, está bem?

Me sinto arrasada. Não quero ir devagar. Quero ter dois filhos com chapéus de pompom combinando.

— Luke, eu já pensei bem sobre isso. Quero que a Minnie tenha um amigo para a vida toda e não cresça como filha única. Também quero que os nossos filhos tenham idades próximas, e não muitos anos de diferença. *E* eu tenho 100 libras em cupons para a Baby World que eu nunca gastei! — acrescento, lembrando de repente. — Daqui a pouco vão perder a validade!

— Becky. — Luke revira os olhos. — Não vamos ter outro filho só porque temos cupons para a Baby World.

— Não é *por isso* que nós teríamos outro filho! — falo, indignada. — É só um *motivo a mais*.

É óbvio que ele ia insistir nisso. Só está evitando a questão.

— Então o que você quer dizer? Que *nunca* terá outro filho?

Um olhar cuidadoso surge no rosto de Luke. Por um momento, ele não responde. Termina de embrulhar o presente, ajeitando todos os cantos perfeitamente e alisando o durex com a unha do polegar. Ele parece exatamente alguém que evita falar sobre algo que lhe é doloroso.

Enquanto eu o observo, fico cada vez mais arrasada. Desde quando ter um segundo filho é algo doloroso?

— Talvez eu queira ter mais de um filho — diz ele, finalmente. — Em teoria. Um dia.

Poxa, ele não poderia estar menos entusiasmado.

— Certo. — Engulo em seco. — Entendi.

— Becky, não me entenda mal. Ter a Minnie tem sido... maravilhoso. Não há como amá-la mais do que eu a amo. Você sabe disso.

Ele me encara, e eu sou sincera demais para fazer qualquer coisa que não seja concordar silenciosamente.

— Mas ainda não estamos prontos para ter outro filho. Pense bem, Becky. O ano foi infernal, nem temos a nossa casa e Minnie dá muito trabalho. Nós já estamos lidando com muita coisa... Vamos esquecer isso por enquanto. Vamos aproveitar o Natal, só nós três, juntos. Podemos falar sobre isso de novo daqui a um ano, talvez.

Daqui a um ano?

— Mas falta muito. — Para meu horror, minha voz falha um pouco. — Eu esperava que tivéssemos outro filho no próximo Natal! Tenho até nomes perfeitos, se fizéssemos essa criança hoje: Noel ou Presentinho.

— Ah, Becky. — Luke pega as minhas mãos e suspira. — Se conseguíssemos passar só um dia sem um grande incidente, talvez eu pensasse diferente.

— Podemos facilmente ter um *dia*. Ela não é tão ruim assim!

— Houve algum dia em que a Minnie não tenha criado algum tipo de confusão?

— Está bem — digo, um pouco desafiadora. — Pode esperar. Vou começar um livro de Incidentes da Minnie e aposto que não teremos nada escrito. Aposto que a Minnie será um anjo amanhã.

Silenciosamente, volto a embrulhar os presentes, arrancando o durex com força só para mostrar o quanto estou magoada. Aposto que ele nunca quis ter filhos. Aposto que ele se arrepende de ter uma família. Aposto que ele preferiria ser solteiro e ficar andando o dia inteiro no seu carro esportivo. Eu sabia.

— Então, acabaram os presentes? — digo, depois de um tempo, colocando um grande laço de bolinhas no último pacote.

— Na verdade... Tenho mais uma coisa. — Luke parece encabulado. — Não resisti.

Ele vai até o armário e mexe lá no fundo, atrás dos sapatos. Quando volta, está segurando uma caixa de papelão velha. Ele a coloca no tapete e, suavemente, tira um antigo teatro de brinquedo. É de madeira, está com a tinta gasta, tem cortininhas de verdade de veludo vermelho e até um minipalco.

— Nossa. É *maravilhoso*. Onde encontrou isso?

— Procurei no eBay. Eu tinha um exatamente como este, quando era pequeno. Os mesmos cenários, personagens, tudo.

Observo, curiosa, ele puxar as cordinhas e as cortinas abrirem fazendo barulho. O palco está com o cenário de

Sonho de uma noite de verão, pintado nos mais incríveis detalhes. Um deles é uma cena interior, com pilares; o outro é um bosque, com um pequeno riacho e uma margem cheia de lodo; e ainda há outro que é uma grande floresta, com as torres de um castelo distante ao fundo. Há pequenos personagens de madeira, e estão todos fantasiados. Um deles tem uma cabeça de burro e deve ser... Puck.

Não, não é o Puck. É o outro. Oberon?

Tudo bem, vou colocar *Sonho de uma noite de verão* no Google quando Luke estiver lá embaixo.

— Eu costumava brincar com a Annabel. — Luke olha para o teatrinho como se estivesse em transe. — Eu devia ter uns... 6 anos? Era como ir para um mundo diferente. Veja, todos os cenários têm rodinhas. É um trabalho artesanal muito bem-feito.

Enquanto o observo empurrando os personagens para a frente e para trás, sinto um aperto no coração por ele. Nunca tinha visto Luke demonstrar nenhum tipo de nostalgia por qualquer coisa.

— Bem, não deixe a Minnie quebrá-lo — digo, gentilmente.

— Ela vai se comportar. — Ele sorri. — Amanhã nós vamos fazer uma apresentação natalina, de pai e filha.

Agora me sinto um pouco culpada. Retiro o que disse. Talvez Luke não se arrependa de ter uma família. Ele teve um ano difícil, só isso.

Eu preciso é ter uma conversinha com a Minnie. Vou explicar a situação para ela. Ela vai mudar o seu jeito de ser, Luke vai reconsiderar a questão e tudo será perfeito.

TRÊS

Tudo bem, o Natal não conta. Todo mundo sabe disso.

Não podemos esperar que uma criança se comporte perfeitamente quando tudo é tão empolgante e há doces e decorações em todos os lugares. E não há nenhuma surpresa no fato de Minnie ter acordado às 3 da manhã e começado a gritar, chamando todo mundo. Ela só queria que todos nós víssemos a sua meia. Qualquer outra pessoa teria feito o mesmo.

Enfim, já arranquei a primeira página do Caderno de Incidentes e a rasguei. Todo mundo tem direito a um novo começo.

Tomo um gole de café e pego feliz um bombom. Nossa, eu adoro o Natal. A casa fica com cheiro de peru assado, músicas natalinas tocam no aparelho de som e meu pai está perto da lareira quebrando nozes. Não consigo deixar de sentir um calorzinho bom quando olho em volta da sala e vejo a árvore cheia de luzes piscando e o presépio, que temos desde que eu era pequena (perdemos o bebê Jesus há anos, mas usamos um pregador de roupa no lugar dele).

Minnie arregalou os olhos quando viu sua meia hoje, pela manhã. Ela simplesmente não conseguia absorver tudo e ficava repetindo "Meia? *Meia?*" sem acreditar no que via.

— Becky, filha — chama minha mãe. Vou até o corredor e a vejo na porta da cozinha com seu avental de Papai Noel. — Qual *cracker** podemos abrir no almoço? O de jogos novos ou o de lembrancinhas magníficas?

— Que tal aqueles que você comprou no mercado alemão? — sugiro. — Os que vêm com brinquedinhos de madeira.

— Boa ideia! — O rosto de minha mãe se ilumina. — Eu tinha esquecido deles.

— Sim, estou com a papelada aqui... — Luke passa por mim em direção à escada, falando no celular. — Se você puder dar uma olhada no acordo do Sanderson... Isso. Estarei no escritório até as 3h. Só tenho algumas coisas para resolver primeiro por aqui. Obrigada, Gary.

— Luke! — falo, indignada, quando ele desliga o celular. — O Natal não "são algumas coisas para resolver".

— Concordo — diz ele, sem parar de andar nem por um segundo. — Mas não estamos no Natal.

Sinceramente. Será que ele não consegue entrar no espírito da coisa?

— Estamos *sim*!

— Na terra dos Bloomwood, talvez. Em todos os outros lugares, hoje é dia 28 de dezembro e as pessoas continuam vivendo as suas vidas.

**Cracker* é um cilindro de papel todo colorido que, quando aberto, faz um barulho alto e revela um brinquedinho. (*N. da T.*)

Ele é tão *literal*.

— Tudo bem, talvez não seja exatamente o dia de Natal — digo, de forma rabugenta. — Mas é o nosso *segundo* Natal. É o nosso Natal especial, com a Jess e o Tom, e é tão importante quanto o original. Você poderia tentar entrar no clima!

Ter dois Natais é genial. Na verdade, acho que devemos fazer isso todos os anos. Pode passar a ser uma tradição de família.

— Meu amor. — Luke faz uma pausa no meio da escada e começa a contar nos dedos. — Primeiro, não é tão importante quanto o original. Segundo, eu preciso terminar esse acordo hoje. Terceiro, o Tom e a Jess ainda nem chegaram.

Recebemos uma mensagem de Jess e Tom ontem à noite, informando que o voo deles, de volta do Chile, estava atrasado. Desde então, Janice aparece em nossa casa a cada vinte minutos para perguntar se sabemos mais alguma coisa, se podemos olhar novamente na internet e ver se há alguma notícia sobre acidentes ou sequestros.

Ela está mais agitada do que o normal, e todos nós sabemos por quê: está torcendo, desesperadamente para que Tom e Jess estejam noivos. Parece que Tom disse no último e-mail que tinha "uma coisa para contar" a ela. Ouvi minha mãe e Janice conversando um dia desses, e ela está obviamente morrendo de vontade de fazer outro casamento. Ela tem várias ideias novas para os arranjos de flores, acha que as fotos podem ser tiradas na frente da árvore de magnólia e acredita que tudo isso poderia "acabar com a lembrança daquela sirigaita ingrata". (Lucy, a primeira esposa do Tom. Uma vaca, acredite em mim.)

— Aliás, por que diabos a Minnie ganhou outra meia hoje de manhã? — acrescenta Luke, baixando o tom de voz. — De quem foi essa ideia?

— Foi... ideia do Papai Noel — digo, com um pouco de provocação. — Aliás, você já viu como ela está se comportando bem hoje?

Minnie ajudou minha mãe na cozinha durante toda a manhã e está se comportando perfeitamente bem, tirando uma pequena situação com o mixer, que eu não comentarei com Luke.

— Tenho certeza de que sim — Luke começa a falar, e a campainha toca. — Não pode ser eles. — Ele analisa o relógio, parecendo intrigado. — Ainda estão no avião.

— É a Jess? — grita minha mãe, toda animada, lá da cozinha. — Alguém já mandou uma mensagem para a Janice?

— Não pode ser a Jess! — grito de volta. — Deve ser a Suze chegando mais cedo. — Corro para a porta. Quando a abro, era o que eu imaginava: lá está toda a família Cleath-Stuart, parecendo uma grande foto do catálogo da Toast.

Suze está maravilhosa com um casaco preto de lã e seu longo cabelo louro caindo sobre ele. Tarquin está como sempre, com um Barbour antigo, e as três crianças estão todas desengonçadas, com olhos arregalados e casacos de tricô.

— Suze! — Eu a envolvo em meus braços.

— Bex! Feliz Natal!

— Feliz Natal! — grita Clemmie, chupando o dedo e segurando a mão de Suze.

— E um feliz pano ovo! — interrompe Ernest, que é o meu afilhado e já tem aquele estilo magrelo e riquinho. ("Feliz pano ovo" é uma expressão antiga da família Cleath-Stuart. Assim como "Feliz ani-berçário", em vez de "Feliz aniversário". Há tantas expressões que eles deveriam fazer um dicionário.)

Ele olha de um jeito indeciso para Suze, que faz um sinal com a cabeça, encorajando-o, e então ele estica a mão formalmente, como se estivéssemos nos conhecendo pela primeira vez, na festa de um embaixador. Eu a aperto solenemente e depois o puxo para cima, envolvendo-o em um abraço até ele começar a rir.

— Suzie, querida! Feliz Natal! — Minha mãe entra apressada na sala e a abraça com carinho. — E Tark... — Ela para de falar. — Lorde... — Ela me olha ansiosamente. — Sua Alteza...

— Hmm... por favor, Sra. Bloomwood. — Tarkie fica um pouco envergonhado. — Tarquin está ótimo.

O avô do Tarkie morreu de pneumonia há alguns meses. Foi uma coisa muito trágica, mas, por outro lado, ele tinha 96 anos. Enfim, a questão é que o pai do Tarkie herdou o título de conde e ele acabou virando um lorde! Agora o Tarkie é o lorde Tarquin Cleath-Stuart, o que faz com que Suze seja uma "Lady". É uma coisa tão inusitada e nobre, que eu não consigo nem entender isso direito. Além do mais, eles agora têm *mais* rios de dinheiro, terra e coisas do que tinham antes. A casa nova deles fica em Hampshire, a mais ou menos meia hora daqui. Chama-se Letherby Hall e parece até uma locação do filme *Desejo e poder*, mas eles nem ficam lá o tempo todo. Também têm uma casa em Chelsea.

É de se esperar que Tarkie invista em um novo cachecol. Ele está tirando do pescoço a coisa mais esfarrapada e velha possível, que parece ter sido tricotada pela avó dele há vinte anos. Bem, provavelmente foi mesmo.

— Você ganhou algum presente de Natal bacana, Tarkie? — pergunto.

Comprei um difusor de aromaterapia tão legal para ele que tenho certeza que ele vai amar. Bem, Suze vai amar.

— Com certeza — ele concorda, empolgado. — Suze comprou um reprodutor Merino maravilhoso para mim. Foi uma surpresa e tanto.

Reprodutor? Ele quis dizer processador?

— Fabuloso! — exclamo. — Merino está *muito* na moda agora. Você deveria ver a nova coleção do John Smedley. Você ia adorar.

— John Smedley? — Tarkie parece um pouco confuso. — Não conheço. É um criador de animais?

— O estilista de roupas de malha! Sabe, você pode usar uma blusa de gola rulê por baixo do paletó — digo, inspirada. — É um visual muito legal. Ele tem só uma fileira de botões?

Tarkie parece estar boiando, e Suze dá uma gargalhada.

— Bex, não dei um processador para ele. Eu dei um *reprodutor*. É um carneiro não castrado.

Um carneiro não castrado? Que tipo de presente de Natal é este?

— Ah, *entendi*. — Faço de tudo para parecer entusiasmada. — É claro. Um carneiro não castrado! Excelente!

— Não se preocupe, eu dei uma jaqueta também — acrescenta Suze, sorrindo para mim.

— Para quando eu estiver andando de bicicleta — comenta Tarkie. — É realmente ótima, querida.

Já sei que não posso dizer: "Que legal? Uma Belstaff?" Para Tarkie, "bicicleta" não é o que a maioria das pessoas considera uma "bicicleta". Eu estava certa, pois Suze procura fotos no celular e em seguida vira a tela para me mostrar uma foto de Tarkie. Ele está com uma jaqueta de tweed, sentado numa daquelas bicicletas do século XIX que tem uma roda grande na frente e uma bem menor atrás. Ele tem várias bicicletas antigas e até as empresta para produtoras de TV sempre dando orientações sobre como eram usadas antigamente. (O único problema é que eles nem sempre prestam atenção. Aí Tarkie vê o programa na TV, repara que estão fazendo tudo errado e fica todo deprimido.)

— Por que as crianças não vêm para a cozinha comer biscoito e tomar suco? — Mamãe está reunindo Ernest, Clementine e Wilfrid como se fosse uma galinha-mãe. — Cadê a Minnie? Minnie, querida, venha ver seus amigos!

Como um foguete, Minnie voa da cozinha para o corredor, com seu vestido escarlate de Natal, o chapéu de pompons vermelhos e brilhantes e as asinhas cor-de-rosa de fada, que ela se recusa a tirar desde que as pegou de dentro da meia.

— Ketchup! — ela grita, triunfalmente, e aponta o pote para o casaco lindo da Suze.

Meu coração congela.

Ah, não. Ah não, ah não. Como é que ela pegou isso? Sempre o colocamos na prateleira de cima, desde que...

— Minnie, não. *Não.* — Tento pegar o ketchup, mas ela desvia de mim. — Minnie, me dá isso, *não ouse...*

— Ketchup! — O fio vermelho já está riscando o ar antes que eu consiga reagir.

— Nãããoo!

— Minnie!

— Suze!

É como *Apocalypse Now*. Vejo toda a cena com se estivesse em câmera lenta: Suze leva um susto e se encolhe. Tarquin pula na frente dela e o ketchup cai, como uma bolha gigante, no Barbour dele.

Não ouso nem olhar para Luke.

— Me dá isso aqui! — Puxo o ketchup da mão de Minnie. — Menina levada! Suze e Tarkie, eu sinto *muito*...

— Peço desculpas pelo comportamento terrível da nossa filha — interrompe Luke, com uma voz bem irritada.

— Ah, não tem problema — diz Suze. — Tenho certeza de que foi um acidente, não é, querida? — Ela passa a mão na cabeça de Minnie.

— Com certeza — diz Tarkie. — Sem problemas. Se eu pudesse apenas... — Ele aponta, constrangido, para o ketchup que está escorrendo na parte da frente do seu Barbour.

— É claro! — Eu rapidamente pego o Barbour. — Você pulou muito bem, Tarkie — acrescento, admirada. — Foi muito rápido.

— Ah, não foi nada. — Ele parece encabulado. — Qualquer homem decente teria feito o mesmo.

Isso só mostra como Tarquin é dedicado a Suze. Ele pulou na frente dela, sem hesitar. É realmente muito romântico.

Será que Luke levaria um jato de ketchup por mim? Eu posso perguntar isso depois para ele, de maneira casual.

— Luke — diz Tarquin, um pouco tímido, enquanto apertam as mãos. — Será que posso pedir uma opinião sua sobre uma coisa?

— Sem problemas. — Luke parece um pouco surpreso. — Vamos para a sala?

— Vou levar as crianças para a cozinha e dar um jeito neste Barbour... — Minha mãe o tira de mim.

— E, Bex, você pode me mostrar o que comprou na liquidação! — diz Suze, animada. — Quer dizer... hã... conversar sobre as crianças — ela emenda rapidamente, depois que dou um discreto chute em sua canela.

Enquanto nos esparramamos na minha cama, eu começo a pegar tudo o que comprei na liquidação de Natal; me lembro dos velhos tempos, quando Suze e eu dividíamos um apartamento em Fullham.

— É *isto* aqui que vou vestir no batizado. — Balanço o vestido de estilo russo novinho em folha.

— Fantástico! — diz Suze, enquanto experimenta minha jaqueta de couro nova. — Muito melhor que na foto.

Eu mandei algumas fotos das peças em liquidação por mensagem para Suze, e ela me deu sua opinião. Para retribuir, ela encaminhou fotos dela e do Tarkie caçando tetraz, ou atirando em pombos, ou seja lá o que estavam fazendo. Suze é muito meiga e leal, assim como a rainha. Ela nunca reclama de nada. Mas, sinceramente, onde é que *você* preferiria estar? Num pântano gelado ou na Selfridges com setenta por cento de desconto?

— E... tchã-tchã!

Pego minha melhor compra: um cardigã da Ally Smith de edição limitada com o famoso botão da marca.

— Meu Deus! — grita Suze. — Onde você comprou? Estava em promoção?

— Sessenta por cento de desconto! Só 110 libras.

— Veja só o botão. — Suze estica a mão e o acaricia apaixonadamente.

— Não é ótimo? — Sorrio, feliz. — Vou usá-lo tantas vezes que *rapidinho* vai ter valido a pena ter pagado esse preço...

A porta se abre e Luke entra.

— Ah, oi. — Instintivamente, sem perceber o que estou fazendo, empurro uma das sacolas para embaixo da cama.

Não é exatamente por medo de ele me censurar. Quer dizer, o dinheiro é meu, eu trabalhei por ele e posso gastá-lo como eu quiser. É só porque, no dia 26 de dezembro, eu e minha mãe estávamos acordadas, às 7 da manhã, prontas para fazer as nossas compras de liquidação. Luke nos olhou, completamente perplexo, depois viu todos os presentes, que ainda estavam embaixo da árvore, e disse: "Você já não comprou o suficiente ontem?"

E isso só mostra como ele entende pouco de quase tudo. Presentes de Natal e liquidações são *completamente* diferentes. Eles são como... diferentes grupos de alimentos.

— Bex comprou as coisas mais maravilhosas em liquidação — diz Suze, me apoiando. — Você não amou o novo cardigã dela?

Luke olha para o cardigã. Ele se vira e me analisa por um instante. Depois, analisa o cardigã de novo. Então ele franze a testa como se algo o estivesse deixando confuso.

— Quanto custou?

— Cento e dez libras — digo, defensivamente. — Sessenta por cento de desconto. É uma edição limitada de uma boa marca.

— Então... você acabou de gastar 110 libras num cardigã que é exatamente igual ao que está usando agora?

— *O quê?* — Eu me analiso, espantada. — É claro que não. Não são nada parecidos.

— São idênticos!

— Não são não! Como você pode dizer isso?

Há uma pequena pausa. Estamos olhando um para o outro, como se ambos estivessem se perguntando: "Será que me casei com uma pessoa lunática?"

— Os dois são de uma cor creme bem clara. — Luke começa a contar nos dedos. — Os dois têm um botão grande. Os dois são cardigãs. Idênticos.

Ele é cego?

— Mas o botão está num *lugar* diferente — eu explico. — Muda todo o formato. E este aqui tem mangas largas. Eles não têm nada a ver um com o outro, não é, Suze?

— Completamente diferentes — Suze concorda fervorosamente.

Pela expressão de Luke fica óbvio que ele não entendeu. Às vezes eu me pergunto como uma pessoa tão desligada pode ser tão bem-sucedida na vida.

— E este botão é *vermelho* — acrescenta Suze, me ajudando.

— Exatamente! — Aponto para o botão enorme, que tem os cristais característicos da Ally Smith. — O diferencial deste cardigã é este botão maravilhoso. É como... uma assinatura.

— Então você gastou 100 libras num botão.

Nossa, às vezes ele é tão irritante...

— É um *investimento* — digo, fria. — Eu estava acabando de dizer para a Suze que vou usá-lo tantas vezes que vai valer a pena ter pagado este preço.

— Quantas vezes? Duas?

Eu o encaro, completamente indignada.

— É claro que não. Eu devo usá-lo umas... — Penso um pouco, tentando ser completamente realista. — Umas cem vezes. Então cada vez custará 1,10 libra. Acho que posso pagar 1,10 libra por um clássico de marca, não acha?

Luke faz um barulho estranho.

— Becky, você já usou *alguma coisa* cem vezes? Vou considerar um recorde se você usá-lo uma vez só.

Ha-ha-ha.

— Eu aposto com você que vou usá-lo cem vezes, pelo menos. — Determinada, tiro o cardigã que estou usando e visto o da Ally Smith. — Está vendo? Já usei uma vez.

Vou mostrar para ele. Vou usar *mil* vezes.

— Tenho que ir, Tarquin está esperando por mim — Luke diz, e olha para Suze de um jeito estranho. — Vocês herdaram um negócio e tanto.

— Pois é — diz ela. — O Tarkie, coitado, estava sofrendo com isso, então eu disse: "Pergunte ao Luke. *Ele* saberá o que fazer."

— Bem, fico feliz por ter dito isso. — Luke estava mexendo no armário atrás de uns papéis. Ele fecha o armário e sai lá de dentro. — Até mais tarde.

— O que foi isso? — pergunto, confusa. — Que negócio é esse?

— Ah, é aquela coisa do Shetland Shortbread — diz Suze vagamente. — É um bom negócio, e agora que é nosso...

Espera aí. Volta.

— Vocês são donos do Shetland Shortbread? — Eu a encaro, abismada. — Aquelas latas vermelhas de biscoito que compramos no supermercado?

— Exatamente! — diz Suze, animada. — É muito gostoso. Eles são feitos numa das nossas fazendas.

Estou perplexa. Suze é dona de mais o quê agora? HobNobs de chocolate? KitKats?

Ooh, seria tão legal! Imagino quantos ela ganharia de graça. Talvez... uma caixa por ano?

Não, isso é ridículo. Seriam, no mínimo, dez caixas por ano, não é mesmo?

Depois de mostrar todas as minhas roupas para Suze, desço rapidamente para fazer café e ver se as crianças estão bem. Quando volto, vejo Suze andando pelo quarto bagunçado e mexendo nas minhas coisas, como sempre faz. Ela olha para mim, segurando uma pilha de fotos antigas que eu pretendia organizar em álbuns.

— Bex, não acredito que você finalmente vai sair daqui. Parece que está na sua mãe há milênios.

— Foram milênios mesmo. Dois anos inteiros!

— O que seus pais disseram?

— Ainda não contei para eles. — Olho para a porta e abaixo o tom de voz. — Acho que vão sentir muito a nossa falta, quando formos embora. Na verdade... Estou um pouco preocupada com a reação deles, quando receberem a notícia.

A verdade é que meus pais se acostumaram com a nossa presença. Principalmente a da Minnie. Toda vez que uma tentativa de comprar a nossa casa não dava certo, eles ficavam secretamente felizes. Minha mãe contou isso para mim uma vez.

— Nossa, é claro. — O rosto de Suze se enche de ansiedade. — Eles vão ficar arrasados. A coitadinha da sua mãe precisará de muita ajuda. Talvez você possa arranjar uma psicóloga! — acrescenta ela, inspirada. — Aposto que existem workshops para a síndrome do ninho vazio ou algo assim.

— Me sinto culpada. — Suspiro. — Mas não podemos ficar aqui para sempre, não é mesmo? Precisamos do nosso espaço.

— É claro que precisam — diz Suze, me apoiando. — Não se preocupe, seus pais acabarão aceitando. Vamos, me mostre a casa! Como ela é? De que tipo de reformas precisa?

— Bem, na verdade não *precisa* de nenhuma reforma — confesso, entregando a planta da casa para ela. — Foi decorada por uma imobiliária.

— Oito quartos! — Suze levanta as sobrancelhas. — Nossa!

— É maravilhosa! É muito maior do que parece e recentemente foi toda pintada. Mas mesmo assim temos que decorá-la com o nosso estilo, não é?

— Com certeza — Suze concorda, sabiamente.

Suze está *muito* mais envolvida do que Luke, que, aliás, nunca entrou na casa. Eu disse a ele que precisávamos deixar a casa mais com o nosso jeito e ele retrucou: "Por que não podemos ser felizes com o estilo de outra pessoa?"

— Eu já fiz vários planos — digo entusiasmada. — No corredor, por exemplo, acho que podemos colocar um cabideiro com apenas uma bolsa Alexander Wang pendurada. Seria uma espécie de manifesto. — Procuro, embaixo da cama, o desenho que fiz e o mostro a ela.

— Nossa — Suze murmura. — Está maravilhoso. Você tem uma bolsa Alexander Wang?

— Eu teria que comprar — explico. — Do lado do cabideiro, talvez eu coloque um aparador decorado com joias Lara Bohinc.

— Adoro a Lara Bohinc! — diz Suze, entusiasmada. — Você tem joias dela? Nunca me mostrou!

— Não... Bem, eu teria que comprar isso também. Mas não seria para *mim*, não é mesmo? — acrescento, rapidamente, quando ela faz uma cara estranha. — Seria para a *casa.*

Por um instante, Suze apenas me olha. É a mesma cara que ela fez quando eu sugeri que trabalhássemos lendo a sorte das pessoas por telefone. (O que eu *ainda* acho que é uma boa ideia.)

— Você quer comprar bolsa e joias para a sua *casa?* — ela diz, finalmente.

— Quero! Por que não?

— Bex, ninguém compra bolsa e joias para a casa.

— Bem, talvez devessem fazer isso! Talvez as casas ficassem mais bonitas assim! Mas não se preocupe, eu vou comprar um sofá também. — Jogo um monte de revistas de decoração em cima dela. — Vamos lá, ache um legal para mim.

Meia hora depois, a cama está cheia de revistas de decoração e nós duas estamos deitadas, em silêncio, nadando em fotos de enormes sofás de veludo laranja, escadas com luzes embutidas e cozinhas feitas com granito lustrado e portas de madeira reformadas. O problema é que eu quero que a minha casa se pareça com *todas* elas ao mesmo tempo.

— Tem um porão gigantesco! — Suze está analisando a planta da casa novamente. — O que é que vocês planejam para esse espaço?

— Boa pergunta! — Olho para cima, pensando. — Acho que poderia ser uma academia de ginástica, mas o Luke quer ter uma adega lá.

— Adega? — Suze faz uma careta. — Ah! Faz a academia. Poderemos praticar Pilates juntas!

— Exatamente! Seria tão legal! Mas o Luke tem alguns vinhos valiosos guardados e ele está muito empolgado com a possibilidade de tê-los à disposição.

Essa é uma coisa que eu nunca vou entender no Luke. Enquanto ele gasta trilhões de libras em um vinho, nós poderíamos comprar um bom Pinot Grigio por 10 libras e investir o restante numa saia.

— Então há um quarto para vocês dois... — Suze ainda está focada na planta. — E um para a Minnie...

— Um para as roupas.

— E para os sapatos?

— Com certeza. E ainda um outro para a maquiagem.

— Ooh! — Suze me olha com interesse. — Um quarto de maquiagem! O Luke concordou com isso?

— Vou falar que é a biblioteca — explico.

— Mas ainda sobram três quartos. — Suze olha para mim com uma expressão de curiosidade. — Vocês planejam... enchê-los?

Viu? É por isso que eu deveria ter me casado com Suze. *Ela* me entende.

— Quem me dera. — Suspiro. — O Luke não quer outro filho.

— Jura? — Suze parece surpresa. — Por que não?

— Ele diz que a Minnie é muito levada, e que nós não vamos conseguir lidar com duas crianças e que devemos aproveitar o que já temos. Ele não vai ceder. — Curvo o ombro meio triste e dou uma olhada num artigo sobre banheiras antigas.

— Você não pode... agarrá-lo? — diz Suze, depois de um tempo. — E também esquecer de tomar a pílula "acidentalmente"? Tenho certeza de que ele vai amar a criança quando ela nascer.

Não posso dizer que essa ideia não tenha passado pela minha cabeça, mas eu não conseguiria fazer isso.

— Não. — Balanço a cabeça. — Não quero enganá-lo. Quero que ele *queira* ter outro filho.

— Talvez ele mude de ideia durante o batizado. — Os olhos de Suze ficam radiantes. — Você sabia que foi no batizado do Ernie que eu e Tarkie resolvemos ter outro filho? O Ernie estava tão fofo que pensamos que seria legal dar um irmão ou uma irmã para ele, e então fomos em frente. É claro que acabamos tendo mais *dois* — acrescenta ela, logo depois. — No entanto, isso não acontecerá com *você*.

— Talvez. — Fico em silêncio por um tempo, me preparando para fazer a grande pergunta. Não quero realmente perguntar, mas preciso ser corajosa. — Suze... Posso te pedir uma opinião? Tipo, muito sincera?

— Está bem — diz ela, um pouco apreensiva. — Mas só se você não quiser saber quantas vezes por semana nós transamos.

O quê? De onde veio *isso*? Certo, agora quero saber quantas vezes por semana ela faz sexo. Provavelmente nunca. Ou talvez o tempo todo. Nossa, aposto que é o tempo todo. Aposto que ela e Tarkie...

Enfim.

— Não é sobre sexo. — Me obrigo a voltar ao assunto. — É... Você acha que a Minnie é *mimada*?

Começo a tremer de medo. E se ela responder sim? E se a minha melhor amiga achar que Minnie é um monstro? Eu vou ficar completamente arrasada.

— Não! — diz Suze imediatamente. — É claro que a Minnie não é *mimada*! Ela é uma graça. Ela é só um pouco... agitada, mas isso é bom! Nenhuma criança é perfeita.

— Seus filhos... — digo, melancolicamente — eles nunca se metem em encrenca.

— Meu Deus! Você acha mesmo isso? — Suze se empertiga e larga as plantas da casa. — Nós estamos tendo *tantos* problemas com o Ernie. A professora dele sempre chama a gente na escola. Ele está mal em todas as matérias, menos em alemão, mas eles nem *ensinam* alemão.

— Ah, Suze — digo, compreensiva.

Eu não preciso perguntar por que Ernie fala alemão tão bem. Tarquin acha que Wagner é o único tipo de música que vale a pena e coloca para os filhos ouvirem toda noite. Não me entenda mal, Ernie é meu afilhado e eu o amo muito, mas na última vez que eu os visitei, ele me contou toda a história de uma coisa chamada "Cantores alguma coisa", e isso durou horas. Eu quase morri de tédio.

— Preciso conversar com a diretora — Suze continua, parecendo chateada. — O que é que eu vou fazer se ela pedir para ele sair de escola?

Esqueço todos os meus problemas e a abraço, me sentindo enfurecida. Como alguém ousa magoar Suze? Quem são esses idiotas? Eu vi a escola do Ernie uma vez, quando fui buscá-lo com Suze. Tudo lá é meio esnobe, com blazers lilás, custa 1 milhão de libras por semestre ou algo do tipo, e eles nem servem almoço. Devem estar muito ocupados contando dinheiro para não terem tempo de apreciar um talento de verdade.

— Tenho certeza de que vai ficar tudo bem — digo, firmemente. — Se eles não quiserem o Ernie é porque essa escola é uma porcaria mesmo.

Se um dia eu encontrar com essa diretora, vou dizer, muito explicitamente, o que penso. Afinal, eu sou a madrinha do Ernie. Na verdade, acho que eu deveria ir na próxima reunião da escola e expressar meu ponto de vista. Estou quase sugerindo isso para Suze, quando ela bate com a mão na cama.

— Já sei, Bex! Já sei. Você deveria arranjar uma governanta.

— Uma *governanta*? — Eu a encaro.

— Quem toma conta da Minnie enquanto você está no trabalho? Continua sendo a sua mãe?

Confirmo com a cabeça. Desde que a minha licença maternidade acabou, eu trabalho dois dias por semana na The Look, onde sou *personal shopper*. Enquanto estou lá minha mãe cuida da Minnie, e isso é ótimo pois posso deixá-la na cozinha, tomando o café da manhã, e ela nem percebe que eu estou saindo.

— Sua mãe a leva para o grupo recreativo?

Faço uma careta.

— Na verdade, não.

Mamãe não gosta de grupos recreativos. Uma vez ela foi ao Tic Tac acabou discutindo com outra avó sobre quem era a melhor Miss Marple na TV, e depois disso ela nunca mais voltou.

— E o que é que elas fazem?

— Bem, depende... — digo, vagamente. — Elas fazem um monte de atividades educativas...

É uma pequena mentira sem importância. Pelo que eu sei, a programação nunca varia. Elas saem para fazer compras, tomam chá na Debenhams e depois voltam para casa e assistem a algum DVD da Disney.

Nossa, talvez Suze tenha razão e Minnie precise de uma rotina diferente. Talvez seja *isso* que esteja errado.

— Uma governanta vai colocá-la na linha — diz Suze, confiante. — Além disso, ela vai organizar as refeições, os banhos e tudo mais. O *Luke* logo vai ver como tudo pode ser tranquilo e mudará de ideia na hora. Confie em mim.

Eu *sabia* que Suze teria a resposta. Essa é a solução: uma governanta!

A imagem que faço de uma governanta é uma mistura da Mary Poppins com a Sra. Doubtfire: uma mulher toda fofa usando um avental, com uma colher de açúcar na mão e cheia de conselhos sábios e simples. A casa ficará completamente tranquila e com cheiro de pão quente. Minnie se tornará uma criança angelical, daquelas que ficam brincando de massinha, quietinha, vestida com o seu aventalzinho, e o Luke vai me levar para a cama na hora.

Na verdade, o que vale a pena mesmo é a parte que ele me leva para a cama.

— *Todo mundo* está contratando as Governantas Insuperáveis. É a melhor empresa. — Suze já ligou o meu laptop e encontrou o site. — Dá uma olhada. Vou descer para ver as crianças.

Pego o meu laptop e me dou conta de que estou olhando um site chamado *Governantas Insuperáveis: criando crianças equilibradas e educadas que serão bem-sucedidas no futuro.*

Meu queixo vai caindo enquanto analiso o site. O que é isso? Essas governantas não têm nada a ver com a Sra. Doubtfire. Elas parecem a Elle McPherson. Todas têm dentes e abdomens perfeitos, além de um sorriso de mulher inteligente.

> Nossas governantas, modernas e bem-treinadas, são carinhosas, de confiança e educadas. Elas vão controlar inteiramente a rotina do seu filho e cozinhar um cardápio equilibrado. Vão estimular seu desenvolvimento físico, emocional e intelectual. As Governantas Insuperáveis são altamente qualificadas em nutrição infantil, segurança, enriquecimento cultural e atividades criativas. Muitas são fluentes em francês/mandarim e/ou ensinam música, matemática Kumon, artes marciais ou balé.

Eu me sinto completamente despreparada ao ver as fotos de garotas sorridentes, com cabelos compridos e sedosos, fazendo risoto de legumes, jogando bola no jardim ou vestidas com quimono de judô. Não é *à toa* que a Minnie faz essas birras. É porque ninguém pratica artes marciais ou faz sushi com ela. Durante todo esse tempo eu a privei disso. De repente, fazer tortinhas de geleia na cozinha com a minha mãe passa a ser muito idiota. Nós não fazemos nem a massa da torta, pois usamos aquela que vem pronta. Precisamos contratar uma Governanta Insuperável o mais rápido possível.

O único problema — só um detalhezinho — é: será que eu quero que uma garota de cabelo sedoso fique passeando por aí com uma calça jeans justa e um avental para fazer sushi? E se ela e o Luke se derem bem? E se ele também quiser aulas de "artes marciais"?

Hesito por um tempo, minha mão suspensa sobre o mouse. Vamos. Eu preciso ser madura agora e preciso pensar nas vantagens disso para a Minnie. Preciso lembrar que tenho um marido carinhoso e fiel e que, da última vez que eu achei que ele estava tendo um caso com uma ruiva de cabelo sedoso, cujo nome não me permito lembrar (viu, Venetia? Isso mostra o *quanto* você não significa nada para mim), eu tinha entendido tudo errado.

Além do mais, se a governanta realmente *for* muito bonita e tiver cabelos maravilhosos, eu posso organizar o horário dela de modo que o Luke nunca a encontre.

Cheia de determinação, eu preencho o formulário e aperto "enviar". Esta é a resposta! Trazer os especialistas. Agora preciso convencer minha mãe. Ela não gosta muito de governantas, nem de creche, nem de babás. Mas isso é só porque ela assiste a esses programas de TV sobre governantas más. A verdade é que nem *toda* governanta é uma louca que finge ser uma mulher que já morreu e está fugindo do FBI, não é mesmo?

E ela não quer que a neta seja educada e equilibrada? Não deseja que a Minnie seja bem-sucedida no futuro?

Exatamente.

Vou lá para baixo e vejo Suze com Luke e Tarquin, na sala. Há um bule de café vazio e muitos papéis na mesa. É óbvio que eles estão trabalhando bastante.

— Você precisa pensar em Shetland Shortbread como uma *marca* — Luke está dizendo. — Você está envolvido com uma coisa que pode ser um grande sucesso mundial, mas precisa melhorar o perfil. Procure uma história, uma personalidade, uma proposição exclusiva de vendas, um ponto de volta. Estabeleça os valores da sua marca.

Ele parece muito animado e entusiasmado, que é como ele sempre fica quando percebe o potencial de um novo projeto.

Tarquin, por outro lado, parece um coelho com medo da luz de um farol.

— Com certeza — diz ele, nervoso. — Valores de marca. Ahm... Suze, querida, Luke está me ajudando muito. Eu não sei como agradecer.

— Imagina, não é nada. — Luke dá um tapinha no ombro dele. — Você precisa se organizar, Tarquin. Monte uma equipe de negócios eficiente, crie estratégias e vá em frente.

Seguro uma risadinha. Até *eu* sei que Tarquin não faz o tipo estrategista.

— Eu vou ler os contratos para você e dizer o que acho deles. — Luke pega o BlackBerry. — Sei que os seus advogados já aprovaram tudo, mas, como eu disse, você consegue coisa melhor.

— Sinceramente, Luke — Tarquin protesta, delicadamente —, você já dedicou muito do seu tempo e do seu conhecimento técnico...

— Não seja ridículo. — Luke sorri rapidamente para ele e liga o BlackBerry.

O rosto magro de Tarquin está ficando vermelho. Ele olha com certa agonia para Suze, torce as mãos e limpa a garganta.

— Luke, eu sei que você tem sua própria empresa — fala ele de repente. — Mas eu ficaria muito feliz em lhe oferecer um emprego como gerente de negócios de todas as minhas propriedades e empresas. Por qualquer salário e quaisquer condições.

— Um *emprego*? — Luke parece surpreso.

— Isso! — Suze bate palmas, entusiasmada. — É uma ideia brilhante! Seria maravilhoso. Podemos providenciar uma residência também, não podemos? — acrescenta ela para Tarkie. — Aquele nosso pequeno castelo em Pertshire seria perfeito! Quer dizer, não seria tão legal quanto a sua casa em Maida Vale — acrescenta ela, amorosamente —, mas seria uma espécie de segunda casa.

— *Qualquer* condição? — diz Luke, devagar.

— Isso — responde Tarquin, depois de um momento de hesitação. — Sim, claro.

— Eu aceito se você me der sessenta por cento do total da receita bruta — responde Luke.

Há um silêncio tenso. Não acredito no que estou ouvindo. Será que Luke está realmente considerando largar a

Brandon Communications para gerenciar a propriedade dos Cleath-Stuart?

Será que nós vamos morar num *castelo*?

Nossa! Nós seríamos um clã. Poderíamos ter o nosso próprio tartã rosa-shocking com prata e preto! Seria o tartan "McBloomwood de Brandon". Nós também faríamos a dança escocesa e o Luke poderia usar aquela bolsa de couro sobre o kilt...

— Eu... hã... — Tarquin olha ansioso para Suze. — Hã. Me parece... razoável...

— Tarquin! — Luke praticamente explode. — É *claro* que sessenta por cento não é nada razoável! É por *isso* que você precisa de um consultor de negócios no qual possa confiar. É por *isso* que vou marcar uma reunião para você com pessoas que eu considero muito, e estarei junto para garantir que você entenda tudo... — Ele começa a digitar no BlackBerry e para quando o aparelhinho vibra alto, como uma abelha raivosa. — Desculpe, foi uma mensagem... — Ele olha para a tela e sua expressão agora é outra; ele digita alguma coisa.

— Eu sabia que o Luke não aceitaria. — Suze faz uma cara triste para mim. — Ele nunca abandonaria o negócio dele.

— Eu sei — concordo, mas intimamente me sinto um pouco decepcionada. Na minha cabeça, eu já estava morando num castelo escocês e tinha dado o nome de Morag ao nosso segundo filho.

— Bem, pelo menos me deixe comprar alguma coisa — Tarquin está dizendo para Luke com seu tom educado e formal. — Ou pagar-lhe um almoço? Ou será que posso oferecer um fim de semana de caça? Ou... ou... um verão na nossa casa na França? Ou...

— Jesus *Cristo* — diz Luke, de repente, baixinho. Ele parece estar atordoado com o que lê no BlackBerry.

— O que foi? — pergunto, preocupada. — O que houve?

Luke olha para cima e pela primeira vez parece perceber que todos nós estamos olhando para ele.

— Nada. — Ele abre um sorriso tranquilo, o que significa que não está a fim de falar sobre o assunto. — Becky, preciso ir. Sinto muito, acho que vou chegar tarde hoje.

— Você não pode ir! — digo espantada. — E o nosso segundo Natal? E Jess e Tom?

— Mande um beijo para eles. — Ele já saiu da sala.

— O que houve? — pergunto para ele. — É alguma crise? — Mas ele não responde, e logo depois ouço a porta da frente batendo.

— Quem é? — A voz da minha mãe ressoa pelo corredor. — Tem alguém aí?

— É só o Luke — respondo. — Ele teve que ir para o trabalho. Houve uma emergência e...

— Que nada! — Ouço a porta da frente abrindo e a voz do meu pai aumentando. — Jess! Tom! Sejam bem-vindos!

Jess chegou? Meu Deus!

Vou voando para o corredor, seguida por Suze, e lá está ela: magra, alta e elegante, como sempre; muito bronzeada, com o cabelo curto e descolorido pelo sol; usando um moletom cinza com capuz e uma calça jeans desbotada.

— Becky. — Ela me abraça, largando sua mochila gigantesca. — Como é bom ver você! Acabamos de ver o Luke saindo correndo. Oi, Suze.

— Bem-vinda de volta! Oi, Tom!

— Alguém já mandou uma mensagem para a Janice? — Mamãe sai apressada da cozinha. — A Janice já sabe?

— Vou gritar sobre a cerca — diz meu pai. — É muito mais rápido do que mandar uma mensagem.

— Mais rápido do que uma mensagem? — responde minha mãe. — Que besteira! As mensagens são *instantâneas*, Graham. Isso se chama tecnologia moderna.

— Você acha que consegue enviar uma mensagem mais rápido do que se eu gritar sobre a cerca? — pergunta meu pai, com um tom de zombaria. — Quero ver você tentar. Até conseguir pegar o celular...

— Até você chegar do outro lado eu já terei mandado a mensagem! — Minha mãe já está com o celular na mão.

— Janice! — grita meu pai, correndo pela rua. — Janice, o Tom chegou! Viu? — ele grita, triunfante, para a minha mãe. — A boa e velha comunicação instantânea: a voz humana.

— Eu tinha esquecido de como os seus pais são — Tom fala baixo para mim, achando graça, e eu sorrio de volta. Ele está muito bem: mais estiloso do que antes, com mais barba e o rosto mais magro. É como se finalmente seu rosto tivesse se desenvolvido. Além do mais, ele está mascando um chiclete, então seu hálito não está incomodando. — Jane — acrescenta ele —, já estou indo para casa, então não precisa mandar mensagem para a minha mãe...

Minha mãe o ignora.

— *Você* acha que as mensagens são mais rápidas, não acha, Becky querida? — diz ela firmemente enquanto digita no celular. — Diga para o seu pai sair da Idade Média.

Eu não respondo. Estou completamente hipnotizada pela mão esquerda de Jess, que abre o zíper do casaco. Ela está usando um anel! No quarto dedo! Tudo bem, não é exatamente um diamante Cartier. É feito de osso, madeira ou alguma outra coisa desse tipo, e há também o que parece ser uma pedrinha cinza em cima.

Mesmo assim, é um anel! No anelar direito!

Olho para Suze e percebo que ela também reparou. Isso é muito legal. Mais um casamento na família! Minnie vai poder ser dama de honra!

— O que foi? — Minha mãe olha, em estado de alerta, para mim e Suze. — O que vocês estão... *Oh*! — De repente, ela também vê o anel.

Tom desapareceu e Jess está debruçada sobre a mochila, completamente distraída. Mamãe começa a sussurrar algo muito longo e elaborado, por cima da cabeça de Jess. Ela repete várias vezes, parecendo frustrada porque não conseguimos entender. Então ela começa a gesticular, e eu tenho uma crise de riso.

— Vamos para a sala! — consigo dizer para Jess. — Sente-se. Você deve estar exausta.

— Vou fazer um chá — concorda minha mãe.

É bem do estilo de Jess ficar noiva, discretamente, e não contar nada para ninguém. Se fosse comigo, eu teria dito logo adivinhem: "Adivinhem! Vejam o meu anel de pedrinha!"

— Jess! — surge a voz aguda da Janice assim que ela entra pela porta da frente. Seu cabelo acabou de ser pintado, num tom castanho-avermelhado bem forte, e ela está usando uma sombra violeta, que combina com o sapato *e* a pulseira. — Querida! Bem-vinda de volta!

Seu olhar é desviado instantaneamente para o anel de Jess. *Automaticamente.* Ela levanta o queixo, inspira profundamente e troca olhares com a minha mãe.

Vou cair na gargalhada se não sair daqui. Sigo mamãe até a cozinha, onde as crianças estão vendo *A pequena sereia*. Preparamos chá e sanduíches de presunto para elas, enquanto sussurramos o tempo todo a respeito do anel, querendo saber quando Jess e Tom contarão para todo mundo.

— Nós precisamos agir *naturalmente* — diz mamãe, colocando duas garrafas de champanhe no freezer para resfriarem mais rápido. — Vamos fingir que não percebemos nada e deixar que eles nos contem.

Até parece. Voltamos à sala, Jess está no sofá sem, aparentemente, perceber que Janice, Martin, meu pai e Suze estão sentados, do lado oposto, olhando para a sua mão esquerda como se ela estivesse cheia de radioatividade. Quando sento e olho pela janela, vejo Tarquin e Ernie no jardim. Tarkie está fazendo estranhos gestos de arremesso com os braços, enquanto Ernie está ao seu lado, imitando-o. Cutuco Suze e digo, em voz baixa:

— Eu não sabia que Tarkie fazia tai chi chuan! Ele é muito bom!

Suze olha pela janela.

— Não é tai chi chuan! Eles estão praticando fly-fishing.

Tanto Tarkie quanto Ernie parecem completamente concentrados — aliás, é uma coisa fofa de se ver, como o papai urso ensinando seu filhote a caçar num documentário de TV sobre a natureza. (A não ser pelo fato de que estejam tentando pescar peixes imaginários e com varas inexistentes.)

— O Ernie já pegou uma truta no nosso rio! — diz Suze, toda orgulhosa. — Só precisou de um pouquinho de ajuda.

Viu? Eu *sabia* que ele era talentoso. Ele está, obviamente, na escola errada. Deveria estar numa escola de pesca.

— Então! — diz mamãe, toda feliz. — Você quer chá, Jess?

— Quero sim, obrigada.

Nós servimos o chá e há uma pequena pausa. Uma pausa do tipo "Alguém tem alguma notícia para dar?". Mas Tom e Jess não dizem nada.

Janice leva a xícara à boca, depois a abaixa novamente e respira alto, como se não conseguisse mais aguentar a tensão. Então seu rosto se ilumina.

— O seu presente! Jess, eu fiz uma coisinha para você... — Ela praticamente galopa até a árvore, pega um pacote e começa, ela mesma, a desembrulhá-lo. — É um creme de mel para as mãos, feito em casa — diz ela, ofegante. — Eu disse para você que tinha começado a fazer cosméticos, usando apenas ingredientes naturais... Experimente!

Janice empurra o creme para Jess. Todos assistimos, hipnotizados, enquanto Jess tira o anel, passa o creme e depois coloca o anel de volta, sem dizer uma palavra.

Bela tentativa, Janice, tenho vontade de dizer. *Foi um grande esforço.*

— É ótimo. — Jesse cheira a própria mão. — Obrigada, Janice. Que bom que você está fazendo seus próprios cosméticos!

— Todos nós compramos coisas ecológicas para você, querida — diz mamãe com carinho. — Sabemos como você é, com as suas tintas de cloro e fibras naturais. É um grande aprendizado para nós, não é mesmo, Becky?

— Bom, fico feliz. — Jess toma um gole de chá. — É impressionante como os consumidores ocidentais ainda são tão mal-orientados.

— Pois é. — Balanço a cabeça, lamentando. — Eles não fazem a *menor* ideia.

— Todos se enganam com qualquer coisa que venha com a palavra "verde" escrita. — Jess também balança a cabeça em repreensão. — Parece que há uma empresa desprezível e irresponsável que vende tapetes de ioga feitos com restos de computadores. Tentam taxá-lo como um produto "reciclado". As crianças da Guatemala estão ficando com asma fabricando esses tapetes. — Ela bate no sofá com a mão. — Como *alguém* pode ser tão idiota a ponto de achar que isso é uma boa ideia?

— Nossa, é mesmo. — Engulo em seco, com o rosto quente, sem ousar olhar para minha mãe. — Devem ser pessoas muito burras mesmo. Na verdade, eu vou até arrumar um pouco os presentes...

Tentando parecer casual, vou até a árvore de Natal e empurro o tapete de ioga da Guatemala para atrás da cortina com o pé. É a última vez que acredito nesses supostos catálogos "verdes". Eles disseram que estavam ajudando as pessoas, e não deixando-as com asma! E o que é que eu vou dar para Jess agora?

— Meu presente ainda não chegou — digo a ela, depois de sentar. — Mas é... hã... batata. Um saco enorme. Sei o quanto você gosta de batata, e depois você pode usar o saco como bolsa orgânica reciclada.

— Ah. — Jess parece um pouco surpresa. — Obrigada, Becky. — Ela dá um gole no chá. — Como estão os preparativos para o batizado?

— Excelentes, obrigada. — Eu me apodero do novo assunto com alívio. — Será em estilo russo. Vamos servir blinis com caviar e doses de vodca. Eu comprei para a Minnie o vestido mais lindo que existe...

— Já escolheram o nome do meio? — mamãe interrompe. — O reverendo Parker ligou ontem e me perguntou isso. Você realmente precisa se decidir, querida.

— Eu vou decidir! — digo defensivamente. — Só que é muito difícil!

Nós não conseguimos escolher o nome do meio da Minnie quando fizemos a certidão de nascimento. (Tudo bem, a verdade é que tivemos uma pequena discussão. Luke foi completamente injusto em relação a Dior e Temperley. E não havia a menor possibilidade de eu concordar com Gertrude, mesmo que seja inspirado em Shakespeare.) Então, nós a registramos só como Minnie Brandon e resolvemos dar os outros nomes no batizado. O problema é que, quanto mais o tempo passa, mais difícil fica. E Luke só ri quando lê as minhas sugestões, dizendo: "Por que ela precisa de nomes do meio?" Isso não me ajuda em *nada*.

— E você tem alguma novidade, Tom? — Janice deixa escapar, num momento de súbito desespero. — Aconteceu alguma coisa? Existe algo para contar? Grande, pequeno... Alguma coisa? Qualquer coisinha? — Ela está inclinada para a frente da cadeira como se fosse uma foca pronta para pegar um peixe.

— Bem, temos sim. — Tom dá um sorrisinho. — Na verdade, temos uma novidade. — E, pela primeira vez, ele e Jess trocam olhares no estilo "Vamos contar para eles?".

Meu Deus!

É verdade! Eles estão noivos!

Minha mãe e Janice estão duras no sofá; Janice parece que vai implodir. Suze pisca para mim e eu sorrio de volta, feliz. Vai ser tão divertido! Nós podemos começar a comprar revistas de noivas e eu ajudarei Jess a escolher seu vestido. Ela *não* vai usar uma coisa horrorosa reciclada, de cânhamo, mesmo que seja mais ecológico...

— Jess e eu gostaríamos de dizer que... — Tom olha, feliz, para todos — estamos casados.

QUATRO

Todo mundo ainda está em choque. É óbvio que é ótimo que Tom e Jess estejam casados. É fabuloso. Nós só estamos sentindo como se tivéssemos pulado uma etapa.

Eles *precisavam* se casar no Chile, num cartório, com apenas duas testemunhas, e não nos deixar nem assistir pelo Skype? Nós poderíamos ter dado uma festa e feito um brinde aos dois. Jess disse que eles nem beberam champanhe. Parece que tomaram uma cerveja local.

Cerveja.

Tem coisas que eu não entendo na Jess, nunca vou entender. Nada de vestido, nada de flores, nada de álbum de fotos, nada de champanhe. A única coisa que ela ganhou com o casamento foi um marido.

(É claro que o marido é a coisa mais importante quando nos casamos. Sem dúvida. Não preciso explicar isso. Mas mesmo assim, nem um novo par de *sapatos*?)

Coitada da Janice! Quando deram a notícia ela desabou, como se estivesse descendo numa montanha-russa Dava para perceber que ela estava tentando desesperadamente parecer feliz e compreensiva, como se um casamento à distância, no Chile, para o qual ela nem sequer foi convidada, fosse exatamente o que ela esperou por tanto tempo. Só que uma pequena lágrima, no canto do olho, a entregou. Ainda mais depois que Jess disse que não queria uma festa no clube de golfe, nem uma lista de casamento na John Lewis, e também se recusou terminantemente a se enfiar num vestido de noiva alugado para tirar fotos com Janice e Martin, no jardim.

Janice parecia tão deprimida que eu quase me ofereci para substituir Jess. Parecia que seria realmente divertido, e eu já vi uns vestidos de noiva lindos na vitrine da Liberty esses dias...

Enfim, acho que esta não seria exatamente a questão.

Termino de passar o gloss e me olho no espelho. Espero que a Janice esteja mais animada hoje. Afinal, é para ser uma comemoração.

Aliso a minha roupa e dou uma voltinha. Estou usando um vestido azul-escuro maravilhoso, com uma bainha de pele falsa, botas compridas com botões e agasalho para as mãos feito de pele falsa. Além disso, estou com um casaco comprido que tem uma fita na borda e um chapéu enorme também de pele falsa.

Minnie está sentada na minha cama experimentando todos os meus chapéus; ela adora fazer isso. Está com um vestidinho que também tem uma borda de pele e botas brancas que a fazem parecer uma patinadora. Estou gostando tanto desse tema russo que, verdade, estou pensando em pedir ao reverendo Parker para dar a ela o nome de Minska.

Minska Katinka Karênina Brodsky Brandon.

— Vamos, Minska! — digo, experimentando o nome. — Está na hora do batizado! Tira esse chapéu.

— Meu. — Ela agarra o meu Philip Treacy vermelho com a pena grande. — *Meu* chapéu.

Ela está tão fofa que não tenho coragem de tirá-lo dela. Além do mais, eu posso arrancar esta pena sem querer. E faz alguma diferença se ela usar o chapéu?

— Tudo bem, querida — eu cedo. — Você pode usar o chapéu. Agora vamos. — Estico a mão.

— Meu. — Ela imediatamente segura a minha bolsa Balenciaga, que estava em cima da cama. — Meu. *Meeeu.*

— Minnie, esta bolsa é da mamãe — explico, com calma. — Você tem a sua própria bolsinha. Vamos procurá-la?

— Meeeeu! Meeeeu bolsa! — grita furiosamente minha filha, e se afasta de mim.

Ela está segurando a bolsa Balenciaga como se fosse o último colete salva-vidas num barco prestes a afundar, e não está disposta a entregá-lo a ninguém.

— Minnie... — Suspiro.

Para ser justa, devo dizer que ela tem razão. A bolsa Balenciaga é muito mais bonita do que a sua bolsinha de brinquedo. Digamos assim: se fosse o meu batizado, eu também ia querer uma Balenciaga.

— Tudo bem. Pode ficar com ela; eu uso a Miu Miu. Mas só por hoje. Agora me dá os óculos escuros...

— Meeeu! Meeeu!

Ela segura os meus óculos escuros vintage anos 1970, que peguei na minha mesa hoje mais cedo. Eles têm o formato de corações cor-de-rosa e ficam escorregando no nariz dela.

— Minnie, você não pode ir ao seu batizado de óculos escuros. Não seja boba! — Tento parecer brava.

Só que, na verdade, ela está arrasando com esse visual: chapéu, óculos escuros cor-de-rosa e bolsa Balenciaga.

— Ah... tudo bem — digo, finalmente. — Só não pode quebrar.

Paramos na frente do espelho com os nossos vestidos russos e eu não consigo deixar de sentir um grande orgulho. Minnie está tão linda! Talvez Suze tenha razão e o dia de hoje *faça* o Luke mudar de ideia. Ele vai ver como ela está uma graça e seu coração vai amolecer na hora; ele vai querer ter dez filhos.

(Na verdade, eu acho melhor não. Não existe a *menor* possibilidade de eu parir dez vezes. Duas vezes já é pedir muito e eu só vou conseguir passar por isso de novo se me concentrar nos chapéus de pompom combinando.)

Por falar no Luke, onde ele está? Ele foi para o escritório hoje de manhã, mas jurou que chegaria até as 11 horas. Já são 10h45.

Cadê vc? Envio a mensagem rapidamente. Já está voltando, espero. Depois, coloco o celular na bolsa e pego Minnie pelo braço.

— Vamos. — Sorrio para ela. — Hoje é o seu dia especial.

Enquanto descemos, ouço o barulho da produção do bufê e papai cantarolando sozinho enquanto dá o nó na gravata. Há arranjos de flores no corredor e os copos estão sendo arrumados na mesa.

— Eu ligo da igreja... — mamãe diz para alguém enquanto sai da cozinha.

— Ah, oi, mãe. — Olho surpresa para ela, que está usando o quimono japonês que Janice trouxe de Tóquio e chinelos de seda, e seu cabelo está preso num coque. — O que você está fazendo com essa roupa? Não deveria estar pronta?

— Eu vou assim, querida. — Ela se toca, constrangida. — Foi a Janice que me deu, lembra? É de seda pura, altíssima qualidade.

Será que eu perdi alguma coisa?

— É uma graça, mas é japonês. O tema é russo, lembra?

— Ah. — Minha mãe olha em volta como se estivesse distraída com alguma coisa. — Bom, acho que não importa muito...

— É claro que importa!

— Ah, querida. — Minha mãe faz uma careta. — Você sabe que essas roupas de pele me dão alergia. Eu estava *querendo* usar o quimono, e a Janice tem um casaco japonês lindo que você vai amar...

— O quê? Quer dizer que a Janice também vai usar uma roupa japonesa? — eu a interrompo, indignada.

Eu devia ter imaginado. Mamãe estava tentando forçar um tema japonês, desde que a Janice voltou das suas férias em Tóquio e começou a fazer noites de sushi e baralho. Mas a questão é que sou eu que mando, e eu disse que o tema era *russo*.

— Desculpe interromper! — Uma mulher do bufê passa, animada, com uma bandeja prateada coberta. — Onde devo colocar os pratos asiáticos, Jane?

Como é que é?

— Com licença. — Me viro para a mulher. — Eu pedi comida russa! Caviar, salmão defumado, bolinhos russos, vodca...

— Além de pratos asiáticos, sushi e sashimi. — A mulher parece assustada. — Não é isso? E saquê.

— É isso mesmo — diz mamãe, apressadamente. — Pode levar para a cozinha. Obrigada, Noreen.

Cruzo os braços e a encaro. — Quem pediu sushi?

— Eu acrescentei umas coisinhas ao cardápio — diz ela, meio evasiva. — Só para ter variedade.

— Mas o tema é *russo*!

Tenho vontade de espernear. De que adianta ter um tema se as pessoas o ignoram e inventam outra coisa, completamente diferente, sem te falar nada?

— Nós podemos ter *dois* temas, querida! — sugere minha mãe, animada.

— Não podemos não!

— Pode ser uma combinação de japonês com russo — fala ela, empolgada. — Todas as celebridades fazem essas combinações hoje em dia.

— Mas... — Paro no meio da frase.

Uma combinação de japonês com russo. Até que é legal. Na verdade, eu queria ter tido essa ideia.

— Você pode colocar palitinhos no cabelo. Vai ficar uma graça!

— Ah, tudo bem — digo, finalmente, com um pouco de má vontade. — Acho que podemos fazer isso. — Pego meu celular e mando uma mensagem para Suze e Danny.

Oi. O novo tema de hoje é uma mistura de japonês e russo. Até mais! Bjs.

Imediatamente recebo uma resposta de Suze:

Japonês?? Como vou fazer isso???

Palitinhos no cabelo?, respondo.

Mamãe já arranjou palitinhos pretos envernizados e está tentando enfiá-los no meu cabelo.

— Precisamos de um elástico — reclama ela. — E o Luke, hein?

— Ele não vai querer usar palitinhos no cabelo. — Balanço a cabeça. — Seja qual for o tema.

— Não, sua boba! — Quero saber se ele está chegando!

Nós duas olhamos instintivamente para o relógio. Luke jurou umas 65 vezes que não se atrasaria para o batizado.

Quer dizer, ele não vai se atrasar. Ele não faria isso.

Deus sabe o tamanho da crise que ele está enfrentando no trabalho. Luke não quis falar sobre o assunto, nem disse quem é o cliente. Mas deve ter acontecido algum problema, porque ele mal parou em casa nos últimos dias, e quando liga, fala bem rapidinho. Pego o celular novamente e mando outra mensagem:

Está chegando?? Cadê vc????

Um tempinho depois o celular apita.

Estou fazendo o q posso. L

Fazendo o que posso? O que isso quer dizer? Será que ele já está a caminho? Não me diga que ainda não saiu do escritório! De repente sinto uma dor embaixo da costela. Ele não pode chegar atrasado no batizado da própria filha. *Não pode.*

— Onde está o Luke? — Papai passa por mim. — Algum sinal dele?

— Ainda não.

— Ele está meio em cima da hora, não é? — Meu pai levanta as sobrancelhas.

— Ele vai chegar! — Dou um sorriso confiante. — Ainda temos muito tempo.

Mas ele não chega e não chega. A equipe do bufê já terminou a arrumação. Tudo está pronto. São 11h40 e eu estou em pé com a Minnie no corredor, olhando lá para fora. Eu estava mandando uma mensagem para ele a cada cinco minutos, mas já desisti. Parece que estou tendo um pesadelo. Onde ele está? Como ele pode não estar aqui?

— Querida, precisamos ir. — Mamãe surge atrás de mim. — Daqui a pouco todos estarão na igreja.

— Mas... — Eu me viro e vejo que ela está com uma expressão ansiosa. Ela tem razão. Não podemos decepcionar todo mundo. — Tudo bem. Vamos.

Ao sair de casa, pego o celular e digito mais uma mensagem, com a visão já um pouco embaçada.

Querido Luke, estamos indo para a igreja. Você está perdendo o batizado.

Prendo Minnie na cadeirinha dela, dentro do carro do meu pai, e sento ao seu lado. Dá para perceber que os meus pais estão quase morrendo de tanto segurar a vontade de falar mal do Luke.

— Com certeza ele tem um bom motivo — diz meu pai, finalmente, ao sair com o carro.

Ficamos em silêncio porque, obviamente, nenhum de nós consegue imaginar que motivo seria.

— O que era mesmo, filha? — pergunta minha mãe. — Uma crise?

— Parece que sim. — Olho pela janela sem me mexer. — Alguma coisa muito importante, mas pode não acontecer. É tudo o que eu sei.

De repente meu celular apita.

Becky, sinto muito. Não posso explicar. Ainda estou aqui. Pego o helicóptero assim que der. Me espere. L

Olho para o celular, levemente descrente. Helicóptero? Ele vai chegar de *helicóptero*?

De repente fico um pouco mais animada. Na verdade, eu quase o estou perdoando por ter desaparecido e feito tanto mistério. Estou quase contando para os meus pais (de maneira muito casual) sobre o helicóptero, quando o celular apita de novo.

Talvez demore um pouco ainda. A merda vai ser jogada no ventilador.

Que merda?, respondo em seguida, sentindo pontadas de frustração. **Que ventilador?**

Ele não responde. Aargh, o Luke é tão irritante! Ele faz questão de ser misterioso. Deve ser algum fundo de investimento sem graça que faturou uns míseros bilhões a menos do que deveria. Grande coisa.

Quando chegamos, a igreja já está cheia de convidados. Eu dou uma volta, cumprimentando as amigas de baralho da minha mãe, e vejo que metade delas está com traje japonês (vou brigar muito com a minha mãe depois). Ouço a mim mesma dizendo umas cinquenta vezes: "Na verdade, o tema é uma mistura de japonês e russo" e "Luke está vindo de helicóptero". Vejo, então, mamãe pegar Minnie pela mão e ouço todos sussurrarem.

— Bex!

Me viro e vejo Suze, que está linda com um casaco roxo todo bordado e botas de couro. Seu cabelo está preso com uns palitos de madeira de mexer café do Starbucks.

— Foi o melhor que eu consegui fazer — diz ela, apontando para os palitinhos com raiva. — Você disse que o tema era russo! Como o japonês entrou em cena de repente?

— Foi culpa da minha mãe!

Estou prestes a contar toda a história, mas então o reverendo Parker se aproxima, super arrumado, com sua batina branca impecável.

— Ah, oi! — Sorrio. — Como vai?

O reverendo Parker é ótimo. Ele não é um daqueles padres super rígidos, que fazem você se sentir mal por tudo. Ele está mais para um reverendo que deixa você tomar um gim-tônica antes do almoço. A esposa dele trabalha no centro da cidade e ele está sempre bronzeado, dirigindo o seu Jaguar.

— Eu estou muito bem. — Ele aperta a minha mão com carinho. — É ótimo ver você, Rebecca. E, diga-se de passagem, o seu tema japonês é encantador. Eu adoro sushi.

— É uma mistura de japonês e russo, na verdade — eu o corrijo, firmemente. — Nós também vamos servir blinis e vodca.

— Ah, sim. — Ele sorri. — Suponho que o Luke esteja atrasado.

— Ele vai chegar logo. — Cruzo os dedos atrás das costas. — A qualquer minuto.

— Ótimo. Eu estou um *pouquinho* apressado. Presumo que escolheram os nomes do meio da sua filha. Você pode escrevê-los para mim?

Ai, meu Deus.

— Quase. — Faço uma cara de sofrimento. — Estou quase lá...

— Rebecca, francamente — diz o reverendo, um pouco impaciente. — Não posso batizar a sua filha se não souber os nomes.

Sinceramente, quanta pressão! Pensei que padres fossem pessoas *compreensivas*.

— Pretendo me decidir, de uma vez por todas, durante as orações — explico. — Enquanto rezo, é claro — acrescento rapidamente quando ele faz uma cara de pânico. — Sabe, eu posso ser inspirada pela Bíblia. — Pego uma que está por perto, tentando ganhar a simpatia dele. — É muito inspirador. Talvez eu escolha Eva ou Maria.

O problema com o reverendo Parker é que ele me conhece há muito tempo. Ele simplesmente levanta as sobrancelhas em descrença e diz:

— E os padrinhos estão aqui? São pessoas apropriadas, eu espero.

— Claro! Esta é a madrinha.

Empurro Suze para a frente; ela aperta a mão do reverendo e imediatamente começa a falar sobre o teto da igreja, perguntando se é do fim do século XIX.

Suze é ótima mesmo. Ela sempre sabe o que dizer para todo mundo. Agora ela está falando sobre vitrais. De onde ela tira essas coisas? Deve ter aprendido na escola particular, depois das aulas de merengue. Eu não me interesso *muito* por vitrais, para ser sincera, então olho aleatoriamente as páginas da Bíblia.

Ooh. Dalila. *Este* sim é um nome legal.

— Becky! — Ouço meu nome num sotaque americano familiar. Atrás de mim, posso ouvir uma leve comoção entre as amigas da minha mãe e escuto alguém exclamar: "Quem é *essa* pessoa?"

Só pode ser uma coisa.

— Danny! — Me viro alegre. — Você chegou!

Já faz *muito* tempo desde que vi Danny pela última vez. Ele está mais magro do que nunca e está vestindo um casaco de couro no estilo cossaco, aberto embaixo, uma calça preta justa de vinil e botas militares. Além disso, ele está com um cachorrinho branco numa coleira que eu nunca vi antes. Eu vou abraçá-lo, mas Danny levanta a mão, como se tivesse uma declaração importante para fazer.

— O que é este tema? — diz ele, incrédulo. — Uma *mistura* japonesa-barra-russa? Tinha como você estar mais *inspirada*? Meu novo cachorro é apenas uma porra de um shih-*tzu*!

— Mentira! — De repente, lembro que o reverendo Parker está bem próximo de nós. — Er... Reverendo Parker... este é Danny Kovitz. O padrinho.

— Minha nossa. — Danny tampa a boca com a mão.

— Sinto muito, reverendo. Amei a igreja — acrescenta, generosamente, apontando em volta. — Adorei a decoração. Alguém o ajudou a escolher as cores?

— Você é muito gentil. — O reverendo Parker dá um sorriso formal. — Mas será que pode controlar a língua durante o batizado?

— Danny é um estilista famoso — digo rapidamente.

— *Per favore.* — Danny dá uma risada modesta. — Não sou famoso. Estou mais para... renomado. *Infame.* Onde está o Luke? — pergunta ele, com a voz mais baixa. — Eu preciso dele. O Jarek me liga todo dia. Ele está ameaçando, tipo, vir *aqui.* — A voz do Danny aumenta, num tom alarmado. — Você sabe que eu não sei lidar com conflitos.

Jarek é o ex-gerente de negócios de Danny. Nós o conhecemos no ano passado e percebemos logo que ele estava pegando uma grande parte do dinheiro do Danny para fazer praticamente nada. Ele só sabia usar as roupas do Danny de graça e almoçar à custa dele. Foi Luke quem formulou a demissão do Jarek e deu um sermão no Danny ensinando-o que não se pode empregar as pessoas só porque gostamos do corte de cabelo delas.

— Achei que você tinha trocado todos os seus telefones — digo, confusa. — Achei que não ia mais atender às ligações do Jarek.

— Não atendi — diz ele, defensivamente. — No início. Mas ele tinha ótimos ingressos para um festival em Bali e nós fomos juntos. Aí ele pegou meu novo número e então...

— Danny! Você foi ao festival com ele? Depois de tê-lo demitido?

Danny parece preso em flagrante.

— Tudo bem. Fiz uma besteira. Onde está o Luke? — Ele olha melancolicamente para a igreja. — Será que o Luke pode conversar com ele?

— Eu não sei onde o Luke está — digo, com mais raiva do que gostaria. — Ele está vindo de helicóptero.

— De helicóptero? — Danny levanta as sobrancelhas. — Um homem de ação! Ele vai chegar aqui e descer por uma corda como num filme de guerra?

— Não. — Reviro os olhos. — Não seja bobo.

Mas, pensando bem, talvez ele faça isso. Quer dizer, onde mais eles vão encontrar um lugar para pousar?

Pego o celular e mando outra mensagem para Luke:

Já está no helicóptero? Onde vai pousar? No telhado?

— Meu Deus do céu. Já viu a sua *alteza*? — Danny se distrai ao avistar Tarquin. — Minha virilha vai explodir.

— Danny! — Bato no braço dele e olho para o reverendo Parker, que, graças a Deus, está longe. — Nós estamos na *igreja*, lembra?

Danny sempre teve uma quedinha por Tarquin e, para ser justa, eu devo dizer que ele está realmente lindo hoje. Está vestindo uma calça preta, uma camisa branca soltinha e um pesado casaco por cima, no estilo militar. Seu cabelo escuro foi despenteado pelo vento, o que o deixou mais bonito. Além disso, seu rosto magro e esquisito parece ter sido talhado na luz fraca da igreja.

— Esta é a minha próxima coleção, bem aqui na minha frente. — Danny está desenhando Tarquin num caderno antigo qualquer. — Uma mistura de lorde inglês com príncipe russo.

— Ele é escocês — enfatizo.

— Melhor ainda. Vou acrescentar um kilt.

— Danny! — Dou uma risada quando vejo o desenho. — Você não pode desenhar isto na igreja!

Esse desenho do Tarquin *não está* correto. Na verdade, é obsceno. Se bem que, uma vez, eu ouvi a mãe de Suze dizer que todos os homens da família Cleath-Stuart eram bem-dotados. Talvez esteja mais correto do que eu imagino.

— Então, onde está a minha afilhada? — Danny arranca a página, dobra o papel e começa a desenhar outra coisa.

— Ela está com a minha mãe, em algum lugar...

Olho em volta, procurando Minnie, e de repente a vejo a 10 metros de distância, com um grupo de amigas da mamãe. Meu Deus, o que ela está fazendo agora? Ela está com umas cinco bolsas nos braços, enquanto puxa, com força, a de uma senhora e grita: "Meeeu!"

— Que gracinha! — Ouço a senhora dando uma risada. — Prontinho, Minnie querida. — Ela pendura a bolsa no pescoço de Minnie, que sai andando, determinada.

— Que linda Balenciaga — comenta Danny. — O acessório perfeito para quem vai ser batizado.

Concordo.

— Foi por isso que eu deixei que ela pegasse emprestado.

— E você ficou com a Miu Miu, que, *na verdade*, tem mais de um ano, enquanto a Balenciaga é nova... — Danny suspira de maneira melodramática. — Não consigo pensar num exemplo mais lindo de amor materno.

— Cala a boca! — Eu o empurro. — Continue desenhando.

Enquanto eu o observo desenhando, um pensamento me vem à cabeça. Se Danny *realmente* usar Tarkie como referência para a próxima coleção, talvez eles possam unir forças de alguma forma. Talvez possam fazer uma promoção em parceria com a Shetland Shortbread! Eu sou muito empreendedora. Luke vai ficar tão impressionado! Estou prestes a contar esta ideia para Suze quando a voz do reverendo Parker ressoa:

— Vocês podem se sentar? — Ele começa a nos conduzir em direção aos bancos da igreja. — Podemos, então, começar.

Começar? Já?

Puxo, ansiosamente, sua batina branca quando ele passa por mim.

— Olha, o Luke ainda não chegou. Será que podemos esperar só mais um pouquinho?

— Querida, nós já estamos vinte minutos atrasados. — O sorriso dele é um pouco frio. — Se o seu marido não chegar...

— É claro que ele vai chegar! — Me sinto um pouco insultada. — Ele está a caminho. Ele vai chegar...

— Meeeeeeeeeu! — Um grito alto e feliz toma conta do ar, e meu corpo fica paralisado de susto. Viro a cabeça para a frente da igreja e meu estômago parece ter dado um nó.

Minnie escalou o parapeito do altar e está em pé ao lado dele virando todas as bolsas, abertas, de cabeça para baixo. Atrás de mim, ouço os gritinhos aterrorizados das amigas de mamãe quando veem todas as suas coisas caindo e rolando pelo chão.

— Minnie! — grito, enquanto corro para o altar. — PARE COM ISSO!

— Meeeeu!

Ela está sacudindo, feliz, uma bolsa Burberry, e as moedas estão caindo em cascata. O altar está uma bagunça, cheio de bolsas, dinheiro, estojos de maquiagem, batons, escovas de cabelo.

— Era para ser o seu *batizado* — digo, furiosa, no ouvido de Minnie. — Você deveria *ser a mais comportada*. Senão, *nunca* ganhará um irmão ou irmã!

Minnie parece não ter nenhum arrependimento, mesmo quando todas as amigas da minha mãe se aproximam gritando, reclamando e catando as bolsas e o dinheiro.

Pelo menos essa comoção atrasou os procedimentos. Mas, mesmo assim, o reverendo Parker já está levando todo mundo de volta para os bancos.

— Será que vocês podem ficar sentados, por favor? Nós realmente precisamos continuar...

— E o Luke? — sussurra mamãe, ansiosa, enquanto senta.

— Ele vai chegar. — Tento parecer confiante.

Vou ter que dar uma enrolada até ele chegar. Teremos muitas orações e discursos, com certeza. Vai dar tudo certo.

Muito bem. Vou escrever uma carta para o arcebispo de Canteburry. Na minha opinião, os batizados são rápidos *demais*.

Estamos sentados nas primeiras fileiras da igreja. Nós tivemos umas duas orações e algumas palavras sobre renunciar ao mal. Já cantamos um hino e Minnie passou o tempo todo rasgando dois hinários. (Era a única maneira de mantê-la quieta. Vou compensar dando algum dinheiro para a igreja.) E agora, de repente, o reverendo Parker pede para nos juntarmos em volta da fonte, e eu entro em pânico.

Não podemos estar na parte da aguinha. Não vou deixar o Luke perder o grande momento.

Eu não recebi nenhum sinal dele. Ele não responde às minhas mensagens. Estou torcendo para que o celular esteja desligado porque isso causaria interferência nos controles do helicóptero. Meu pescoço está torto, de tanto que eu viro a cabeça para tentar ouvir barulhos do helicóptero lá fora.

— Minnie. — O reverendo Parker sorri para ela. — Está pronta?

— Espere! — digo, desesperadamente, quando as pessoas começam a se levantar. — Antes do batizado em si... er... a madrinha da Minnie, Susan Cleath-Stuart, gostaria de recitar um poema para esta ocasião. Não é mesmo, Suze?

Suze automaticamente vira e sussurra:

— *O quê?*

— *Por favor*, Suze! — sussurro de volta. — Preciso ganhar tempo, senão o Luke vai perder tudo!

— Eu não conheço nenhum poema! — resmunga ela, ao se levantar.

— Apenas leia alguma coisa do hinário! Alguma coisa longa!

Revirando os olhos, Suze pega um hinário, vai lá para a frente e sorri para o público.

— Eu gostaria de recitar... — Ela abre o livro e vira as páginas. — "Os Três Reis Magos". — Ela tosse um pouco. — Nós somos os três reis, que vieram do Oriente. Trazendo presentes, nós viemos de longe.

Suze é realmente uma estrela. Ela lê com a lentidão de uma lesma e repete, duas vezes, todos os refrões.

— Muito bem. — O reverendo Parker segura um bocejo. — E, agora, se puderem se reunir em volta da fonte...

— Espere! — Giro no meu assento. — Bem, o padrinho da Minnie, Danny Kovitz, agora... — Olho, implorando, para ele. — Ele também vai... declamar um poema? — Digo *"por favor"* quase em silêncio, e Danny pisca para mim.

— Em homenagem ao batizado da minha afilhada, eu vou cantar "The Real Slim Shady", do Eminem — diz ele, confiante.

Ai meu Deus. Espero que o reverendo Parker não preste muita atenção à letra.

Danny não é o melhor rapper do mundo, mas quando ele termina de cantar, todo mundo está batendo palmas e gritando, inclusive as amigas de baralho da minha mãe. Depois, Danny faz um bis com a música "Stan" e Suze o acompanha cantando a parte da Dido. Tom e Jess também se empolgam e recitam uma oração de origem sul-americana para as crianças, o que é muito emocionante. Meu pai assume o palco, em seguida, e canta "Que Sera Sera" com todos participando do refrão e Martin conduzindo o coral com um dos palitinhos de cabelo de Janice.

Agora o reverendo Parker está começando a ficar seriamente irritado.

— Agradeço a todos pelas contribuições interessantes — diz ele, firmemente. — E, agora, se puderem se reunir em volta da fonte...

— Espere! — eu o interrompo. — Enquanto mãe da Minnie, eu gostaria de fazer um pequeno discurso.

— Rebecca! — o reverendo se irrita. — Realmente nós precisamos dar continuidade à cerimônia.

— Vai ser rapidinho!

Vou apressadamente para o púlpito da igreja e quase tropeço de tanta afobação. Vou ficar falando até Luke chegar. É o único jeito.

— Amigos e familiares, sejam bem-vindos. — Olho em volta, mas evito me deparar com o rosto enraivecido do reverendo Parker. — Que dia especial! Um dia muito especial mesmo. Minnie será batizada.

Faço uma pausa para deixar essa ideia ser absorvida e rapidamente olho o celular. Nada.

— O que é isso? — Levanto o dedo, assim como o reverendo Parker faz nos seus sermões. — Será que nós só estamos aqui para nos divertir?

A plateia parece interessada, e eu vejo que algumas pessoas se cutucam e sussurram entre si. Na verdade, eu estou muito lisonjeada, pois não pensei que o meu discurso fosse causar uma comoção dessas.

— É muito fácil passar pela vida sem nem olhar para as flores. — Percebo mais sussurros e cutucadas.

A reação que eu estou vendo é maravilhosa! Talvez eu devesse virar pastora! É óbvio que tenho um dom para isso, e também tenho várias ideias profundas.

— Isso nos faz pensar, não é mesmo? — continuo. — Mas o que significa *pensar*?

Agora todos estão sussurrando. As pessoas estão passando iPhones pelos bancos e apontando para alguma coisa. O que está acontecendo?

— Quer dizer, por que estamos aqui? — Minha voz é abafada pelo tumulto crescente.

— O que está acontecendo? — exclamo. — O que vocês estão olhando? — Até os meus pais estão concentrados, vendo alguma coisa no BlackBerry da mamãe.

— Becky, é melhor você dar uma olhada nisso — diz papai, com uma voz estranha. Ele se levanta, passa o BlackBerry para mim e vejo um repórter de TV no site da BBC.

— ... as últimas notícias são de que o Bank of London aceitou fundos de emergência do Bank of England. Isso aconteceu depois de alguns dias de conversas secretas, nas quais os gerentes lutavam para salvar a situação...

O repórter continua falando, mas eu não consigo ouvir o que ele está dizendo. Estou fixada na imagem. Há vários homens de terno saindo do Bank of England e todos estão sérios. Um deles é o Luke. Ele estava no Bank of England?

Meu Deus. Será que ele está no Bank of England *agora*?

A imagem mudou para um grupo de comentaristas, sentados em volta de uma mesa, com uma expressão muito séria, conversando com aquela apresentadora de TV que usa óculos e que sempre interrompe as pessoas a toda hora.

— O Bank of London está *falido*? É isso mesmo? — diz ela com seu jeito forçado.

— "Falido" é uma palavra muito forte... — um dos comentaristas começa a falar, mas não consigo ouvir mais nada, porque a igreja virou um caos.

— Faliu!

— O Bank of London faliu!

— Todo o nosso dinheiro está lá! — Mamãe parece um pouco histérica. — Graham, faça alguma coisa! Tire de lá! Tire o dinheiro!

— O dinheiro das nossas férias! — resmunga Janice.

— Minha pensão! — Um senhor se levanta com dificuldade.

— Tenho certeza de que não precisamos nos desesperar — Jess tenta falar no meio da confusão. — Tenho certeza de que ninguém vai perder nada. Os bancos têm seguros... — No entanto, ninguém está prestando atenção.

— Minhas ações!

O reverendo Parker arranca a batina e corre para a porta da igreja.

— O senhor não pode simplesmente *ir embora* — grito para ele, incrédula. — Ainda não batizou a Minnie!

Ele, porém, me ignora completamente, e, para a minha grande surpresa, vejo que minha mãe está correndo atrás dele.

— Mãe! Volta aqui!

Pego a mão de Minnie, antes que ela saia correndo também. Todos estão indo embora. Em poucos minutos a igreja está vazia. Só sobramos eu, Minnie, Suze, Tarkie, Jess, Tom e Danny. Nos entreolhamos e, em silêncio, corremos para a saída da igreja. Atravessamos grande porta de madeira e ficamos parados, na entrada, completamente chocados.

— Nossa! — respira Danny.

A rua principal está cheia de gente. Deve ter umas duzentas ou trezentas pessoas. Todas estão seguindo juntas pela calçada na direção de uma pequena agência do Bank of London, onde já existe uma fila. Vejo a minha mãe empurrando, ansiosamente, as outras pessoas para conseguir um lugar e o reverendo Parker negociando, descaradamente, um espaço na frente de uma senhora. Enquanto isso, um jovem em pânico, com roupa de atendente de banco, tenta manter a ordem.

Observo a cena boquiaberta e uma coisa chama a minha atenção. Perto do Bank of London, na direção oposta à igreja, vejo uma figura no meio da multidão. Um cabelo escuro, parecendo um capacete; pele clara; óculos escuros, no estilo Jackie O; um terno quadriculado...

Olho com mais atenção, sem acreditar. Será que é...

Não pode ser...

Elinor?

Mas enquanto eu tento focar, ela — ou seja lá quem for — desaparece na multidão. Esfrego os olhos e olho novamente, mas tudo o que consigo ver agora é um policial, que apareceu do nada e está mandando as pessoas saírem do meio da rua.

Estranho. Deve ser a minha imaginação.

— Veja só aquele policial — diz Danny, entusiasmado. — Ele está prestes a perder a cabeça. Ele vai começar a dar choques nas pessoas.

— Meu Deus! — De repente Suze aponta para cima, ofegante.

Isto é surreal. Agora as pessoas estão subindo no telhado do banco. Troco olhares perplexos com Suze. É como se estivesse acontecendo uma invasão alienígena, ou como se uma guerra tivesse começado, ou qualquer coisa do tipo. Eu nunca vi nada assim em toda a minha vida.

CINCO

Bem, pelo menos agora tudo faz sentido. E eu posso perdoar o Luke. É a primeira ver que ele tem uma suposta "grande crise" no trabalho e realmente *é* uma crise, de verdade. Ninguém consegue falar sobre outra coisa e todos os canais de TV estão dando notícias sobre o caso.

Eu já falei com Luke pelo telefone, e ele vai para casa assim que for possível. Não dava mesmo para ele ter saído mais cedo. Luke estava no Bank of England lidando com pessoas importantes e agora ele está tentando "controlar a situação" e "minimizar o prejuízo". Todas as agências do Bank of England estão cercadas. Parece que o primeiro-ministro fará um pronunciamento, pedindo que todos se acalmem. (O que, na minha opinião, é um grande erro. Mamãe já está convencida de que tudo isso é uma conspiração do governo.)

— Chá?

Meu pai entra na sala, onde Danny, Suze, Tarquin, Jess, Tom e eu estamos sentados, ainda meio atordoados. A TV está ligada no Sky News, que fica passando a mesma imagem o tempo todo, aquela em que Luke está muito sério, assim como seus clientes.

— Então. — Meu pai apoia a bandeja. — Que confusão! Vocês vão remarcar o batizado?

— Acho que vamos ter que fazer isso. — Olho em volta da sala. — Quando vocês estarão livres?

— Janeiro não é bom. — Danny pega o BlackBerry e o olha concentrado. — Entretanto, janeiro do ano *que vem* estarei completamente livre — acrescenta, todo feliz.

— Temos tantas caçadas... — Suze pega sua pequena agenda Smythson.

— Não esqueça nossa viagem para Lake District — enfatiza meu pai.

Nossa, todos estão tão *ocupados*. No fim das contas, eu faço com que eles escrevam quando estarão disponíveis nos próximos meses. Jess faz uma tabela, eliminando todos os dias impossíveis, e resolve tudo.

— Existem três possibilidades — diz ela, finalmente. — Dezoito de fevereiro, 11 de março e 7 de abril, que cai numa sexta-feira.

— Dia 7 de abril? — Levanto a cabeça. — É o aniversário do Luke.

— Eu não sabia — diz Suze, curiosa. — Eu nem sabia que o Luke *fazia* aniversário.

— Ele não curte muito aniversários — explico. — Toda vez que eu organizo uma comemoração, ele cancela por alguma questão de trabalho.

É uma das coisas que eu menos entendo no Luke. Ele não fica superanimado com os presentes, não dá pequenas dicas sobre o que gostaria de ganhar, não faz contagem regressiva no calendário da parede. Uma vez ele até esqueceu o próprio aniversário e eu cheguei, de repente, com uma bandeja de café da manhã. Como é que alguém *esquece* o próprio aniversário?

Olho para a TV mais uma vez e lá está ele, saindo do Bank of England de novo, com a testa muito mais franzida do que o normal. Sinto uma grande ternura por ele. Luke teve um ano tão ruim que merece uma alegria. Eu deveria dar uma festa para ele, mesmo que ele não queira ou tente cancelá-la.

E, de repente, tenho uma ideia.

— Ei! E se eu der uma festa surpresa para o Luke? — Olho em volta, toda empolgada. — Ele vai achar que é o batizado da Minnie... Mas, na verdade, será também sua festa de aniversário!

De repente vejo Luke entrando num quarto escuro e as pessoas gritando "Feliz aniversário!". O queixo dele vai cair e ele ficará completamente sem palavras...

Meu Deus. Preciso fazer isso. *Preciso.*

— Bem pensado, Bex! — Os olhos da Suze brilham.

— Ótima ideia. — Danny para de olhar para o celular. — Qual será o tema?

— Não sei, mas precisa ser algo muito legal, algo de que o Luke goste.

Eu nunca organizei uma festa surpresa, mas não pode ser tão difícil, né? Afinal, é uma festa como outra qualquer, só que você a mantém em segredo. Moleza.

— Becky, tem certeza de que é uma boa hora para você dar uma festa? — diz Jess, franzindo a testa. — Considerando, é claro, que o que estão dizendo seja verdade? — Ela aponta para a TV, que ainda está mostrando a história do

Bank of London. — E se nós estivermos no início de uma catástrofe financeira?

Jess é desse jeito. Lançar "uma catástrofe financeira" no meio de uma conversa legal sobre festas é com ela mesmo.

— Bom, então todo mundo vai precisar dar uma animada, não é mesmo? — digo com despeito. — Melhor ainda.

Jess não muda a expressão.

— Só estou dizendo que você precisa ser prudente, principalmente numa hora dessas. Você tem dinheiro para dar uma festa?

Sinceramente. O que é isso? "Quem Quer Ser a Irmã Mais Velha Intrometida"?

— Talvez eu tenha — respondo despreocupadamente. — Talvez eu esteja guardando dinheiro numa poupança especialmente para um evento como este.

A sala fica em silêncio, a não ser pelo ronco de deboche de Danny. Tom está sorrindo de maneira insolente e eu olho furiosa para ele. Eu já debochei de algum projeto dele? Por acaso eu debochei quando ele construiu uma casa de veraneio ridícula de dois andares no jardim da Janice? (Bem, talvez sim, mas essa não é a questão. Casas de veraneio e festas são coisas completamente diferentes.)

O pior de tudo é que até Suze está um pouco aflita, como se não quisesse rir, mas parece que ela não vai conseguir segurar. Ela percebe que a estou encarando e fica constrangida.

— Mas não precisa ser uma festa cara, não é mesmo? — diz ela rapidamente. — Você pode fazer uma festa econômica, Bex. Algo mais simples!

— É verdade — concorda Jess. — O Tom pode fazer um vinho de pêssego caseiro que é uma delícia. E eu ficarei feliz em cozinhar.

Vinho de pêssego caseiro?

— E você pode colocar um iPod para tocar... — sugere Tom.

— *Eu* fico no comando do iPod — acrescenta Danny.

— E nós podemos decorar a festa com correntinhas de papel.

Encaro todos eles horrorizada. Um banco ridículo faliu e, de repente, começamos a agir como se estivéssemos em guerra, fazendo bolinhos de presunto enlatado e pintando as pernas porque não temos dinheiro para comprar meias?

— Não quero dar uma festa qualquer para o Luke, com vinho de pêssego caseiro e iPod! — exclamo. — Quero uma festa *fabulosa*! Quero uma tenda, uma banda, bufê e luzes maravilhosas em todos os lugares... E diversão! Com malabaristas e engolidores de fogo e coisas do tipo!

— Mas você pode dar uma festa legal sem engolidores de fogo... — Suze começa.

— Não quero uma festa "legal" — digo, com desprezo. — Se eu der uma festa surpresa para o Luke, quero ele fique boquiaberto. Quero deixá-lo totalmente atordoado. Tem que ser algo que o deixe sem palavras durante... um minuto inteiro, pelo menos.

Todos trocam olhares entre si.

— O que foi? — Olho para cada um. — Qual é o problema?

— Becky, isso custaria uma fortuna — diz Jess, sem rodeios. — Onde você arranjaria o dinheiro?

— Eu... não sei — digo com despeito. — Posso trabalhar mais.

— Você nunca vai conseguir não contar isso para o Luke — acrescenta Tom. — Eu duvido.

Sinto uma certa indignação em relação a ele. Na verdade, em relação a todos eles, inclusive Suze. Por que eles precisam jogar um balde de água fria em tudo?

— Vou sim! — respondo, furiosa. — Vocês vão ver. Vou organizar uma festa fabulosa e não vou contar para o Luke...

— Não vai contar o quê para o Luke? — Sua voz grossa ressoa do corredor, e eu quase pulo de susto. Como isso aconteceu? Estou planejando essa festa há apenas dois minutos e já quase estraguei tudo. Olho angustiada para Suze antes de Luke aparecer na porta. Ele está com Minnie no colo e parece surpreendentemente feliz.

— Por que você já voltou? — pergunto enquanto ele me beija. — Acabou tudo?

— Só vim pegar umas roupas limpas, desculpa — ele responde, ironicamente. — Vai demorar um bom tempo para acabar.

— Ah, Luke, sabe esse comentário que você acabou de ouvir sobre não contar uma coisa para você? — Paro um pouco. — Você deve estar se perguntando o que deve ser.

— Tenho uma vaga ideia. — Luke levanta as sobrancelhas, de maneira debochada.

— Bom, é que... er... Eu não queria falar da loucura que aconteceu mais cedo, no Bank of London. Foi um caos. Achei que *isso* pudesse deixar você estressado. Então, eu estava pedindo para ninguém comentar sobre isso com você, *não estava?*

Olho em volta da mesa e Suze, obedientemente, diz:

— Com certeza!

— Não se preocupe — diz Luke ironicamente. — O pior já passou. — Ele faz um carinho na cabeça de Minnie. — Então, quer dizer que ela perdeu seu grande momento?

— O reverendo saiu correndo para o banco, assim como todos os convidados! Mas está tudo bem — digo cuidadosamente. — Porque estamos planejando remarcar o batizado. Não vou dizer qual é a data exata neste momento.

— Ótimo. — Luke concorda com a cabeça, sem demonstrar muito interesse. — Sobrou alguma comida?

— Muita. — Confirmo com a cabeça.

Estou quase me levantando para pegar blinis para ele quando mamãe entra na sala, levemente vermelha por causa de todo o saquê que andou bebendo.

— Prestem atenção, meus amores — diz ela, olhando para mim e para Luke. — O reverendo Parker está aqui. Ele quer falar com vocês. Posso deixá-lo entrar?

— Ah, sim — digo, surpresa. — É claro!

Eu nunca tinha visto o reverendo Parker ficar sem graça antes. Quando entra na sala, ele não está com aquele seu sorriso deslumbrante, e mal consegue nos encarar.

— Rebecca e Luke, eu peço *desculpas* — diz. — Eu nunca tinha abandonado uma cerimônia no meio, e não consigo imaginar o que foi que me possuiu.

— Não se preocupe — digo. — Já superamos.

— Presumo que vocês ainda queiram batizar a Minnie.

— É claro que queremos! — digo, empolgada. — Na verdade, estávamos falando sobre isso e já planejamos tudo.

— Fico muito feliz. — Ele olha em volta da sala. — Bom, já que todos vocês estão aqui, então... — Antes que eu perceba o que está acontecendo, o reverendo pega uma garrafinha, abre a tampa e joga o líquido na testa da Minnie. — Minnie, eu a batizo em nome do Pai, do Filho e do Espírito Santo. Amém.

— O quê? — digo baixinho, mas ele não escuta. Agora ele está fazendo o sinal da cruz, passando um óleo na testa dela.

— Bem-vinda à igreja, minha filha. Que o Senhor te abençoe e te guarde. — Ele enfia a mão no bolso, tira uma vela e a entrega para mim. — Parabéns, Rebecca. — Depois ele se vira para a minha mãe. — A senhora disse que tinha sushi?

Não consigo falar de tão chocada que estou.

Minnie? Só *Minnie*?

— Quer dizer que ela já foi batizada? — Finalmente encontro a minha voz. — *Acabou*?

— É isso mesmo — o reverendo Parker diz, todo orgulhoso. — Quando começo alguma coisa, gosto de terminá-la. Mais uma vez, peço desculpas pelo pequeno hiato. Boa tarde para todos.

Ele sai antes que eu consiga respirar e eu o olho revoltada. Ele nem *perguntou* sobre os nomes do meio. E eu já tinha quase decidido!

— Minnie Brandon. — Luke a coloca nos ombros todo feliz. — Um belo nome. — Olho para ele com raiva. — Vou comer alguma coisa — acrescenta. — Volto logo.

Quando Luke fecha a porta eu solto o ar, como se fosse um balão esvaziando. Os outros também parecem um pouco chocados.

— Bom, foi rápido — diz Tom.

— Então não precisamos mais reservar o dia 7 de abril? — pergunta Danny.

— Talvez tenha sido melhor assim — diz Jess. — Becky, odeio ter que dizer isso, mas você nunca conseguiria fazer aquela festa.

— *Conseguiria* sim. — Olho furiosa para ela.

— Bom, enfim! — diz Suze rapidamente. — Agora isso não faz diferença porque não vai acontecer mais. É irrelevante.

Sinto uma pontada de ressentimento. Todos simplesmente deduziram que eu desistiria da ideia, não é mesmo? Todos deduziram que eu não vou conseguir. Eles deveriam ser meus amigos. Eles deveriam acreditar em mim.

OK, eu vou mostrar a eles.

— Não é irrelevante, e vai acontecer *sim*. — Olho em volta da sala, me sentindo ainda mais decidida. — Não vou deixar esse reverendo idiota estragar os meus planos. Farei a festa surpresa para o Luke de qualquer jeito, e sem extrapolar o orçamento. E o Luke não vai descobrir *e* ele vai ficar completamente surpreso.

Por pouco eu não termino dizendo "Vocês vão ver".

— Bex... — Suze olha para os outros. — Não é que a gente ache que você *não* consegue...

— É sim! — respondo, indignada. — Foi exatamente isso que disseram! Bom, vocês vão engolir essas palavras.

— Então, o que ficou decidido? — Danny deixa de lado o BlackBerry, no qual estava digitando de novo. — A festa vai rolar ou não?

— Vai — digo, decidida. — Com certeza vai.

Pessoas que Sabem da Festa

Eu

Suze

Tarquin

Danny

Jess

Tom

Total = 6

SEIS

Já estou progredindo com os preparativos da festa. Na verdade, estou muito orgulhosa de mim mesma, já que não sou uma organizadora de festas profissional nem nada do tipo. Comprei um caderno especial, no qual escrevi "Botas de cano alto — opções possíveis" na frente, para disfarçar. E já tenho uma lista extensa de tarefas, que está assim:

Festa — Lista de Tarefas

Tenda — onde arranjar? Onde colocar? Qual tamanho?

Engolidores de fogo — onde arranjar??

Malabaristas — onde arranjar???

Tema — qual?

Comida — qual? Como vamos servir? (Fonte de chocolate?)

Bebida — vinho de pêssego NÃO

Dança — preciso de uma pista. Brilhante? Preta e branca, com luzes estroboscópicas como em Os embalos de sábado à noite?

Convidados — quem? Procurar amigos antigos? (NÃO chamar Venetia Carter, nem Sacha de Bonneville)

Roupa — vestido preto de lantejoula Balmain, sandálias de cristal Zanotti e pulseira Philippe Audibert? Vestido turquesa Roland Mouret com sandálias de tira Prada? Minivestido vermelho Azzaro e Louboutins pretos?

Tudo bem. Algumas questões ainda não foram resolvidas, mas o *mais* urgente é fazer com que Luke esteja livre no dia 7 de abril e não tenha nenhuma viagem de negócios ou algo do tipo. O que significa que vou precisar de uma cúmplice.

Espero até ficar sozinha na cozinha e ligo para o escritório de Luke.

— Escritório de Luke Brandon, em que posso ajudar? — O tom de voz perfeitamente modulado na linha.

A assistente pessoal do Luke se chama Bonnie, e ela já está com ele há um ano. Ela tem cerca de 40 anos e o cabelo meio louro, que vive preso num coque. Ela sempre usa vestidos de veludo discretos e sapatos fechados e tem uma voz doce. Nas festas da Brandon Communications, ela sempre fica num cantinho com um copo d'água, parecendo feliz só por estar ali. Já tentei conversar com ela algumas vezes, mas ela me parece bem reservada.

Enfim, ela parece ser excelente. Luke teve alguns problemas antes de contratar Bonnie, e eu nunca tinha visto ninguém ficar tão entusiasmado quanto ele ficou quando ela começou a trabalhar. Parece que ela é extremamente eficiente, discreta e quase telepata, pois sabe exatamente do que ele vai precisar. Eu poderia até ficar preocupada, se não fosse o fato de que não consigo imaginar Bonnie transando.

— Oi, Bonnie — digo. — É a Becky, esposa do Luke.

— Becky! Tudo bem?

Esta é outra coisa: ela sempre parece ficar feliz em falar comigo, apesar de poder estar pensando "Ai, que saco, é a mulher dele de novo".

— Tudo bem, obrigada. E você?

— Estou muito bem. Quer que eu passe para o Luke?

— Na verdade, Bonnie, eu queria falar com você. Vou dar uma... — Faço uma pausa e olho em volta paranoica, pensando que talvez Luke pudesse, de repente, voltar mais cedo do trabalho para me fazer uma surpresa e estar atrás de mim, quietinho, na ponta dos pés, com os braços esticados. Mas ele não está.

Hum. Por que ele nunca faz isso?

Só para ter certeza, fecho a porta da cozinha e coloco uma cadeira na frente. Isso parece tão misterioso que me sinto como as garotas da resistência francesa em *'Allo! 'Allo!*.

— Becky, você ainda está aí? — pergunta Bonnie. — Becky? Alô?

— Preste muita atenção, pois só vou falar uma vez — sussurro ao telefone, com uma voz sepulcral. — Vou dar uma festa surpresa no aniversário do Luke. É supersecreta e você é a sétima pessoa no mundo a saber.

Tenho vontade de acrescentar: "E agora preciso matar você."

— Sinto muito, Becky... — Bonnie parece confusa. — Não estou ouvindo. Pode falar mais alto?

Meu Deus!

— Uma festa! — falo, mais alto. — Vou dar uma festa para o Luke no dia 7 de abril e quero que seja uma surpresa, então será que você pode mantê-lo ocupado nesse dia, inventar alguma coisa, sei lá?

— Dia 7 de abril. — Bonnie parece tranquila. — Acho que posso fazer alguma coisa sim.

Viu? É por isso que ela é uma assistente brilhante. Ela se comporta como se já tivesse feito esse tipo de coisa um milhão de vezes.

— E eu quero convidar todos os amigos do trabalho, então será que você pode mantê-los ocupados também? Mas não deixe que eles desconfiem. E não conte a ninguém ainda. Você pode dizer que é um dia de treinamento para incêndio? E você tem que passar um cartão de aniversário para todos assinarem no escritório... — acrescento, de repente. — Sabe, quando estiver chegando na hora, e se o Luke comentar alguma coisa sobre o aniversário, o que é muito improvável, mas caso ele *comente*, você só precisa dizer...

— Becky... — Bonnie me interrompe, gentilmente. — Acho que devemos nos encontrar para combinar isso direitinho.

Consegui! Ao desligar o telefone, estou toda sorridente. Tudo está dando certo. Bonnie já se ofereceu para fazer uma lista de convidados, e nós vamos almoçar juntas na semana que vem. Agora eu só preciso escolher um lugar para a festa.

Meu olhar vagueia lá para fora. O jardim é perfeito, mas seria impossível manter segredo de Luke.

— Ficou sabendo da última? — Mamãe entra apressada na cozinha, e Minnie vem atrás. O rosto de mamãe está cor-de-rosa e ela está ofegante. — Não é só o Bank of London! Todos os bancos parecem um queijo suíço! Estão cheios de buracos! Você ficou sabendo, Graham? — pergunta ela, agitada, para o meu pai, que está entrando. — Tudo vai desmoronar!

— A situação é ruim — meu pai concorda, mexendo na chaleira.

Eu parei de acompanhar as notícias porque é deprimente demais, mas essa crise do Bank of London parece coisa de novela. Agora eles fecharam os caixas eletrônicos e algumas pessoas jogaram pedras nas vitrines. O primeiro-ministro apareceu ontem na TV e pediu para a população parar de tirar dinheiro do banco. Mas isso só deixou todo mundo mais nervoso. (Eu sabia que isso ia acontecer. Não disse? O Canal 10 poderia me contratar como consultora.)

— O Luke disse que nós não vamos perder todo o nosso dinheiro — solto.

— Ah, ele disse, é? — Mamãe se enfurece. — Então será que o Luke podia nos dizer se alguma outra instituição financeira está prestes a falir? Ou será que isso daria muito trabalho para ele?

Ela nunca vai perdoá-lo, né?

— Mãe — digo pela milionésima vez —, o Luke *não podia* ter nos avisado. Era confidencial. É um assunto muito delicado. E, além disso, você teria contado para todo mundo em Oxshott!

— Eu *não* teria contado para todo mundo em Oxshott! — diz ela, brava. — Eu teria avisado à Janice, ao Martin e também aos meus amigos queridos e só. E agora provavelmente vamos perder tudo. Tudo. — Ela me olha ressentida, como se a culpa fosse minha.

— Mãe, tenho certeza de que não vamos perder nada. — Tento parecer confiante e tranquila.

— Hoje eu ouvi um comentarista no rádio prevendo uma anarquia! A civilização vai desmoronar! É uma guerra!

— Calma, Jane. — Meu pai coloca a mão no ombro dela. — Não vamos nos desesperar. Só precisamos segurar um pouco a onda e economizar. *Todos* nós, Becky. — Ele me olha fixamente.

Não consigo deixar de me sentir ofendida. Por que ele me olhou desse jeito? Com licença, eu sou adulta. Sou *mãe*. É só voltar a morar com os pais que eles começam a tratar você como uma adolescente que gastou o dinheiro da passagem comprando polainas.

Coisa que eu só fiz *uma vez*.

— A pobre da Janice está até doente de preocupação, sabia? — Minha mãe baixa a voz discretamente, como se Janice pudesse nos ouvir da casa dela. — Já tinha sido ruim para ela saber da novidade da Jess e do Tom.

— Coitada da Janice — papai e eu dizemos em uníssono.

— Ela estava contando tanto com o casamento. Quer dizer, eu sei que essa geração mais nova gosta de fazer as coisas de maneira diferente, mas, sinceramente, o que custa entrar na igreja de véu e grinalda? A Janice já tinha planejado as decorações das mesas *e* as lembrancinhas do casamento. O que ela vai fazer com tanto tecido prateado?

Mamãe continua falando, mas só consigo pensar numa ideia que tive agora.

O jardim da Janice. É claro! Podemos colocar a tenda lá, e Luke nunca suspeitaria de nada! Ele pensaria que Martin e Janice estariam organizando uma festinha!

— ... e nenhuma foto para colocar em cima da lareira... — ela continua seu falatório, indignada.

— Mãe — interrompo. — Preste atenção. Não conte para o Luke, mas vou fazer uma festa surpresa para ele. E eu estava pensando... Você acha que a Janice me deixaria usar o jardim dela?

Silêncio. Meus pais estão me encarando de maneira estranha.

— Uma festa, filha? — Mamãe parece tensa. — Quer dizer, para alguns amigos?

— Não! Uma festa grande! Com tenda e tudo.

Meus pais trocam olhares.

— O que foi? — pergunto, irritada.

— Parece algo muito... grande.

— E vai ser grande — digo, ressentida. — E genial. Vou montar uma pista de dança com luzes e engolidores de fogo, e o Luke vai ficar completamente surpreso.

Penso sobre isso todas as noites. Na verdade, sempre imagino a mesma coisa: Luke olhando boquiaberto para a festa mais maravilhosa do mundo, sem conseguir dizer uma única palavra. Eu mal posso *esperar*.

— Engolidores de fogo? — mamãe repete, desconfiada. — Becky, querida...

— Vamos ter o episódio do George Michael mais uma vez — sussurra meu pai secretamente para minha mãe, e eu respiro fundo. Isso vai *contra* o nosso código familiar. Ninguém pode mencionar o George Michael. Nós até desligamos o som quando começa a tocar "Careless Whisper".

— Eu ouvi, tá, pai? — Eu o encaro furiosa. — E *não* vai ser isso.

O incidente com o George Michael foi tão doloroso que eu mal consigo me lembrar dos detalhes. Então nem vou tentar. Só sei que eu estava prestes a fazer 13 anos, e todos os meus amigos acharam que o George Michael ia cantar na minha festa, porque eu tinha dito que ele ia. No dia, todos apareceram com caderninhos para pegar autógrafo e câmeras fotográficas...

Fico tonta só de lembrar.

Meninas de 13 anos são cruéis.

Eu *não* inventei nada, como todos disseram. *Não* mesmo. Só liguei para o fã-clube, e o cara disse que tinha certeza de que o George adoraria ir, e eu meio que... entendi errado.

— E você se lembra das fadas, Graham? — Mamãe de repente coloca a mão na cabeça. — Todas aquelas menininhas chorando, histéricas.

Por que os pais precisam *lembrar* essas coisas o tempo todo? Tudo bem, talvez eu não devesse ter dito às minhas amigas da escola que eu tinha fadas de verdade no meu jardim e que elas iriam na minha festa de 5 anos e iam realizar um pedido de cada uma delas. E depois eu não deveria ter dito que as fadas tinham mudado de ideia só porque não ganhei nenhum presente bom.

Mas eu tinha *5 anos*. As pessoas fazem essas coisas com 5 anos mesmo, e isso não quer dizer que vão continuar assim quando tiverem 29 anos.

— Querem desenterrar mais alguma coisa do meu passado? — acabo dizendo, ofendida.

— Filha. — Mamãe coloca a mão no meu ombro. — Só estou dizendo que... festas de aniversário nunca foram o seu forte, não é verdade?

— Bom, esta será — respondo, mas minha mãe ainda está ansiosa.

— Só não faça *promessas* demais, querida.

— Por que você não leva o Luke para jantar em vez disso? — sugere meu pai. — O The King's Arms tem um cardápio delicioso.

Tudo bem, desisto dos meus amigos e familiares. The King's *Arms*?

— Não quero uma porcaria de cardápio de um pub! Quero dar uma *festa* para o Luke! E é o que eu vou fazer, mesmo que vocês achem que vá ser um desastre!

— Não achamos isso! — diz mamãe rapidamente, olhando para meu pai. — Não é isso o que estamos dizendo. Tenho certeza de que todos podemos ajudar...

— Não precisa — digo, de maneira arrogante. — Já tenho toda a ajuda de que preciso, obrigada.

E, então, saio da cozinha antes que eles digam alguma coisa. Sei que foi bem adolescente e imaturo da minha parte, mas francamente. Pais são tão... *chatos*.

E, além do mais, todos estão errados, porque organizar uma festa surpresa é moleza. Por que eu não faço isso com mais frequência? Até a noite estarei com tudo resolvido. Vamos colocar a tenda no jardim da Janice no dia 7 de abril. Janice e Martin adoraram a ideia e juraram que não contarão nada. (Assim como o encanador que estava consertando a pia deles e ouvindo a conversa toda. Ele jurou que não diria uma palavra.)

Por outro lado, minha mãe está mais histérica do que nunca. Ela ouviu uma história no rádio dizendo que a dívida nacional da Grã-Bretanha é um grande buraco negro e que todas as pensões vão sumir e que, basicamente, o dinheiro não vai mais existir. Ou algo do tipo. Então vamos fazer uma reunião de família. Minnie está na cama, abrimos uma garrafa de vinho e estamos sentados à mesa da cozinha.

— Então — meu pai começa. — Todos nós estamos passando por uma... situação difícil.

— Acabei de olhar no sótão. — Mamãe parece um pouco assustada. — Ainda temos as garrafas d'água que compramos para o bug do milênio. E oito caixas de comida enlatada e todas as velas. Vamos ficar bem por uns três meses, eu acho, mas não sei o que fazer em relação à Minnie...

— Jane, não estamos *sitiados* — diz meu pai, um pouco impaciente. — Os supermercados ainda estão abertos, sabia?

— Nunca se sabe! Precisamos estar preparados! Disseram no *Daily World*...

— Mas podemos ter preocupações financeiras pela frente — interrompe meu pai, com uma cara séria. — Todos nós. Então sugiro que a gente pense numa maneira de CG.

Um silêncio sombrio se instala no ar. Nenhum de nós gosta muito de CG — a abreviação do meu pai para cortar gastos — e nunca é divertido.

— Eu sei para onde todo o dinheiro está indo — diz mamãe, determinada. — Para aquelas luxuosas nozes torradas do Marks & Spencer que você insiste em comprar, Graham. Sabe quanto custam? E você fica lá sentado na frente da TV, comendo tudo de uma vez só...

— Que besteira! — diz meu pai com raiva. — Sabe para onde vai o dinheiro? Para a geleia. De quantos potes de geleia precisamos mesmo? Quem precisa de... — Ele vai até o armário e pega um pote qualquer — groselha e flor de sabugueiro?

Na verdade fui eu que comprei isso, numa feira de artesanatos.

— O que você espera que eu faça? — exclama mamãe, indignada. — Quer que eu sobreviva com um pote miserável de meleca barata feita de colorante e nabo?

— Talvez! Talvez devêssemos comprar em lojas mais baratas. Somos aposentados, Jane. Não podemos mais ter uma vida cara.

— É o *café*! — diz mamãe. — São aquelas cápsulas da Becky da Nespresso.

— Isso! — Papai se empolga de repente. — Concordo plenamente. É um desperdício de dinheiro. Quanto custa cada uma?

Ambos se viram e me encaram como se estivessem me acusando.

— Preciso de um café bom! — digo, horrorizada. — É o meu único luxo!

Não posso morar com os meus pais *e* beber um café ruim. É humanamente impossível.

— Ninguém perguntou a minha opinião, mas eu acho que é a TV — digo. — Está sempre alta demais. Gasta mais energia.

— Não seja ridícula — responde mamãe acidamente.

— Bom, *não* é o café!

— Acho que todos nós podemos cortar a geleia a partir de amanhã — diz meu pai. — Todas as geleias, pastinhas...

— Bom, se vamos fazer isso, vou cortar a comida, posso? — responde mamãe de maneira estridente. — Vou cortar toda a comida, Graham, porque, obviamente, é um desperdício de dinheiro também...

— Enfim, Nespresso é mil vezes mais barato do que ir a um café — tento explicar. — E vocês nem pagam, eu compro pela internet! Então...

Estamos todos tão ocupados discutindo que demoramos para perceber que Luke está na porta nos assistindo e achando graça de tudo.

— Ah, oi! — Levanto rápido, aliviada por conseguir escapar. — Como vão as coisas? Você está bem?

— Ótimo — responde ele. — Acabei de subir para dar boa noite à Minnie mas ela já estava dormindo. — Ele sorri, meio triste, e sinto um pouco de pena dele. Luke quase não tem visto Minnie.

— Ela levou todos os brinquedos para a cama de novo — conto. — Inclusive a casa de boneca.

— De novo? — Ele ri.

A última da Minnie é sair da cama depois de dar boa noite, pegar todos os brinquedos e levá-los para dormir com ela. Subi mais cedo esta noite e vi que ela estava no décimo sono, agarrada ao pônei de madeira, com uns vinte bichinhos de pelúcia e a casa de boneca em cima do edredom. Quase não tinha espaço para ela.

— Luke! — Mamãe finalmente percebe que ele chegou e para no meio de um discurso sobre como meu pai nunca come torrada de manhã, então como poderia saber? — Estávamos conversando sobre a atual situação.

— Situação? — Ele levanta as sobrancelhas para mim, sem entender nada.

— Estamos tentando pensar em formas de economizar dinheiro — eu explico, esperando que Luke diga: "Que ideia absurda, as coisas vão melhorar, vamos abrir um champanhe!"

Mas ele concorda, pensativo.

— Do jeito que as coisas vão, não é má ideia.

— Mas como *vão* as coisas? — pergunta mamãe, quase gritando. — Luke, você sabe. O *Daily World* está certo ou errado? Porque ouvi um rapaz no rádio dizendo que haveria um efeito dominó. E nós somos as peças!

— Não somos não. — Meu pai olha para cima como se buscasse alguma ajuda divina. — Os *bancos* são as peças.

— Bom, o que somos, então? — Mamãe olha com raiva para ele. — Os dados?

— Jane — Luke a interrompe educadamente. — A senhora não deve acreditar em tudo que ouve por aí. Há visões muito radicais, e a verdade é que ainda é cedo demais para tirar qualquer conclusão. O que *posso* dizer é que não temos mais segurança hoje em dia, e todos estão em pânico. Se isso se justifica... essa é a questão.

Percebo que minha mãe não está satisfeita.

— Mas o que os *especialistas* dizem? — insiste ela.

— O Luke *é* um especialista! — me intrometo, indignada.

— Infelizmente, os gurus da economia não são videntes. — Luke dá de ombros. — E eles nem sempre concordam em suas opiniões. O que eu diria é que ser prudente é sempre uma boa ideia.

— Com certeza. — Papai concorda com a cabeça. — Era isso que eu estava dizendo. Estamos gastando demais, Jane, com ou sem crise. Isto aqui custou 4 libras! — Ele balança o pote de geleia de groselha. — Quatro *libras*!

— Muito bem. — Ela o encara com raiva. — A partir de agora, só vou fazer compras na loja de 1 libra. Isso vai deixá-lo feliz, Graham?

— Eu também! — digo, apoiando.

Eu nunca entrei numa loja de 1 libra, mas deve ser boa. Quer dizer, tudo só custa uma pila.

— Minha querida, não estamos tão miseráveis assim. — Luke me dá um beijo na testa. — A maneira mais fácil que *nós* economizarmos é você usando suas roupas mais de uma vez.

Não, de novo não.

— Eu *uso* tudo mais de uma vez! — digo, revoltada. — Você sempre exagera...

— Quantas vezes você usou aquele cardigã com o botão vermelho? — pergunta ele de maneira inocente.

— É... Eu... — Paro de falar, me sentindo um pouco frustrada.

Droga. Por que eu nunca o usei? Não sei nem onde ele está. Será que o esqueci em algum lugar?

— Cem vezes, não é mesmo? — Luke parece estar se divertindo. — Não foi isso que você disse?

— Eu *pretendo* usar cem vezes — digo friamente. — Não disse exatamente quando.

— Quantas peças de roupa você tem, afinal, guardadas nos armários?

— Eu... er...

129

— Você tem *alguma* ideia?

— Roupas demais — reclama papai. — Sem contar as botas que estão entupindo a minha garagem.

— Alguma ideia? — Luke insiste.

— Eu não... Não é... — Me perco, confusa.

Que tipo de pergunta é essa? "Quantas peças de roupas você tem?" Isso é completamente irracional.

— Quantas peças de roupa *você* tem? — pergunto de volta, e Luke pensa por um breve segundo.

— Nove ternos, sendo que alguns estão velhos demais para serem usados. Cerca de trinta camisas. Umas cinquenta gravatas. Devo me desfazer de algumas. Roupa para sair à noite. Eu não preciso fazer compras durante um ano, a não ser para adquirir meias. — Ele dá de ombros de novo. — E não vou fazer compras. Não na atual situação. Acho que não passaria uma ideia legal se eu chegasse ao trabalho com um terno novo sob medida.

Luke sempre tem uma resposta pronta.

— Bom, você é *homem*. É diferente. Eu trabalho com moda, lembra?

— Eu sei — ele diz, calmamente. — Só quero dizer que se você usar cada peça de roupa umas três vezes antes de comprar alguma coisa nova, seus gastos vão diminuir. Você disse que queria ideias para economizar.

Eu não queria *esse* tipo de ideia. Queria ideias de economia que envolvessem coisas que não me interessam, como gasolina e seguro. Mas agora estou irritada.

— Tudo bem! — Cruzo os braços. — Vou usar todas as peças do meu armário três vezes antes de fazer compras de novo. Está satisfeito?

— Estou. — Ele sorri para mim. — E eu vou desistir dos meus planos para o carro. Por enquanto.

— *Jura?*

— Como eu disse, não é o momento.

Agora me sinto um pouco humilhada. Luke estava planejando comprar um carro novo depois que o caso da Arcodas acabasse, como uma espécie de prêmio. Fizemos um test-drive e tudo.

Bom, acho que se ele consegue fazer isso, eu também consigo usar todas as minhas roupas três vezes antes de fazer compras de novo. Não é tão difícil.

De qualquer maneira, não tenho *tantas* roupas assim. Tento visualizar meu armário. Quer dizer, são apenas blusas, algumas calças jeans e uns poucos vestidos, né? E algumas coisas que enfiei lá atrás. Vou conseguir usar tudo em poucas semanas.

— Mas nós vamos comprar roupas para a Minnie, né? — Olho para ele, alarmada. — E ela ainda pode ter a mesada?

Eu me acostumei bastante com o fato de Minnie ter mesada quando nós estamos na rua. Ela gastou mais seis meses de mesada adiantada na liquidação da Bambino e comprou as botas Wellington purpurinadas mais *lindas* do mundo pela metade do preço. Além do mais, ela está aprendendo a planejar os gastos, porque eu anotei tudo num caderninho.

— É claro que a Minnie pode ter mesada! — Luke ri. — E se ela precisar de roupas novas, não tem jeito. Ela está em fase de crescimento.

— Ótimo — digo, tentando não ficar com inveja.

Para as crianças, não tem problema. Queria *eu* perder todas as minhas coisas de três em três meses e ter que substituir tudo.

— Mesmo assim, Becky, eu achei que o estilo Bloomwood era Ganhar Mais Dinheiro — diz Luke, interrompendo, os meus pensamentos. Ele puxa uma cadeira e se serve de uma taça de vinho. — Talvez você possa voltar a trabalhar período integral, agora que vamos ter uma governanta.

Argh! Não! É como se ele tivesse atirado para cima sem dar nenhum aviso. Fico tensa de repente. Por que ele tinha que mencionar a palavra "governanta" assim, do nada? Eu ia preparar a minha mãe para a notícia.

— Governanta? — Mamãe fica histérica. — Que governanta? Do que vocês estão falando?

Ela consegue fazer com que "governanta" soe como "assassina em série".

Eu mal consigo olhar para ela.

— A gente só pensou... que seria uma boa ideia contar com a ajuda de uma especialista no assunto.... — Tusso. — Quer dizer...

— A Minnie é mimada — diz Luke, sem rodeios. — Ela precisa de disciplina e regras.

Mamãe parece extremamente ofendida.

— Ela não é mimada por *você*, mãe, é claro — acrescento rapidamente. — É só que... existe um grupo maravilhoso chamado Governantas Insuperáveis que ajudam a criar uma criança equilibrada e educada. Elas dão aula de artes marciais e tudo.

— Artes *marciais*? — pergunta minha mãe, sem acreditar. — Por que ela precisa de aulas de artes marciais, coitadinha?

— E elas têm treinamento em rotinas e desenvolvimento infantil... — Olho desesperada para Luke, pedindo apoio.

— Achamos que a Minnie precisa disso — diz Luke com firmeza. — Vamos entrevistar candidatas na semana que vem e tenho certeza de que todos nós vamos nos dar maravilhosamente bem.

— Bom. — Mamãe parece não saber o que dizer. — Bom. — Ela toma um gole do vinho. — Entendi. Tudo está mudando.

— Bom, é claro que as coisas tinham que mudar uma hora ou outra — começa Luke. — Levando em conta que vamos... Ai! — Ele para de falar quando dou um chute no tornozelo dele e o encaro.

Ele não tem *nenhum* tato? Vai falar tudo aqui, assim, sem pensar?

Não podemos contar para minha mãe que vamos nos mudar. Não com tudo isso que está acontecendo. Vai ser a gota d'água e vai acabar com ela. Ela vai entrar em depressão e vai ter um colapso nervoso.

— O quê? — Mamãe olha com curiosidade para todo mundo. — Levando em conta que vocês vão o quê?

— Nada! — digo rapidamente. — Então, vamos ver TV?

— Becky. — Vejo que ela está me olhando de maneira estranha. — O que é? O que você está escondendo de mim?

Ai, meu Deus, agora estou dividida. Se não contarmos a verdade, ela vai achar que aconteceu alguma coisa horrível. E, afinal de contas, nós estamos numa conferência de família. Talvez seja a hora certa para contar as novidades.

— Tudo bem. — Tomo um belo gole de vinho para criar coragem. — É o seguinte, mãe. O Luke e eu encontramos uma linda casa em Maida Vale e a nossa oferta foi aceita. E parece que desta vez vai dar certo mesmo. Isso significa que vamos... — Respiro fundo, quase sem conseguir falar. — Mãe, vamos nos mudar.

Há um silêncio estranho. Parece que todo mundo perdeu a fala.

Olho angustiada para Luke. Isso é horrível. Eu sabia que seria ruim, mas nunca pensei que fosse ser tão ruim.

— Vocês estão... indo embora? — diz mamãe finalmente, com a voz falhando um pouco. — Vocês realmente vão nos deixar?

Ela está arrasada, é óbvio. Já estou sentindo as lágrimas encherem meus olhos.

— Vamos sim. Daqui a umas quatro semanas, provavelmente. — Engulo em seco, como se tivesse um nó na garganta. — Precisamos do nosso espaço e você precisa entender isso, mãe. Mas vamos visitar vocês sempre, e ainda vão continuar vendo a Minnie, eu juro, e...

Mamãe não parece estar ouvindo.

— Eles vão embora! Eles vão *embora*! — Ela aperta o braço do meu pai. — Você ouviu, Graham?

Espera aí. Ela não parece *tão* arrasada assim. Na verdade, ela parece... feliz.

— É verdade? — Papai me olha sério.

— Parece que sim — confirma Luke.

— Poderemos voltar a convidar as pessoas para jantar — diz mamãe, ofegante. — Poderemos usar a mesa! E ter visitas!

— Poderei usar minha oficina — acrescenta papai, pensativo. — Finalmente.

— Terei meu armário de volta! E a lavanderia! — Mamãe está quase tonta de tanta euforia. — Oh, Graham! —

Para a minha grande surpresa, ela dá um beijo na bochecha do meu pai. — Preciso ligar para a Janice e contar a boa notícia!

Boa notícia? E a síndrome do ninho vazio? Cadê a depressão profunda?

— Mas vocês disseram que não queriam que a gente fosse embora! — digo indignada. — Vocês disseram que tinham ficado aliviados quando as outras casas não deram certo porque sentiriam muita saudade da gente!

— Nós *mentimos*, querida! — mamãe diz, toda feliz. — Não queríamos magoar você. Alô, sou eu, Janice! — ela fala ao celular. — Eles estão indo embora! Isso! Quatro semanas! Espalhe a notícia!

Muito bem. Agora estou oficialmente ofendida. Será que toda a *vizinhança* estava esperando a gente ir embora?

Becky Brandon (ex-Bloomwood)
Auditoria Oficial das Roupas
Página 03 (de 15)

Calças Jeans (continuação)

J Brand — curta

J Brand — boca larga

Goldsign — skinny escura

7 For All Mankind — desgastada (dois manequins abaixo do meu)

Balmain — preta, desgastada

Notity — preta

Notity — preta (ainda na sacola, nunca foi usada)

Theory — skinny com stretch

7 For All Mankind — com detalhe

7 For All Mankind — cortada

Acne — desfiada no joelho

Acne — rasgada (ainda com a etiqueta)

Cavalli — desfiada e com lantejoulas (ainda na sacola)

Paige Premium Denim — boyfriend

True Religion — larga e cinza

Roupas de ginástica

Calça de ioga Stella McCartney

Camisa sem manga Stella McCartney

Colant preto de oncinha (nunca foi usado)

Sapatilhas cor-de-rosa (nunca foram usadas)

Legging preta — Sweaty Betty

Legging cinza — Nike (ainda na bolsa e com o recibo)

Legging preta — "anticelulite" (nunca foi usada)

Legging cinza — American Apparel

Calça de dança com grafite hip-hop (nunca foi usada)

Roupa de patinação no gelo com lantejoula

Roupa de futebol americano (para a festa do Halloween)

Vestido para tênis Fred Perry (branco)

Vestido para tênis Fred Perry (azul-bebê)

Roupa para corrida de carro profissional (ainda na caixa)

CONTINUA NA PRÓXIMA PÁGINA...

UNIDADE DO DEPARTAMENTO CENTRAL
DA POLÍTICA MONETÁRIA

5º Andar
Whitehall Place, 180
Londres, SW1

À Sra. Rebecca Brandon
The Pines
Elton Road, 43
Oxshott
Surrey

18 de janeiro de 2006

Prezada Rebecca,

Obrigado por sua carta endereçada ao ministro da Fazenda, que foi repassada para mim.

Em nome do ministro, gostaria de agradecer por sua solidariedade e pelas sugestões sobre como "sair dessa confusão". Os princípios do seu pai sobre "CG" me parecem pertinentes, assim como o conselho de "dar uma olhada e vender algumas coisas das quais não precisam".

Obrigado também pelo gentil presente, o livro de David E. Barton *Como controlar seu dinheiro* –– que eu não conhecia. Não sei dizer se o ministro possui um exemplar, mas certamente irei encaminhá-lo a ele, assim como o seu conselho de "anotar tudo que ele gastar".

Obrigado novamente pelo seu interesse.

Atenciosamente,

Edwin Tredwell
Diretor de Pesquisa Política

SETE

Por que eu tenho tantas roupas? Por quê? *Por quê?*

Eu finalmente consegui pegar todas as peças que estavam espalhadas pela casa e contá-las. Foi um desastre total. Não existe a menor possibilidade de eu usar tudo em duas semanas. Está mais para dois anos, isso sim.

Como eu posso ter tantas calças jeans? E camisetas? E cardigãs velhos que eu nem lembrava que tinha?

Por outro lado, encontrei um casaco Whistles que havia esquecido completamente e que vai ficar uma graça com um cinto ou com a calça jeans skinny True Religion, que ainda estava na sacola, enfiada embaixo de uma pilha de kits de presente da Lancôme.

Mas o lado ruim é que eu tenho umas 18 camisetas cinza, todas justas e sem forma, e não consigo me lembrar de ter comprado *nenhuma* delas. Achei também umas peças que comprei em liquidação. Horríveis. O pior é que Luke contou para Jess que eu estava fazendo uma auditoria das minhas roupas, e ela resolveu vir me ajudar. Aí eu não pude fazer o que planejei, que era esconder todas as roupas que eu odeio numa sacola de plástico e colocá-las para fora de casa.

Jess foi implacável. Ela me obrigou a fazer uma lista com todos os itens e não me deixou descartar nada, nem aquele short justo horrível, muito menos o colete de couro marrom terrível (no que eu estava *pensando* quando comprei aquilo?), nem mesmo todas as camisetas e sapatos que ganhei de brinde. E isso tudo foi antes de acharmos aquelas roupas indianas esquisitas que comprei na lua de mel.

Se eu tiver que usar aquele colete de couro marrom em público três vezes, eu vou *morrer*.

Me analiso, deprimida. Estou com uma das minhas trilhões de camisetas brancas que nunca foram usadas, com uma calça preta e um colete por cima de um cardigã comprido. É o único jeito de sobreviver — usando a maior quantidade de peças que for possível, todo dia, para acabar com isso. Mesmo assim, de acordo com os cálculos de Jess, eu só vou precisar comprar roupa no dia 23 de outubro. E ainda estamos em janeiro. Eu quero *chorar*. Bancos idiotas, idiotas.

Secretamente eu estava torcendo para que essa coisa da crise financeira fosse um daqueles lances rápidos que vêm e vão e todo mundo diz: "Ha, ha, que besteira a nossa, que confusão que criamos à toa!" Como aquela vez em que noticiaram que havia um tigre solto em Oxshott e todo mundo ficou desesperado, mas na verdade era só o gato de alguém.

Mas ninguém está dizendo: "Ha, ha, que besteira a nossa!" A crise está em todos os jornais e as pessoas estão preocupadas. Hoje de manhã, minha mãe comeu a torrada sem geleia, olhando o tempo todo para papai com um ar ressentido. Fiquei completamente desanimada, tentando não olhar para a propaganda da Christian Dior na parte de trás do jornal do meu pai, e até a Minnie ficou quieta.

Quando cheguei no trabalho, as coisas estavam mais deprimentes ainda. Eu gerencio o departamento de *personal shopping* da The Look, uma loja de departamento na Oxford Street. Ela não começou muito bem, mas estava melhorando muito nos últimos tempos. Tivemos vários eventos e destaques na mídia e os lucros estavam aumentando. Na verdade, todos nós ganhamos bônus!

Mas hoje o lugar está abandonado. O andar da moda feminina está em silêncio, e quase todos os agendamentos no departamento de compras pessoais foram cancelados. É muito deprimente ver uma lista inteira de reservas com a palavra "cancelada" ao lado.

— Todo mundo disse que está gripado — conta Jasmine, que trabalha comigo, enquanto dou uma olhada na agenda, desanimada. — Poderiam ter inventado uma desculpa melhor, né?

— Tipo o quê?

Jasmine bate na mesa com suas unhas verde-claras, que contrastam totalmente com seus olhos violeta. (Lentes coloridas são sua nova mania fashion. Ela tem um olho azul e outro verde, e ela diz que já está acostumada com as pessoas olhando fixamente para ela, perguntando se são de verdade.)

— Podiam dizer que estão numa clínica de reabilitação — diz ela finalmente. — Ou que o marido viciado em cocaína as espancou e precisam ir para um refúgio de mulheres. Eu diria isso.

Nossa, Jasmine é doente. Não poderíamos ser mais diferentes uma da outra. Jasmine se comporta como se não se importasse com nada, nem com os próprios clientes. Ela diz às pessoas que elas estão péssimas, que não têm estilo, que suas roupas deveriam ir para o lixo... Depois ela joga uma peça qualquer, sem dar muita importância, e as pessoas ficam tão maravilhosas com a roupa que *não conseguem* deixar de comprar. Às vezes elas ficam emocionadas ou tentam abraçá-la, e ela revira os olhos e diz: "Que saco..."

— Ou então poderiam ser sinceras. — Jasmine joga seu cabelo louro parafinado para trás. — Poderiam dizer: "Não tenho dinheiro porque a porcaria do meu banco perdeu tudo." Você sabe que este lugar vai falir, não sabe? — acrescenta, quase sorrindo, e gesticulando ao meu redor. — Na verdade, este país está nas últimas. É uma grande bagunça. Talvez eu vá morar no Marrocos. — Ela olha para a minha camisa de maneira suspeita. — Isto aí não é uma Chloé de duas coleções passadas?

É a cara da Jasmine reparar nisso. Estou pensando se respondo "Não, é uma marca nova que você não conhece" ou "Sim, é vintage", quando uma voz intimidantemente diz: "Becky." Ao ouvir meu nome, eu me viro e olho, surpresa. É Davina, uma das minhas clientes fiéis, parecendo indecisa na porta. Eu quase não a reconheci com a capa de chuva, o lenço na cabeça e os óculos escuros.

— Davina! Você veio! Que ótimo vê-la!

Davina tem seus 30 e poucos anos e é médica no Guy's Hospital. Ela é uma especialista internacional em doenças oculares e também em sapatos Prada — ela os coleciona desde os 18 anos. Ela havia marcado uma consulta hoje para achar um vestido novo para sair, mas, de acordo com a agenda, tinha cancelado.

— Eu não deveria estar aqui. — Ela olha em volta, preocupada. — Eu disse ao meu marido que tinha cancelado. Ele... está preocupado com as coisas.

— Todo mundo está — digo, compreensivamente. — Quer tirar o casaco?

Davina não se mexe.

— Não sei — diz ela, finalmente, meio atormentada. — Eu não deveria estar aqui. Nós brigamos por causa disso. Ele perguntou por que eu precisava de um vestido novo, e disse que não era hora de ficar esbanjando dinheiro por aí. Mas eu fui premiada pela Taylor Research e meu departamento vai dar uma festa para comemorar. — Sua voz treme de emoção. — É muito importante, essa sociedade, e é uma honra incrível. Dei um duro danado para conseguir isso, e talvez essa seja a única oportunidade, e eu *tenho* o dinheiro para o vestido. Eu economizei, está guardado direitinho. O nosso banco nem é o Bank of London!

Ela parece estar tão chateada que fico com vontade de abraçá-la. O problema da Davina é que ela não é impulsiva. Ela reflete sobre todas as peças que compra e gosta de coisas clássicas e bem-feitas. Deve estar pensando em comprar esse vestido há muito tempo.

Que marido malvado! Ele deveria ter *orgulho* de que sua esposa ganhou um prêmio.

— Você quer entrar? — tento de novo. — Quer um cafezinho?

— Não sei — diz ela de novo, bem baixinho. — É tão difícil... Eu não deveria estar aqui.

— Mas você *está* aqui — enfatizo, gentilmente. — Quando é a festa?

— Sexta à noite.

Ela tira os óculos escuros para massagear a testa e, de repente, olha para a arara no meu provador, atrás de mim, onde coloquei todos os vestidos que procurei para ela na semana passada. Pedi a Jasmine que os arrumasse para hoje de manhã.

Há peças maravilhosas na arara. Davina ficaria linda em qualquer uma delas. Eu vejo o desejo aumentando nos seus olhos.

— Aqueles são...

— São apenas algumas opções.

— Não posso. — Ela balança a cabeça, desesperada. — Não *posso* aparecer com uma roupa nova.

— Mas será que o seu marido iria *saber* que é uma peça nova? — não consigo deixar de perguntar. Vejo que ela está pensando.

— Talvez não — diz ela finalmente. Sua expressão fica mais suave... mas logo depois ela franze a testa de novo. — Mas eu não posso chegar em casa com uma sacola de compras. Nem pedir para entregar lá *e nem* no trabalho. Os funcionários vão comentar e vão querer ver, e o meu marido vai acabar descobrindo. Essa é a desvantagem de trabalharmos no mesmo hospital.

— Então como você poderá comprar o vestido — pergunta Jasmine diretamente — se não pode levar nada para casa nem pedir para entregar?

— Não sei. — Davina parece um pouco desanimada. — Ah, vai ser impossível. Eu não deveria ter vindo.

— É claro que deveria! — digo firmemente. — Não somos mulheres que desistem fácil. Entre, tome uma xícara de café e dê uma olhada nos vestidos. Nós vamos pensar em alguma coisa.

No momento em que Davina veste o Philosophy da Alberta Ferretti, nós duas sabemos. Ela *precisa* comprá-lo. É um vestido preto justo, e a bainha é marrom-escuro, com uma cauda de chiffon. Custa 500 libras e vale todo o investimento.

Agora cabe a mim descobrir como vamos resolver isso. Depois que ela termina de se vestir e de comer os dois sanduíches que eu pedi para ela, já tenho a resposta. Apresento um novo serviço especializado para o setor de *personal shopping* da The Look, chamado CCP (Compre Com Privacidade). Até a hora do almoço, eu já organizei tudo para Davina e adicionei várias inovações. Também escrevi um pequeno e-mail sobre isso, que começa assim: "Você se sente culpada em fazer compras nos conturbados dias atuais? Precisa de um novo nível de discrição?"

Não quero me gabar, mas tenho muito orgulho das minhas ideias. As clientes podem vir para o departamento de *personal shopping*, escolher as roupas novas e então, para manter a discrição, escolher entre várias opções de entrega:

1. Deixar as roupas reservadas, prontas para serem levadas, de bicicleta, para a casa da cliente, numa hora apropriada (por exemplo: quando não tiver ninguém em casa).

2. As roupas podem ser entregues numa caixa de papelão na qual estará escrito "Papel para Impressora" ou "Produtos Sanitários".

3. Escolher uma das funcionárias (eu ou Jasmine) para fingir ser uma amiga, visitar a casa e oferecer as roupas como "usadas e rejeitadas".

4. Escolher uma das funcionárias (eu ou Jasmine) para fingir ser uma faxineira, visitar a casa e esconder as roupas num lugar secreto, previamente combinado.

5. Por uma taxa maior, as funcionárias da The Look (eu e Jasmine) vão abrir um "estande de caridade" num local a ser combinado,* onde a cliente poderá "comprar" roupas por um valor simbólico na frente do marido ou do namorado.

Davina escolheu a opção "Papel para Impressora". Quando ela vai embora, seus olhos estão brilhando de emoção, e ela me abraça, dizendo que vai me mandar fotos da festa e que eu melhorei muito o dia dela. Bom, ela merece. Davina ficou maravilhosa com o vestido e vai se lembrar da ocasião pelo resto da vida. Ao sair para almoçar com Bonnie, me sinto satisfeita comigo mesma.

O único detalhe é que eu não mostrei o esquema do "Compre Com Privacidade" para nenhum dos meus chefes, como o diretor-geral ou o gerente de marketing ou o diretor de operações. Teoricamente, esta minha nova iniciativa precisava ser aprovada antes de ser apresentada ao público. Mas a questão é que eles são *homens*, nunca a entenderiam. Eles

---

* Esta opção vai funcionar melhor com grupos de clientes.

provavelmente inventariam vários problemas idiotas e o tempo passaria e nós perderíamos todas as nossas clientes.

Então estou fazendo a coisa certa. Sim, tenho certeza disso.

Vou encontrar Bonnie num restaurante perto da Brandon Communications e, quando chego lá, ela está sentada a uma mesa, quietinha como sempre, com seu vestido bege de tweed e sapatos fechados de salto baixo.

Sempre que a encontro ela me parece distante e impecável, quase não humana, mas eu *sei* que ela tem um lado secreto, porque já o vi. Na última festa de Natal da Brandon C, por acaso, eu reparei nela enquanto todos estavam na pista de dança cantando "Dancing Queen" loucamente. Bonnie estava sentada sozinha à mesa e, enquanto eu a observava, ela furtivamente pegou um dos chocolates com avelã que tinha sobrado no prato. Depois outro. Discretamente, ela pegou todos os chocolates com avelã que tinham sobrado na mesa, enrolou todos num papel e os guardou na bolsa. Nunca contei isso a ninguém, nem para o Luke, porque alguma coisa me diz que ela ficaria horrorizada se soubesse que foi vista, ainda mais se zombassem dela.

— Becky — ela me cumprimenta, com sua voz baixa e modulada. — Como é bom ver você. Pedi água com gás...

— Ótimo! — Sorrio para ela. — E muito obrigada por me ajudar.

— Ah, não tem problema nenhum. Vou mostrar o que eu fiz até agora.

Ela pega uma pasta de plástico e começa a espalhar folhas impressas pela mesa.

— Convidados... contatos... exigências em relação ao bufê...

Arregalo os olhos, impressionada. Luke tem razão: Bonnie é excelente. Ela organizou uma lista de convidados completa, usando a agenda profissional e a pessoal do Luke, com endereços, telefones e uma pequena anotação sobre cada pessoa.

— Todos da empresa já reservaram a noite do dia 7 de abril — continua ela. — Expliquei tudo para o Gary, e nós inventamos uma sessão de treinamento para todos os funcionários. Aqui está...

Boquiaberta, eu analiso a folha de papel que ela me mostra. É uma programação para a "Sessão de Treinamento na Brandon Communications", que começa às 5 da tarde e vai até a noite, incluindo "bebidas", "atividades em grupo" e "círculos de debate". Parece muito autêntico! Tem até o nome de uma "empresa de desenvolvimento" impresso no final da folha.

— Isso é genial — digo, entusiasmada. — É realmente fantástico. Bonnie, muito, *muito* obrigada...

— Bom, isso significa que você não precisa contar a verdade para as pessoas da empresa agora. — Ela dá um sorrisinho. — É melhor manter tudo em segredo o máximo que pudermos.

— Com certeza — concordo, plenamente. — Quanto menos pessoas souberem, melhor. Tenho uma lista com o nome de todos que sabem e estou controlando tudo direitinho.

— Você parece ter tudo sob controle. — Ela sorri, me encorajando. — E como estão os preparativos para a festa?

— Tudo ótimo — digo de uma vez. — Quer dizer... Ainda não finalizei *tudo*...

— Você já pensou em chamar uma pessoa para ajudá-la na organização? — pergunta Bonnie calmamente. — Ou um serviço de concierge? Posso indicar um que todos os meus chefes usaram, a The Service. Eles são ótimos.

Ela pega um caderno de anotações e escreve um telefone.

— Tenho certeza de que ajudariam na organização, fazendo contato com fornecedores, providenciando funcionários e tudo o que precisar, mas é só uma sugestão.

— Obrigada!

Pego o papel e o guardo na bolsa. Na verdade, não é má ideia. Quer dizer, não que eu precise de *ajuda*, mas é só para não faltar nada.

O garçom chega e nos serve mais água, e nós duas pedimos salada. Enquanto Bonnie dá um golinho na água, não consigo deixar de observá-la com curiosidade. Se você pensar bem, ela é A Outra na vida do Luke. (Não de um jeito Camilla Parker-Bowles. De jeito nenhum. Não vou cair de novo nessa armadilha de achar que o Luke está tendo um caso, contratar detetives particulares e me estressar por nada.)

— Você gostaria de um vinho, Becky? — diz Bonnie de repente. — Eu preciso manter a postura profissional, sinto muito, não poderei acompanhá-la... — Ela dá um sorriso pesaroso.

— Eu também — concordo, ainda hipnotizada por Bonnie.

Ela passa mais tempo com Luke do que eu. Ela sabe tudo sobre grande parte da vida dele, coisas que ele nem se preocupa em me contar. Ela deve ter percepções interessantes sobre ele.

— Então... Como é o Luke como chefe? — não resisto em perguntar.

— Ele é admirável. — Ela sorri e pega um pedaço de pão da cesta.

Admirável. Muito típico dela: discreta, gentil, não me diz nada.

— Admirável como?

Bonnie me olha de um jeito estranho, e eu percebo que ficou parecendo que eu quero que ela o elogie.

— Ele não pode ser perfeito — acrescento rapidamente. — Deve ter alguma coisa nele que irrita você.

— Eu não diria isso. — Ela dá outro sorriso de boca fechada e bebe mais um gole d'água.

Ela vai ignorar todas as perguntas dessa forma? Fico com uma súbita vontade de driblar essa postura profissional que ela impõe. Talvez eu pudesse suborná-la com um chocolate com avelã.

— Por favor, Bonnie! — insisto. — Luke deve irritar você de alguma forma. Por exemplo, eu me irrito quando ele fica respondendo mensagens no BlackBerry o tempo todo enquanto estamos conversando.

— Sério... — Bonnie dá uma risada comedida. — Eu não sei.

— Sabe sim! — Me inclino na mesa. — Bonnie, eu sei que você é profissional, e respeito isso. Eu também sou, mas isso é extraoficial. Podemos ser sinceras uma com a outra. Não vou sair deste restaurante até que você me conte alguma coisa que a irrita nele.

Bonnie agora está vermelha e não para de olhar para a porta, como se quisesse fugir.

— Olha — digo, tentando chamar sua atenção. — Aqui estamos nós, juntas, as duas mulheres que mais passam tempo com o Luke, e as que melhor o conhecem. Seria ótimo se pudéssemos compartilhar as nossas experiências e aprender uma com a outra! Eu não vou *contar* nada para ele! — acrescento, percebendo que posso não ter sido clara o suficiente. — Vai ficar só entre nós. Eu juro.

Há uma longa pausa. Acho que estou conseguindo convencê-la.

— Só uma coisa — induzo. — Uma coisinha bem pequena...

Bonnie toma um grande gole d'água, como se estivesse se preparando psicologicamente.

— Bom — diz ela, finalmente. — Acho que a situação dos cartões de aniversário é um *pouco* frustrante.

— Situação dos cartões de aniversário?

— Os cartões de aniversário dos funcionários, sabe? — Ela pisca para mim. — Tenho uma pilha para ele assinar do ano todo, mas ele simplesmente não assina. O que é compreensível, já que ele vive ocupado...

— Vou fazê-lo assinar — digo firmemente. — Pode deixar comigo.

— Becky. — Bonnie fica branca. — Por favor, não faça isso. Não foi isso que quis dizer...

— Não se preocupe — digo, tranquilizando-a. — Serei muito sutil.

Bonnie ainda parece perturbada.

— Não gosto que você se envolva.

— Mas eu *estou* envolvida! Sou casada com ele! E acho um absurdo ele não se preocupar em assinar os cartões de aniversário dos próprios funcionários. Sabe por que isso acontece? — acrescento com tom de quem sabe. — É porque ele não se importa com o próprio aniversário, então ele acha que todo mundo é assim. Ele nunca *parou para pensar* que as pessoas se importam com essa data.

— Ah. — Bonnie assente devagar com a cabeça. — É. Faz sentido.

— Então, qual é o próximo aniversário da empresa? Quem é o próximo da lista?

— Bom, na verdade... — Bonnie fica um pouco vermelha. — O meu aniversário é daqui a duas semanas...

— Perfeito! Bom, vou garantir que ele tenha assinado os cartões até lá. — Penso em outra coisa. — E o que ele vai comprar de presente para você? O que foi que ele lhe deu de Natal? Uma coisa legal, espero.

— Claro! Ele me deu um lindo presente! — Sua voz animada soa um pouco forçada. — Esta linda pulseira.

Ela balança o braço e uma pulseira de ouro surge por baixo da manga. Encaro a pulseira, sem palavras. Luke comprou isso para ela?

Quer dizer, não é uma pulseira feia, mas a cor não tem *nada* a ver com a Bonnie, nem o estilo. Não é à toa que ela a escondeu na manga. E a coitada deve achar que precisa usar a pulseira todos os dias no trabalho.

Onde foi que ele comprou esse troço? Na presentessemgracaparaasuasecretaria.com? Por que ele não *me* pediu ajuda?

As coisas estão ficando cada vez mais claras para mim: Bonnie e eu precisamos nos organizar para trabalhar em equipe.

— Bonnie — digo, de forma atenciosa. — Você quer tomar uma bebida *de verdade*?

— Ah, não... — ela começa.

— Vamos — digo, tentando convencê-la. — Só uma tacinha de vinho na hora do almoço não é antiético. E eu juro que não vou comentar nada.

— Bom — ela cede —, talvez eu beba um pouco de vermute com gelo.

Uau! Isso, Bonnie!

Até terminarmos a salada e tomarmos um café, já estamos infinitamente mais relaxadas. Fiz Bonnie rir com algumas histórias do Luke. Contei que ele fez ioga na lua de mel, e ela me contou sobre um ex-chefe seu que foi parar no hospital depois de tentar fazer a posição de lótus. (Ela é discreta demais para soltar o nome dele, então vou ter que procurar no Google.) E, o mais importante, eu bolei um plano.

— Bonnie. — Assim que o garçom traz a conta, eu a puxo antes que ela possa protestar. — Só quero dizer, mais uma vez, que estou *muito* grata por você me ajudar com a festa.

— Imagina, não é problema nenhum.

— E isso me fez perceber uma coisa: nós podemos nos ajudar! — Falo mais alto agora, cheia de entusiasmo. — Podemos unir nossas fontes. Imagine o que podemos conseguir se trabalharmos juntas! O Luke não precisa saber. Será um segredinho nosso.

Assim que digo "segredinho", Bonnie parece ficar pouco à vontade.

— Becky, foi muito agradável passar um tempo com você — ela começa. — E eu fico muito agradecida por você querer ajudar. Mas...

— Então vamos manter contato, pode ser? — interrompo. — Salve o meu número na discagem rápida e quando quiser que eu dê um toque no Luke sobre alguma coisa, é só me avisar. Sendo importante ou não. Farei tudo o que estiver ao meu alcance.

Ela está abrindo a boca para protestar. Ela *não pode* desistir agora.

— Bonnie, por favor. Eu me importo muito com a Brandon Communications — digo, com carinho. — E eu posso acabar fazendo a diferença nas coisas, mas só vou saber disso se você me mantiver informada! Caso contrário, sou inútil! O Luke tenta me proteger, mas ele não percebe que está me excluindo. Por favor, me deixe ajudar.

Bonnie parece surpresa com o meu pequeno discurso, mas não deixa de ser verdade — estou me sentindo excluída pelo Luke desde o dia em que ele não me deixou ir ao julgamento. (Está bem, *não foi* um julgamento. Foi uma audiência. Sei lá qual era o nome.)

— Bem — diz ela finalmente. — Não tinha visto por essa perspectiva. É claro que ficarei feliz em avisar sempre que eu perceber que você pode... contribuir.

— Ótimo! — Sorrio. — E, em troca, talvez você possa fazer outro favorzinho para mim.

— Claro. — Bonnie parece não estar conseguindo acompanhar. — Faço com prazer. Você tem alguma coisa específica em mente?

— Bom, na verdade, eu até *tenho* uma coisinha para pedir. — Dou um gole no cappuccino. — Se você pudesse fazer isso, me ajudaria muito.

— Tem a ver com a festa? — Bonnie já está pegando o caderno.

— Não. Não tem nada a ver com a festa. É uma coisa mais genérica. — Me inclino sobre a mesa. — Você pode dizer ao Luke que uma academia é melhor do que uma adega?

Bonnie me encara, desconcertada.

— Perdão? Não entendi — diz ela após um tempo.

— É que vamos comprar uma casa — explico. — E o Luke quer fazer uma adega no porão, mas eu quero uma academia. Então, será que você pode convencê-lo de que uma academia é uma opção melhor?

— Becky. — Bonnie parece desnorteada. — Eu *realmente* não acho apropriado...

— Por favor! — imploro. — Bonnie, você tem noção de quanto o Luke respeita a sua opinião? Ele sempre ouve o que você diz. Você pode influenciá-lo!

Bonnie parece estar quase sem palavras.

— Mas... Como eu puxo esse assunto com ele?

— É fácil! — digo, confiante. — Você pode fingir que está lendo um artigo sobre isso e pode dizer assim, como quem não quer nada, que nunca compraria uma casa que tivesse uma adega no porão, pois você prefere uma academia. E você também pode dizer que degustações de vinho são entediantes — acrescento.

— Mas, Becky...

— E aí nós vamos nos ajudar mesmo. Girl Power. — Sorrio para ela, da maneira mais cativante possível. — É uma irmandade.

— Bem... Vou tentar abordar isso numa conversa — diz Bonnie finalmente. — Não posso prometer nada, mas...

— Você é excelente! E se quiser que eu faça ou diga alguma coisa para o Luke, é só mandar uma mensagem. Qualquer coisa. — Ofereço o prato de chocolates com menta. — Para nós! A equipe Becky e Bonnie!

OITO

Depois do almoço, ando pela rua toda animada. Bonnie é fantástica. Ela é, de longe, a melhor assistente que o Luke já teve, e nós vamos formar uma dupla fabulosa. Além do mais, já liguei para a empresa de concierge que ela recomendou, e eles já me colocaram em contato com o setor de festas. Tudo está correndo tão tranquilamente!

Por que diabos eu nunca usei um serviço de concierge antes? Eles me parecem muito agradáveis e agem como se nada desse muito trabalho. Nós *precisamos* virar sócios. Segundo a voz robótica que fala enquanto você espera o atendimento, eles fazem de tudo, conseguem ingressos para shows lotados, fretam um avião ou arranjam alguém para levar uma xícara de chá para você no Deserto de Navajo.

Sabe como é. Se você quiser.

— Oi! — fala um rapaz animado ao telefone. — Meu nome é Rupert. O Harry me passou o briefing. Você quer a melhor festa surpresa para o seu marido.

— Isso! Com direito a engolidores de fogo, malabaristas, uma tenda e uma pista de dança.

— Muito bem, vamos ver. — Ele faz uma pausa e consigo ouvi-lo passando as páginas. — Recentemente organizamos uma festa para trezentas pessoas com uma série de tendas beduínas. Havia malabaristas, engolidores de fogo, bufês com comidas típicas de três países, uma pista de dança iluminada, e a aniversariante chegou num elefante. Um câmera sortudo registrou tudo...

Fico sem ar só de ouvir a lista.

— Quero essa — digo. — Exatamente essa. Parece ser fabulosa.

— Ótimo. — Ele ri. — Bem, talvez possamos nos encontrar, esclarecer os detalhes. Assim você poderá dar uma olhada no resto do nosso portfólio de eventos...

— Eu adoraria! — digo, entusiasmada. — Meu nome é Becky, vou passar o meu telefone.

— Só há um pequeno detalhe — acrescenta Rupert, todo simpático, depois que eu ditei o número do meu celular. — Você vai precisar ser sócia da The Service. Quer dizer, é óbvio que vamos adiantar a sua matrícula...

— Eu adoraria — digo, firmemente. — Eu estava pensando em virar sócia de qualquer jeito.

Isso é muito legal. Teremos um serviço de concierge particular! Teremos ingressos para todos os shows, os melhores hotéis e clubes secretos. Eu deveria ter feito isso há *anos*...

— Então, vou mandar os formulários por e-mail hoje à tarde... — diz Rupert.

— Ótimo! Quanto custa? — pergunto, pensando melhor.

— A taxa anual inclui tudo — responde Rupert, suavemente. — Não cobramos taxas extras, como os nossos concorrentes! E para você e seu marido, tudo dá 6.

— Ah, sim — digo, em dúvida. — Seis... centas libras, você quer dizer?

— Mil. — Ele dá uma risada tranquila. — Sinto dizer.

Seis mil libras? Só pela taxa anual? Nossa.

Quer dizer, eu tenho certeza de que vale a pena, mas...

— E... — Engulo em seco, quase sem ousar perguntar. — Aquela festa da qual falamos. Quanto custaria, mais ou menos?

— Você ficará feliz em saber que ela custará *menos* do que havíamos previsto. — Rupert dá uma risadinha. — O total foi de 230.

Fico meio tonta. Duzentos e trinta mil libras?

— Becky? Você está aí? É óbvio que nós podemos trabalhar com um orçamento bem menor do que esse! — Ele parece animado e tranquilo. — Geralmente começamos com 100 mil...

— Certo! — Minha voz fica um pouco aguda. — Ótimo! Bom... Sabe como é... Na verdade... Pensando melhor... Ainda estou no início dos preparativos. Então, talvez eu possa ligar depois e marcar um encontro... outro dia. Muito obrigada. Tchau.

Desligo o celular antes que as minhas bochechas fiquem mais vermelhas. Duzentos e trinta mil libras? Por uma festa? Quer dizer, eu realmente amo o Luke, mas 230 mil libras...

— *Becky?*

Levanto o olhar e dou um pulo. É o Luke. O que ele está fazendo aqui? Está a 3 metros de mim, me encarando perplexo. Para o meu horror, percebo que estou segurando a pasta transparente com a lista de convidados, os detalhes das conferências e tudo o mais. Estou prestes a estragar tudo.

— Que surpresa!

Ele chega mais perto para me beijar e eu entro em pânico. Tento esconder a pasta rapidamente, mas, no meio da confusão, eu a deixo cair no chão.

— Deixa comigo. — Ele se abaixa.

— Não! — grito. — É particular! Quer dizer, é confidencial. São detalhes das compras pessoais de um membro da família real saudita. É muito delicado. — Eu pego a pasta rapidamente, dobro da melhor maneira que posso e a enfio na bolsa. — Pronto! — Levanto o olhar novamente e abro um sorriso. — Então... Tudo bem com você?

Luke não responde. Ele está me olhando daquele jeito. É um olhar do tipo "alguma coisa está acontecendo".

— Becky, o que houve? Você veio me ver?

— Não! — respondo rapidamente. — É claro que não!

— Então o que você está fazendo nesta área?

Imediatamente percebo o erro crucial que cometi. Eu deveria ter dito que *vim* vê-lo.

— Eu... Bem... — Tento pensar rápido num bom motivo para estar na EC2 na hora do almoço. — Bom, quero conhecer melhor a cidade. Estou indo de CEP em CEP. Você deveria ver a SE24, é maravilhosa!

Silêncio.

— Becky. — Luke passa as mãos no cabelo escuro. — Seja sincera comigo. Você está com algum tipo de... problema financeiro? Você tem falado com alguém?

O quê?

— Não! — exclamo, ofendida. — É claro que não! Pelo menos... não mais do que o normal — acrescento, sentindo a necessidade de ser sincera. — Isso é *tão* típico seu, Luke!

Você esbarra em mim na rua e imediatamente deduz que estou com dívidas!

Quer dizer, eu estou sim com dívidas, mas não é essa a questão.

— Bom, e o que eu *deveria* pensar? — irritado diz. — Você está estranha, escondendo papéis de mim, é óbvio que alguma coisa está acontecendo...

Meu Deus, meu Deus, preciso despistá-lo.

— Tudo bem! — digo. — Você me pegou. Eu estava... eu estava... — Minha mente trabalha sem parar. — Aplicando botox.

Luke fica boquiaberto, e eu aproveito a oportunidade para fechar a bolsa.

— Botox? — diz ele num tom descrente.

— Isso — respondo, com despeito. — Botox. Eu não ia contar. E é por isso que eu estava agindo de forma estranha.

Pronto. Perfeito.

— Botox — diz ele novamente. — Você aplicou *botox*.

— Sim!

Percebo, de repente, que estou falando de forma animada demais. Tento deixar meu rosto todo rígido e duro, igual ao das celebridades de meia-idade, mas é tarde demais, e Luke está me analisando de perto.

— Onde você colocou?

— Er... aqui. — Aponto, cuidadosamente, para a minha têmpora. — E... aqui. E aqui.

— Mas... — Luke parece confuso. — Essas linhas não tinham que desaparecer?

O quê? Que audácia! Não tenho linha nenhuma! Posso ter uma linha *pequena*, praticamente invisível.

— É muito sutil — digo, enfaticamente. — É uma nova técnica. Menos é mais.

Luke suspira.

— Becky, quanto você pagou por isso? Onde você fez? Porque há mulheres no meu trabalho que fizeram botox, e eu devo dizer...

Oh, céus. É melhor eu mudar logo de assunto, antes que ele diga: "Vamos para a clínica agora e pegar o dinheiro de volta."

— Eu só coloquei um pouquinho de botox — digo rapidamente. — Fui à clínica por causa de... outro procedimento.

— *Outro?* — Luke me encara. — O quê, pelo amor de Deus?

Não consigo pensar em nada. Procedimento. Procedimento. O que as pessoas fazem?

— Seios — me ouço dizendo. — Um implante nos seios.

Pela expressão horrorizada dele, possivelmente não foi a melhor coisa a se dizer.

— Um implante nos *seios*? — diz ele, finalmente. — Você fez...

— Não! Eu estava só... *pensando* em fazer.

— Jesus Cristo. — Luke passa a mão na testa. — Becky, precisamos conversar sobre isso. Vamos sair do meio da rua.

Ele me pega pelo braço e me leva para um bar próximo. Assim que entramos, ele se vira e me segura pelos ombros com tanta força que eu levo um susto.

— Becky, eu amo você do jeito que você é. De *qualquer* jeito. E pensar que você acha que precisaria fazer isso em segredo... me mata. Por favor, por favor, por favor, nunca mais faça isso.

Eu nunca imaginei que ele fosse reagir assim. Na verdade, ele parece tão chateado que eu me sinto péssima. Por que eu fui inventar uma coisa tão idiota? Por que eu não disse que ia encontrar com uma cliente no escritório dela? Milhões de desculpas me ocorreram agora, e nenhuma delas tem a ver com clínicas nem implantes.

— Luke, me desculpe — gaguejo. — Eu nunca deveria ter pensado nisso. Não tive a intenção de preocupar você.

— Você é perfeita — diz ele, de maneira quase feroz. — Você não precisa mudar nem um fio de cabelo, nem uma sarda. Nem um dedinho do pé. E se a culpa foi minha por ter feito você achar que precisava disso... Então tem alguma coisa errada comigo.

Acho que essa foi a coisa mais romântica que o Luke já me disse. Sinto meus olhos se encherem de lágrimas.

— Não tem nada a ver com você. — Engulo em seco. — Foi... você sabe. A pressão da sociedade e essas coisas.

— Você ao menos sabe se esse lugar é *seguro*? — Ele tenta pegar a bolsa. — Quero dar uma olhada. A maioria desses supostos cirurgiões são açougueiros, irresponsáveis. Vou falar com o médico da minha empresa...

— Não! — Agarro a bolsa instintivamente. — Não tem problema, Luke. Eu sei que é seguro.

— Não sabe não! — ele quase grita de tão frustrado. — É uma cirurgia complicada, Becky! Você tem noção disso? E só de pensar que você faria isso em segredo, arriscando a sua vida, sem nem sequer *pensar* em mim e na Minnie...

— Eu não arriscaria a minha vida! — digo, desesperada.

— Eu nunca faria uma cirurgia sem contar para você! É um

daqueles procedimentos que se faz na hora do almoço, que você toma só uma injeção.

— Você acha que isso melhora alguma coisa? — Ele não relaxa nem um pouco. — Isso parece ainda mais duvidoso para mim. O que é exatamente essa cirurgia?

Tenho certeza de que li alguma coisa sobre implantes nos seios na hora do almoço na *Marie Claire*, só que eu não consigo me lembrar dos detalhes agora.

— Não tem nada de agressivo. É muito segura. — Coço o nariz, tentando ganhar tempo. — Eles marcam a área e injetam uma espécie de espuma especial nos... vasos capilares. E ela... hã... se expande.

— Você quer dizer que... eles *inflam*? — Ele me encara.

— Mais ou menos. — Tento parecer confiante. — Só um pouco, sabe? — Levanto os meus seios com as mãos.

— Em quanto tempo?

Tento pensar em algo convincente.

— Por volta de... uma semana.

— Os seus seios vão inflar em uma *semana*? — Ele parece perplexo com essa ideia. Droga. Eu deveria ter dito uma hora.

— Depende do seu corpo — acrescento, rapidamente. — E do seu... metabolismo pessoal dos seios. Às vezes demora só cinco minutos. Cada organismo reage de um jeito. De qualquer maneira, eu não vou fazer. Você tem razão, eu não deveria ter visto isso em segredo. — Olho para ele com minha expressão mais sincera. — Desculpa, Luke. O mínimo que posso fazer por você e pela Minnie é não me colocar em perigo, e aprendi a minha lição agora

Tudo o que eu queria era que Luke me beijasse e dissesse de novo que eu sou perfeita, mas a expressão dele está um pouco diferente. Ele não parece mais estar *tão* chateado e culpado quanto antes. Na verdade, eu conheço esse olhar.

É quase como se ele suspeitasse de alguma coisa.

— Qual é o nome da clínica? — ele pergunta, tranquilamente.

— Não consigo lembrar agora. — Dou uma tossida. — Enfim, não vamos mais falar sobre isso. Eu me sinto tão mal, Luke...

— Você pode ver nos papéis. — Ele aponta para a minha bolsa.

— Eu vejo depois. — Ainda estou muito chateada por ter deixado você tão preocupado.

Luke continua me olhando do mesmo jeito.

Oh, céus. Ele percebeu tudo, não foi? Bom, acho que ele sabe que eu não estava numa clínica de implantes.

— Quer beber alguma coisa? — diz ele abruptamente.

— Hã... Pode ser — digo, o coração acelerado. — Você tem tempo?

— Ainda tenho uns 15 minutos. — Ele olha para o relógio. — Não conte para a minha assistente.

— É claro que não. — Solto uma risadinha forçada. — Eu nem sei quem ela é!

— Sabe sim. — Luke me olha confuso, enquanto segue para o bar. — A Bonnie. Vocês se conheceram.

— Ah, é. Claro.

Me afundo na cadeira e solto os dedos que estavam agarrados na bolsa. Essa coisa toda de festa surpresa é muito estressante, e está só no começo.

— Saúde. — Luke voltou para a mesa com duas taças de vinho e nós brindamos.

Ficamos em silêncio por um momento enquanto bebemos o vinho. Luke fica me olhando por cima da taça. Então, como se tivesse tomado uma decisão, ele coloca a taça na mesa.

— Então, boas notícias. Temos dois novos clientes, que *não são* administrativos.

— Puxa! — Olho para ele interessada. — Quem?

Tomara que seja a Gucci, tomara que seja a Gucci...

— O primeiro é uma empresa de tecnologia climática. Estão fazendo lobby para conseguir investimento para um projeto de absorção de carbono e querem que a gente faça parte. Pode ser interessante.

Absorção de carbono. Humpf.

— Que maravilha! — digo calorosamente. — Parabéns! E o outro cliente?

— O outro é uma grande vitória... — ele começa a dizer, os olhos brilhando. Então hesita, olha para mim e toma um gole do vinho. — Na verdade, ainda não está totalmente certo. Eu te conto quando estiver, para não dar azar.

— Bom, parabéns de qualquer jeito. — Levanto a taça para um brinde. — Acho que era disso que você precisava no momento.

— As coisas não estão as mil maravilhas. — Ele levanta as sobrancelhas ironicamente. — E o seu departamento de vendas? Acho que a situação não deve estar nada boa por lá também.

— Bom, *na verdade...*

Estou prestes a contar sobre meu maravilhoso novo sistema que permite que as mulheres escondam as compras de seus maridos.

Então paro. Pensando bem, é melhor não.

— Estamos nos virando — acabo dizendo. — Você sabe, né?

Luke concorda com a cabeça e dá mais um gole no vinho, encostando na cadeira.

— É legal ter um tempinho só para nós dois. Você deveria vir mais para esse lado da cidade, mas não para essa tal clínica de cirurgia plástica. — Ele me olha de novo como se não acreditasse.

Será que ele vai insistir? Não sei dizer.

— Então, você viu o e-mail sobre as governantas? — falo, para mudar rapidamente de assunto. — Não são ótimas?

— São! — ele concorda. — Fiquei impressionado.

Já recebemos vários currículos das Governantas Insuperáveis, cada um melhor que o outro! Uma delas fala cinco línguas, outra já navegou pelo oceano Atlântico e tem até uma com dois diplomas em história da arte. Se uma delas não conseguir fazer a Minnie ser equilibrada e bem-sucedida, não sei quem conseguirá.

— É melhor eu ir. — Luke se levanta, e eu pego a bolsa. Seguimos para a rua, e ele para e me dá um beijo. — Até mais tarde, Becky.

— Até mais — respondo.

Consegui. Ele não vai mais tocar no assunto. Apesar de não ter a menor chance de ele acreditar na história dos implantes.

Obrigada por confiar em mim — tento mandar essa mensagem por telepatia para ele. *Eu não estava fazendo nada de errado, juro.*

Prendo a respiração e observo Luke ir embora, até virar a esquina. Então me jogo num banco ali perto, pego meu espelhinho e começo a analisar detalhadamente meu rosto.

Tudo bem, o Luke não sabe nada de nada. Eu poderia *facilmente* ter aplicado botox. Olha só que parte lisa bem perto do meu cabelo. Ele deve estar cego.

Volto para a The Look e encontro Jasmine ao telefone.

— Sim, às 2 horas, tudo bem — diz ela. — Até lá. — Ela desliga o telefone e me olha de um jeito alegre e triunfante. (Isso quer dizer que um canto da sua boca se levanta automaticamente num sorriso. Já consigo sacar bem Jasmine.)

— Bom, seu plano está funcionando. Três clientes já remarcaram o horário.

— Fantástico!

— E temos uma cliente esperando neste momento — acrescenta Jasmine. — Ela veio sem hora marcada e disse que quer falar com você e com ninguém mais. Ficou passeando pelo andar até você voltar.

— Tudo bem — digo, surpresa. — Bom, me dê só um minuto.

Corro para o provador, guardo minha bolsa e retoco o gloss, imaginando quem poderá ser. É comum as pessoas aparecem sem hora marcada, então pode ser qualquer uma. Ai, espero que não seja aquela garota que quer ficar igual à Jennifer Aniston, porque, verdade seja dita, isso nunca vai acontecer, nem em um milhão de anos, não importa quantas blusas frente única ela comprar...

— Rebecca.

Uma voz esnobe e familiar interrompe os meus pensamentos. Por um segundo fico sem reação. Só posso estar sonhando. Estou com os pelos da nuca arrepiados quando finalmente me viro... e lá está ela. Imaculada como sempre, vestindo um terninho cor pistache, o cabelo duro, o rosto igualmente imóvel e a bolsa de crocodilo Birkin pendurada no braço magro.

ERA ela, passa pela minha cabeça. *ERA ela em frente à igreja.*

— Elinor! — consigo dizer. — Que surpresa...

Este é o eufemismo do ano.

— Olá, Rebecca.

Ela olha com desdém em volta do provador, como se prestes a dizer: "Eu não esperava nada melhor", o que é um absurdo, já que ele acabou de ser reformado.

— Hã... O que posso fazer por você? — digo finalmente.

— Eu gostaria de...

Ela para e ficamos num silêncio congelado. Parece que estamos numa peça e que as duas esqueceram suas falas. *Que diabos você está fazendo aqui?*, é o que eu realmente quero dizer. Ou, sinceramente, apenas *Hããããããã?*

Este silêncio está ficando ridículo. Não podemos ficar paradas para sempre como duas manequins. Elinor disse a Jasmine que era uma cliente. Bom, tudo bem. Vou tratá-la como uma cliente.

— Então, você está procurando alguma coisa específica? — Pego meu caderno de anotações, como se ela fosse uma cliente qualquer. — Roupas para o dia a dia, talvez? Temos peças novas da Chanel, que acredito que seja o seu estilo.

— Muito bem — diz Elinor, depois de uma longa pausa. *O quê?*

Ela vai experimentar roupas? Aqui? Sério?

— Tudo bem — digo, achando isso tudo surreal. — Ótimo. Vou escolher peças que eu acho que... hã... combinam com você.

Eu mesma pego as roupas, volto para o provador e as entrego para Elinor.

— Sinta-se à vontade para experimentar quantas você quiser — digo educadamente. — Vou ficar aqui fora, caso você precise de alguma ajuda.

Fecho a porta com vontade de gritar. Elinor? Aqui? Que diabos está *acontecendo*? Será que eu conto isso para o Luke? É muito esquisito. De repente, penso que poderia ter pressionado mais o Luke para saber exatamente o que aconteceu entre eles e qual foi a coisa abominável que ela disse. Será que eu deveria mandar Elinor embora e nunca mais voltar?

Mas, se eu fizesse isso, acho que seria demitida.

Um tempinho depois, a porta se abre novamente e Elinor aparece, com todas as roupas penduradas no braço. Não é possível que ela tenha experimentado tudo, não deu tempo.

— Posso segurá-las para você? — Me obrigo a manter a educação.

— Pode. Estão satisfatórias.

Por um instante acho que só posso ter entendido errado.

— Quer dizer... Você vai levá-las? — digo, sem acreditar. — Você vai *comprar* essas roupas?

— Muito bem. Vou. — Ela franze a sobrancelha impaciente, como se essa conversa já a estivesse irritando.

Oito mil libras em roupas? Assim? Minha comissão será *fantástica*.

— Está bem! Bom, que ótimo! — Tento segurar a empolgação. — Precisa de algum ajuste ou algo do tipo?

Elinor faz um pequeno movimento de cabeça indicando que não. Esta é oficialmente a venda mais bizarra que já fiz. A maioria das mulheres que gastam 8 mil libras em roupas no mínimo sai, dá uma voltinha e pergunta: "O que acha?"

Jasmine passa com uma arara de roupas, e eu a vejo olhar, incrédula, para Elinor. Ela é uma figura e tanto, com seu rosto pálido, rígido e cheio de maquiagem, suas mãos cheias de veias e joias, seu olhar metálico e arrogante. Parece mais velha também, percebo de repente. Sua pele é fina como papel, e posso ver algumas manchas cinza nas têmporas, que o cabeleireiro obviamente não notou. (Imagino que ele será assassinado ao amanhecer.)

— Posso ajudá-la com mais alguma coisa? Roupas para a noite? Acessórios?

Elinor abre a boca. Depois fecha, e então abre de novo. Ela parece estar se esforçando para dizer alguma coisa, e eu a observo, apreensiva. Será que ela vai falar do Luke? Será que ela tem alguma notícia ruim? Deve haver *algum* motivo para ela ter vindo aqui.

— Roupas para a noite — murmura ela finalmente.

Ah, sei. Era isso mesmo o que você ia dizer.

Pego seis vestidos longos, e ela escolhe três. Depois pego duas bolsas e uma echarpe. Isso está ficando ridículo. Ela já gastou cerca de 20 mil libras e ainda não olhou nos meus olhos nem disse *ainda* seja lá o que ela tenha vindo dizer.

— Você gostaria de alguma... bebida? — digo finalmente, tentando parecer normal e agradável. — Um cappuccino? Uma xícara de chá? Uma taça de champanhe?

Não há mais categorias de roupas e ela não pode comprar mais nada. Ela não tem mais como adiar o que quer que seja.

Elinor está parada com a cabeça levemente inclinada, suas mãos segurando as alças da bolsa. Eu nunca a tinha visto tão quieta. É quase assustador. Percebo, surpresa, que ela ainda não me ofendeu nenhuma vez. Não disse que os meus sapatos são de péssima qualidade nem que meu esmalte é vulgar. O que aconteceu com ela? Será que está *doente*?

Finalmente, como se estivesse fazendo muito esforço, ela levanta a cabeça.

— Rebecca.

— Pois não? — digo, nervosa. — O que foi?

Quando ela fala de novo, é tão baixo que eu mal consigo ouvir.

— Quero ver minha neta.

Meu Deus, meu Deus, meu Deus. O que eu faço?

No caminho para casa, minha cabeça está girando. Nunca, nem em um milhão de anos, eu imaginaria que isso pudesse acontecer. Eu não imaginava que Elinor tivesse qualquer *interesse* pela Minnie.

Quando a Minnie nasceu, ela demorou uns três meses para vir nos visitar. Então, um dia, ela apareceu, deixou o motorista esperando do lado de fora, olhou para o berço e perguntou: "Ela é normal?" Quando dissemos que sim,

Elinor foi embora. E, enquanto a maioria das pessoas dá presentinhos lindos, como ursinhos de pelúcia ou botinhas, Elinor mandou uma boneca antiga e horrorosa com cachinhos e olhos assustadores. Era tão horripilante que minha mãe fez com que eu me livrasse dela e, no fim das contas, eu a vendi no eBay. (Então é melhor Elinor não pedir para ver a boneca nem nada disso.)

E isso foi antes da grande briga entre ela e Luke. Desde então, nós mal mencionamos o nome dela. Uns dois meses antes do Natal, eu tentei perguntar se daríamos um presente para ela, e Luke quase arrancou a minha cabeça. Não ousei falar nela desde então.

É claro que existe uma opção fácil bem na minha frente. Eu posso simplesmente jogar o cartão dela no lixo e fingir que nunca a encontrei. Posso apagar tudo da minha cabeça. Afinal, o que ela poderia fazer?

Mas, de algum modo... Não consigo fazer isso. Nunca a tinha visto tão vulnerável assim. Durante aquele momento tenso em que ela esperava a minha resposta, não mais vi Elinor como uma rainha de gelo. Eu só vi Elinor, uma senhora solitária, com mãos finas como papel.

Então, depois que respondi "Tudo bem, vou perguntar ao Luke", ela imediatamente voltou ao seu jeito habitual e começou a dizer que a The Look não chegava aos pés das lojas de Manhattan e que os ingleses não entendiam a cultura de prestação de serviço e que havia manchas no tapete do provador.

Mas, de alguma forma, ela me mobilizou. Não consigo ignorá-la, nem ao menos jogar o cartão fora. Ela pode ser um monstro, uma rainha de gelo, mas ela *é* a avó da Minnie. Elas são sangue do mesmo sangue. Se é que Elinor tem sangue.

E, afinal de contas, Luke pode ter relaxado um pouco. Eu só preciso abordar o assunto com muito cuidado. Muito, muito gentilmente, como levantar a bandeira branca. E aí eu vejo o que acontece.

Então, à noite, espero até Luke chegar, dar um beijo de boa-noite na Minnie, tomar uma dose de uísque e colocar o pijama antes de levantar a questão.

— Luke... sobre a sua mãe — começo, hesitante.

— Eu estava pensando na Annabel hoje também. — Luke se vira, com uma expressão mais leve. — Meu pai mandou um e-mail hoje com umas fotos antigas dela. Vou te mostrar.

Ah, que ótimo jeito de começar, Becky... Eu deveria ter especificado *qual* mãe era. Agora que ele acha que eu quero falar da Annabel, vai ser impossível chegar na Elinor tranquilamente.

— Eu estava só pensando sobre... hum... laços de família — tento de novo. — E sobre traços de família — acrescento, inspirada. — Com quem que você acha que a Minnie se parece mais? Ela puxou o lado dramático da minha mãe e tem os seus olhos... Na verdade, ela se parece um pouco com todo mundo da família, até... — Hesito, meu coração a mil. — Até com a sua mãe biológica. Elinor.

— Eu sinceramente espero que não — diz Luke secamente, e fecha a gaveta com força.

Tudo bem. Ele não está mais relaxado.

— Mas ela é avó da Minnie, afinal — insisto. — Ela vai se parecer com a sua mãe de um jeito ou de outro...

— Não acho — ele me interrompe. — O que conta é a criação. Eu sempre fui filho da Annabel, e não daquela mulher.

Nossa... *Daquela mulher*. A situação é pior do que eu imaginava.

— Certo — digo delicadamente.

Não posso simplesmente dizer: "Então, que tal se a gente levasse a Minnie para visitar a Elinor?" Agora não. Terei que esquecer isso por enquanto.

— Você teve um dia bom? — tento, para mudar de assunto.

— Foi tranquilo — diz ele. — E você? Voltou direitinho?

— Voltei sim — digo, inocentemente. — Peguei um táxi. Obrigada por perguntar.

— Eu estava pensando que aquela é uma área estranha para se montar uma clínica de cirurgia plástica — acrescenta ele casualmente. — Não é o que você espera encontrar num centro financeiro.

Cometo o erro de olhar nos olhos dele e vejo que há um ar revelador. Eu *sabia* que ele não tinha acreditado em mim.

O único jeito de seguir em frente é ser cara de pau.

— Você pirou? — respondo. — Faz todo o sentido. Veja todos aqueles trabalhadores desgastados que andam por aí. Sabe, uma pesquisa recente de uma revista revelou que os trabalhadores do centro envelhecem mais rápido do que os de qualquer outro setor.

Acabei de inventar isso, mas Luke não sabe, né? E aposto que é verdade.

— Quer saber? — acrescento, no momento em que tenho uma ideia brilhante. — A mesma pesquisa diz que as pessoas que se sentem valorizadas pelo chefe envelhecem mais devagar *e* trabalham melhor.

— Tenho certeza. — Luke está mexendo no BlackBerry.

— E também diz que uma das maneiras de fazer isso é quando o chefe dá cartões de aniversário personalizados para os funcionários — insisto. — Não é interessante? Você dá cartões personalizados para a sua equipe na Brandon Communications?

— Aham. — Luke nem responde direito.

Que audácia! Tenho vontade de dizer: "É mentira! Você tem uma pilha de cartões não assinados na sua sala!"

— Ah, que bom! — Me esforço para parecer casual. — Porque, aparentemente, as pessoas ficam muito felizes em saber que o próprio chefe assinou o cartão e não mandou uma assistente assinar, nem nada do tipo. Aumenta a endorfina em 15 por cento.

Luke para de digitar. Que ótimo! Está surtindo efeito.

— Becky... Você realmente lê muita porcaria.

Porcaria?

— Isso, na verdade, se chama *pesquisa* — digo com dignidade. — Achei que você estivesse interessado em saber que uma coisa pequena, como um cartão de aniversário assinado, pode fazer toda a diferença. Porque a maioria dos chefes simplesmente esquece. Mas, obviamente, você não.

Ha. Toma, Sr. Ocupado Demais Para Assinar Um Cartão.

Por um instante, Luke fica em silêncio.

— Fascinante — diz ele finalmente.

Então ele pega um lápis e anota alguma coisa na lista de afazeres que carrega no bolso. Finjo que não percebo, mas, por dentro, estou sorrindo satisfeita.

Muito bem, agora acho que estamos resolvidos. E eu realmente não quero voltar ao assunto do botox. Então, com um bocejo bem-elaborado, me ajeito para dormir.

Mas quando fecho os olhos, a imagem de Elinor ainda está na minha cabeça. Estou me sentindo *culpada* por causa dela, o que é muito estranho e um sentimento completamente novo para mim. Mas não sei o que fazer quanto a isso agora.

Enfim. Vou pensar amanhã.

De: Bonnie Seabright
Assunto: Cartões
Data: 23 de janeiro de 2006
Para: Becky Brandon

O Luke assinou todos os cartões de aniversário! Muito obrigada! Bonnie!

De: Becky Brandon
Assunto: Re: Cartões
Data: 24 de janeiro de 2006
Para: Bonnie Seabright

Tranquilo! Me avisa se precisar de mais alguma ajuda.

Bjs, Becky

OBS: Já conseguiu falar da academia?

UNIDADE DO DEPARTAMENTO CENTRAL
DA POLÍTICA MONETÁRIA

5º Andar
Whitehall Place, 180
Londres, SW1

À Sra. Rebecca Brandon
The Pines
Elton Road, 43
Oxshott
Surrey

6 de fevereiro de 2006

Prezada Rebecca,

Obrigado pela carta do dia 1º de fevereiro.

O ministro, de fato, fez um discurso no qual enfatizou a importância do varejo na economia britânica.

Infelizmente, no momento não há títulos de oficiais do Império Britânico nem de damas "à venda", como você sugere. Caso uma honra dessas seja apresentada, não hesitarei em mencioná-la.

Envio de volta, portanto, o seu pacote, com recibos e etiquetas de loja, que foram analisados por mim com todo o cuidado; concordo que demonstram "um compromisso verdadeiro na sustentabilidade da economia".

Atenciosamente,

Edwin Tredwell
Diretor de Pesquisa Política

NOVE

Já se passou uma semana e eu ainda não decidi o que fazer em relação a Elinor. A verdade é que eu quase não pensei nela, pois ando muito ocupada. Estamos com inúmeros clientes interessados em nosso serviço secreto de compras! É maravilhoso! As notícias na TV são péssimas e, segundo elas, o centro comercial está morto e ninguém mais faz compras... Mas eles deveriam vir aqui, pois o nosso departamento está bombando!

E hoje eu estou mais enrolada do que o normal, porque é o primeiro dia de trabalho da nossa Governanta Insuperável.

O nome dela é Kyla. Ela é fabulosa: formada pela Universidade de Harvard, fez mestrado, e também habilitou-se como professora de mandarim, e de tênis, e de flauta, e de violão, e de canto e mais uma coisa que eu esqueci. Harpa, talvez. Ela veio para o Reino Unido com uma família americana, mas depois eles voltaram para Boston e ela decidiu ficar, porque está fazendo uma dissertação na Goldsmiths e tem família aqui. Ela só quer trabalhar três vezes por semana, e isso é perfeito para nós

Ela é muito dentuça.

Tipo, *muito*. Parece um alce.

Não que a aparência dela seja importante. Óbvio que não. Não sou uma pessoa preconceituosa, que se importa com isso. Eu a teria contratado até se ela tivesse um sorriso igual ao dessas modelos de 1 milhão de dólares.

Mesmo assim, os dentes dela me cativaram por algum motivo. E, além disso, o cabelo dela não é nem um pouco esvoaçante.

Isso, por sinal, *não* estava na minha lista de "pontos a abordar na entrevista". Quando escrevi *Nada de Cabelo Esvoaçante*, eu estava me referindo a uma coisa completamente diferente e Luke *não* precisava ter debochado de mim. Eu só reparei no cabelo da Kyla — sem dar muita importância — e vi que ela usa um coque sem graça e tem alguns fios de cabelo brancos.

Ou seja, ela é perfeita!

— A Julie Andrews está chegando, é? — Mamãe entra na cozinha, onde Minnie está brincando de massinha e eu estou olhando o eBay. Ela repara no site e respira pesadamente. — Fazendo compras, Becky?

— Não! — respondo, me defendendo.

Só porque eu estou no eBay, não significa que vou *comprar* alguma coisa, não é mesmo? É óbvio que eu não preciso de um par de sapatos turquesa da Chloé que foram usados apenas uma vez e estão à venda via PayPal. Só estou me atualizando no assunto, como fazemos quando assistimos ao noticiário na TV.

— Espero que já tenha separado a roupinha alemã da Minnie — acrescenta ela. — E o apito.

— Ha ha — digo educadamente.

Mamãe ainda está irritada com o fato de termos contratado uma governanta. Ela ficou ainda mais ofendida quando Luke e eu não a deixamos participar das entrevistas. Ficava passando na frente da porta toda hora, meio irritada, reclamando e olhando cada candidata de cima a baixo, com desprezo. Depois, quando ela viu no currículo da Kyla todas aquelas coisas sobre violão e canto, não deu outra: batizou a moça na mesma hora de Julie Andrews e está fazendo piadinhas ridículas desde então. Até a Janice entrou na brincadeira e começou a chamar o Luke de capitão Von Trapp, o que é muito *irritante*, porque isso me transforma na esposa morta ou na baronesa.

— Se ela quiser fazer roupas com as cortinas, você pode pedir para usar as do quarto azul? — acrescenta.

Vou fingir que não ouvi. Além do mais, o celular está tocando e é o Luke que está na tela. Acho que ele quer saber como andam as coisas por aqui.

— Oi! Ela ainda não chegou.

— Ótimo. — A voz dele está estranha, parece que está no carro. — Eu só queria dizer uma coisa para você antes que ela chegasse. Becky, você precisa ser *sincera* com ela.

O que isso quer dizer?

— Sou sempre sincera! — digo, um pouco indignada.

— A governanta precisa saber com o que está lidando — continua ele, como se eu não tivesse dito nada. — Nós a contratamos por um motivo e não adianta fingir que a Minnie é uma santa. Precisamos contar tudo para ela, explicar os problemas que tivemos...

— Está bem, Luke! — digo, um pouco irritada. — Não preciso de um sermão. Vou contar tudo.

Isso é só porque eu não fui *completamente* direta em relação à Minnie na entrevista. O que eu deveria fazer? Falar mal da minha própria filha? Acabei contando uma pequena mentirinha sobre a Minnie, pois disse que ela havia ganhado o prêmio de Melhor Comportamento no grupo recreativo durante seis semanas seguidas. Mas Luke falou que isso acabava completamente com o objetivo do trabalho e nós tivemos uma leve... briga feia.

— Enfim, ela chegou — digo ao ouvir a campainha. — É melhor eu ir. Até mais tarde.

Abro a porta e vejo Kyla em pé ali, segurando um violão, e tento conter o riso. Ela *realmente* se parece com a Julie Andrews, só que de calça jeans. Será que ela veio dançando pela rua e cantando "I Have Confidence In Me"?

— Oi, Sra. Brandon. — Seus dentes proeminentes saltam para fora num simpático sorriso.

— Por favor, me chame de Becky! — Peço para ela entrar. — A Minnie mal pode esperar para ver você! Ela está brincando de massinha — acrescento, um pouco convencida, ao levá-la à cozinha. — Gosto que ela comece o dia com alguma coisa construtiva.

— Maravilha — concorda Kyla vigorosamente. — Brinquei muito de massinha com Eloise, a menina da qual eu tomava conta, quando ela era pequena. Ela era muito talentosa. Na verdade, chegou a ganhar um prêmio, na competição de arte local, por uma de suas obras. — Ela sorri ao lembrar. — Nós ficamos muito orgulhosos.

— Ótimo! — Sorrio de volta. — Então, aqui estamos... — Abro a porta toda prosa.

Droga. Minnie não está mais brincando de massinha. Ela largou todos os potes e está batendo alegremente no meu laptop.

— Minnie! O que você está fazendo? — Dou uma risada estridente. — Isso é da mamãe!

Corro e puxo o laptop. Ao olhar para a tela, meu sangue gela. Ela está prestes a propor 2.673.333.333 libras pelos sapatos Chloé.

— Minnie! — Arranco o laptop das mãos dela.

— Meeeu! — Minnie grita furiosamente. — Meeeu sapaaaato!

— A Minnie está fazendo arte no computador? — Kyla vem na minha direção com um sorriso alegre, e eu rapidamente escondo o laptop.

— Ela só estava mexendo com... números — respondo com uma voz levemente aguda. — Quer um café? Minnie, você lembra da Kyla?

Minnie dá uma olhada esnobe para Kyla e começa a bater os potes de massinha um no outro.

— Se não se importar, eu vou fazer a minha própria massinha a partir de agora, Sra. Brandon — diz Kyla. — Prefiro usar farinha orgânica.

Uau. Massinha orgânica feita em casa. Viu? É por *isso* que contratamos uma Governanta Insuperável. Mal posso esperar para me gabar dela lá no trabalho.

— Quando é que você vai começar a ensinar mandarim para ela? — pergunto, porque sei que o Luke vai querer saber isso.

Luke está animado com a ideia de Minnie aprender mandarim. Ele fica dizendo como isso vai ser útil mais tarde na vida dela. Eu também acho que será legal, mas estou um pouco apreensiva. E se a Minnie começar a falar fluentemente em mandarim e eu não a entender? Será que também vou precisar aprender? Fico imaginando Minnie adolescente, me xingando em mandarim, enquanto eu fico catando as palavras, freneticamente, num dicionário.

— Depende da aptidão dela — responde Kyla. — Eu comecei a ensinar a Eloise quando ela tinha 1 ano e meio, mas ela era uma criança excepcional: muito inteligente, receptiva e disposta a agradar.

— Ela parece ser ótima — digo, educadamente.

— Ah, Eloise é uma criança maravilhosa — Kyla concorda fervorosamente. — Ela continua falando comigo, todo dia, pelo Skype, de Boston, para poder praticar cálculo e mandarim. Antes da aula de atletismo, é claro. Agora ela também é ginasta.

Tudo bem, já estou meio de saco cheio dessa Eloise. Cálculo, mandarim *e* ginástica? Ela está só se exibindo.

— Bem, a Minnie também é muito inteligente e receptiva. Na verdade, outro dia ela escreveu seu primeiro poema — não consigo deixar de acrescentar.

— Ela *escreveu* um poema? — pela primeira vez, Kyla parece impressionada. Há! Toma essa, Eloise. — Ela já sabe escrever?

— Ela ditou para mim e eu escrevi — explico, depois de uma leve pausa. — Era um poema da tradição oral.

— Conte o seu poema para mim, Minnie! — pede Kyla, toda gentil, para Minnie. — Como era?

Minnie olha furiosamente para ela e enfia massinha no nariz.

— Ela não vai lembrar mais — digo rapidamente. — Mas era muito simples e bonito. Era... — Começo a tossir um pouco, para causar efeito. — "Por que as gotas de chuva caem?"

— Nossa. — Kyla parece perplexa. — É lindo. Há tantos *níveis* nessa frase.

— Pois é — concordo plenamente. — Vamos usá-la em nossos cartões de Natal.

— Boa ideia! — diz Kyla, animada. — Eloise fez lindos cartões de Natal à mão e os vendeu para ajudar algumas instituições de caridade. Ela ganhou o prêmio de filantropia da escola. Você conhece o St. Cuthbert's, em Chelsea?

St. Cuthbert's College é onde o Ernie estuda. Nossa, não é à toa que ele está tão deprimido lá, pois deve ser cheio de Eloises.

— Fantástico! Existe alguma coisa que a Eloise *não* saiba fazer? — Minha voz tem um leve tom de impaciência, mas eu não sei se a Kyla percebeu.

— Acho que eu e a Minnie vamos passar o dia juntas, para nos conhecermos melhor... — Kyla faz carinho no queixo de Minnie. — Dá para ver que ela é muito inteligente, mas existe mais alguma coisa que eu precise saber sobre ela? Algum ponto fraco? Probleminhas?

Fico com um sorriso fixo por um instante. Penso no que Luke me disse, mas não há a *menor* possibilidade de eu dizer: "Sim, ela foi banida de quatro grutas do Papai Noel, todos acham que ela é louca e o meu marido não quer ter outro filho por causa disso." Não posso fazer isso depois de tudo o que ouvi sobre a Santa Eloise.

Além disso, por que eu deveria me intrometer no caso da Minnie? Se essa governanta for realmente boa, ela vai sacar os probleminhas da Minnie e resolvê-los sozinha. Esta é a função dela, não é?

— Não — digo, finalmente. — Ela não tem problema nenhum. A Minnie é uma criança adorável e carinhosa e nós temos muito orgulho de sermos os pais dela.

— Ótimo! — Kyla mostra seus dentes enormes num grande sorriso. — Ela come de tudo? Legumes? Ervilha, cenoura, brócolis? A Eloise adorava me ajudar a fazer risoto com os legumes colhidos no quintal.

É claro que adorava. E aposto que ela também deve ter uma porcaria de estrela Michelin.

— Com certeza — respondo sem hesitar. — A Minnie *adora* legumes. Não é, querida?

Minnie nunca comeu uma cenoura na vida. Quando eu tentei escondê-las, uma vez, numa torta de carne, ela comeu toda a torta e cuspiu as cenouras, uma por uma, na sala.

Mas é claro que não vou admitir isso para a Senhorita Perfeitinha. Se ela é uma governanta assim tão boa, então vai conseguir fazer a Minnie comer cenoura, não é mesmo?

— Será que você não quer dar uma volta, enquanto eu e a Minnie nos conhecemos melhor? — Kyla olha, alegremente, para Minnie. — Você quer mostrar a sua massinha para mim, Minnie?

— Ótimo! — digo. — Até mais tarde.

Saio da cozinha com a minha xícara de café e quase esbarro em mamãe, que está escondida no corredor.

— Mãe! — exclamo. — Você estava *espionando* a gente?

— Ela já sabe cantar "Edelweiss"? — diz ela, torcendo o nariz. — Ou ainda estamos na "Doe, a Deer"?

Coitada da mamãe. Eu deveria tentar animá-la.

— Olha, por que a gente não sai para fazer compras? — sugiro impulsivamente. — A Kyla quer conhecer a Minnie melhor, e o papai vai estar aqui caso ela tenha algum problema...

— Eu não posso fazer compras! — responde ela, magoada. — Estamos pobres, lembra? Você sabia que eu tive que cancelar todos os pedidos da Ocado? Seu pai foi irredutível. Nada de quiches luxuosos, nada de salmão defumado... Estamos racionados. — A voz dela treme um pouco. — Se eu for a algum lugar, tem que ser à loja de 1 libra!

Sinto uma pontada de compaixão por ela. Não é à toa que minha mãe está tão deprimida ultimamente.

— Bom, então vamos à loja de 1 libra! — tento, para animá-la. — Vamos, vai ser divertido!

Até eu vestir o casaco, mamãe já ligou para Janice, que vai com a gente na loja de 1 libra. Quando saímos, Jess está esperando com ela, usando um casaco de esqui muito velho e uma calça jeans.

— Oi, Jess! — exclamo para ela, e logo começamos a andar. — Como vai?

Não a vejo há muito tempo. Ela e o Tom viajaram para Cumbria na semana passada, e eu não sabia que ela já tinha voltado.

— Estou ficando maluca — diz ela, com um tom levemente irritado. — Não aguento mais. Você já tentou morar com a Janice e o Martin?

— Er... não. — Imagino que Janice e Jess não estejam se dando muito bem. — O que houve?

— Primeiro, ela cismou que nós tínhamos que fazer uma outra festa de casamento. Agora que ela desistiu disso, quer que a gente tenha um filho.

— *Já*? — Dá vontade de rir. — Mas vocês estão cansados há cinco minutos!

— Exatamente! Mas a Janice não para de jogar indiretas. Toda noite ela senta e fica tricotando alguma coisa amarela e fofa, mas não diz o que é. — Jess baixa o tom de voz. — É uma manta de bebê, eu tenho certeza.

— Bem. Chegamos. — Mamãe interrompe a nossa conversa quando chegamos na esquina da rua principal.

A loja de 1 libra está à direita e a de 99 centavos fica do outro lado. Ficamos paradas por um momento, analisando as duas em silêncio.

— Nós vamos para qual? — arrisca Janice, finalmente. — A loja de 99 centavos é *um pouquinho* mais barata, óbvio... — ela completa.

Mamãe fica olhando para o outro lado da rua, na direção da Emma Jane Gifts, uma linda butique cheia de artigos de malha de cashmere e cerâmicas feitas à mão, na qual nós sempre entramos. Consigo ver algumas amigas de bridge da mamãe dando tchauzinho, mas ela se controla, como se fosse para uma batalha, e se volta para a loja de 1 libra.

— Tenho certos critérios, Janice — diz ela de forma tranquila e digna, como se fosse um general informando que vai se arrumar para o jantar enquanto há bombas caindo em todos os lugares. — Acho que não precisamos sucumbir à de 99 centavos.

— Está bem — sussurra Janice, um pouco nervosa.

— Não tenho vergonha de ser vista lá — acrescenta mamãe. — Por que eu deveria ter vergonha? Este é nosso novo estilo de vida, e precisamos nos acostumar com isso. Se o seu pai disse que nós temos que sobreviver com geleia de nabo, que assim seja.

— Mãe, ele não disse que nós temos que comprar geleia de nabo... — começo, mas ela já está entrando, com a cabeça erguida, cheia de orgulho. Troco um olhar com Jess e a sigo.

Nossa! Esse lugar é maior do que eu imaginava, e tem tanta coisa! Mamãe já pegou uma cesta e está colocando latas de uma carne esquisita dentro dela, com movimentos rápidos e rancorosos.

— Seu pai vai ter que adaptar o paladar dele à disponibilidade da carteira dele! — diz ela, pegando mais uma lata. — Talvez não possamos mais pagar para ter uma nutrição saudável e vitaminas sejam apenas para quem é muito rico!

— Ooh, biscoito de chocolate com licor! — digo assim que os vejo. — Pegue alguns, mãe. Toblerones também!

Ei! Tem uma prateleira cheia de bolas de algodão logo ali. Seria um desperdício não fazer estoque disso. Quer dizer, não faria sentido economicamente. E ainda tem aplicadores de maquiagem e até curvex! Tudo por 1 libra! Pego uma cesta e começo a enchê-la.

— Jane! — Escuto uma voz ofegante e vejo Janice segurando um monte de pacotes escritos "luz solar de jardim". — Já viu isso? Não pode custar *só* 1 libra.

— Acho que tudo é 1 libra — começo a dizer, mas ela já está cutucando uma vendedora.

— Com licença — diz ela educadamente. — Quanto custa isso?

A vendedora olha para ela com um desprezo indescritível.

— Uma libra.

— E isso? — Ela aponta para uma mangueira de jardim.

— Uma libra. Tudo é 1 libra. É uma loja de 1 libra não é mesmo?

— Mas... — Janice parece que vai morrer de tanta emoção. — É incrível! Você tem noção de quanto isso custaria na John Lewis?

Ouço um suspiro alto no corredor ao lado e vejo que é a mamãe. Ela está sacudindo um monte de potes de plástico; sua expressão martirizada desapareceu e seus olhos estão brilhando.

— Janice! Tupperware!

Eu estou quase indo atrás delas quando vejo vários cintos de pele de cobra purpurinados. Isso é inacreditável. Um cinto por 1 libra! Não comprá-los seria um crime. E tem um monte de extensões para cabelo e perucas... Este lugar é *genial*. Por que é que eu nunca vim aqui antes?

Coloco cinco cintos e várias perucas na cesta, acrescento também alguns itens de maquiagem de "marcas famosas" (apesar de eu não conhecer nenhuma delas), depois saio andando e me deparo com uma prateleira na qual está escrito: "Produtos de segunda mão — devoluções de artigos de festa, não podem ser trocados".

Uau! Olha só isso. Há milhares de cartões e enfeites para mesa, além de outras coisas perfeitas para uma festa.

Fico olhando tudo por alguns instantes, minha cabeça dando voltas e voltas. É óbvio que eu não posso comprar as coisas para a festa do Luke nesta loja de 1 libra. Seria muito pão-durismo.

Mas só custa 1 libra e são artigos de festa de verdade. Será que ele se incomodaria?

Vamos pensar assim: o que eu economizar com a decoração, posso investir em champanhe. E tudo custa 1 libra. *Uma* libra!

Meu Deus, tenho que aproveitar! É uma oportunidade boa demais. Instantaneamente, começo a jogar na cesta vários pacotes de cartões de mesa, confetes, enfeites para mesa e porta-guardanapos. Não contarei para ninguém que comprei tudo isso na loja de 1 libra. Vou dizer que comprei por encomenda numa empresa especializada em festas.

— Você precisa de outra cesta? — Jess aparece do meu lado.

— Ah, obrigada.

Pego a cesta e acrescento uns candelabros decorativos, que eu acabei de ver. Estão um pouco sujos, mas ninguém vai reparar se as luzes estiverem baixas.

— É para a festa do Luke? — Ela olha para a minha cesta com interesse. — Como estão os preparativos?

Ah, que droga! Não posso deixar que a Jess conte para todo mundo que a decoração é da loja de 1 libra.

— Não! — digo rapidamente. — É claro que não é para a festa do Luke. Eu só estou... me inspirando. Você não vai comprar nada? — acrescento, ao reparar que ela não está com nenhuma cesta. — Não vai fazer estoque de envelopes ou algo assim?

Pensei que este lugar seria totalmente a cara da Jess. Não é ela que vive dizendo que eu gasto demais e sempre me aconselha a comprar a granel e aproveitar as cascas de batata?

— Não, eu não compro mais nada — diz Jess de maneira casual.

Será que eu ouvi errado?

— Como "não compra mais nada"? — digo, enquanto continuo enchendo a minha cesta. — Você deve comprar alguma coisa. Todo mundo compra coisas.

— Eu não. — Ela balança a cabeça. — Desde que moramos no Chile, Tom e eu decidimos ser consumidores-zeros ou o mais próximo disso. Agora nós só fazemos trocas.

— Vocês só fazem *trocas*? — Me viro e a encaro. — Como assim, com colares e bugigangas como moeda?

Jess dá uma risada.

— Não, Becky. Com tudo: comida, roupa, aquecimento. Se não der para fazer troca, eu não consumo.

— Mas... com quem? — pergunto, totalmente incrédula.

— Ninguém faz mais isso. É um costume da Idade Média, sei lá.

— Você se surpreenderia com a quantidade de pessoas que fazem isso. Existem redes de contato, sites... Ela dá de ombros. — Na semana passada, troquei seis horas de jardinagem por um bilhete da British Rail e consegui ir até Scully. Não custou nada.

Eu a encaro assombrada. Na verdade, para ser sincera, me sinto um pouco ofendida. Aqui estamos orgulhosas por fazer compras na loja de 1 libra e então Jess nos supera, dizendo que nunca compra nada. Isso é *tão* típico dela. Daqui a pouco ela vai inventar algum sistema anticompras, assim como existe a antimatéria ou a antigravidade.

— Então... Será que *eu* posso fazer trocas? — digo, ao ter uma ideia.

— É claro que pode — responde Jess. — Na verdade, você *deve*. Você consegue qualquer coisa: roupa, comida, brinquedo... Vou mandar para você os links dos sites que eu mais uso.

— Obrigada!

Oba! Termino de encher a cesta me sentindo animada. Esta é a resposta: vou fazer *trocas* para conseguir tudo o que for necessário para a festa do Luke. Vai ser fácil. E aqueles esnobes organizadores de festa, que custam milhões, podem desaparecer. Quem precisa deles quando se tem uma loja de 1 libra e sites de trocas?

Ooh. Os sabres de luz de *Guerra nas Estrelas!* São dois por apenas 1 libra! E ainda tem copos do Yoda.

Paro e penso: talvez o tema da festa possa ser *Guerra nas Estrelas*. Eu não sei se o Luke *realmente* curte a série... Mas eu posso fazer com que ele goste, não é mesmo? Posso alugar os DVDs e sugerir que a gente entre para o fã-clube. Acho que até o dia 7 de abril ele já virou fã.

Só que aqui tem umas guirlandas maravilhosas, feitas com bolas de espelhos. Também achei uns pratos que parecem de metal com joias falsas, nos quais está escrito "Corte do Rei Artur". E eles ainda vêm acompanhados de taças. Oh, céus, estou dividida.

Será que o tema da festa pode ser uma mistura de anos 1970-discoteca-Guerra-nas-Estrelas-Rei-Artur?

— Você pode fazer trocas para conseguir isto também. — Jess lança um olhar de desaprovação para mim, enquanto pego uma guirlanda de bola de espelhos. — Ou, melhor ainda, pode fazer a decoração com materiais reciclados, o que seria muito melhor para o meio ambiente.

— Eu sei — digo com paciência. — Eu deveria fazer correntes de papel sem graça com jornal.

— Não estou falando de correntes de papel feitas com jornal! — Ela parece ofendida. — Na internet tem várias ideias criativas para decoração. Você pode reutilizar papel alumínio, decorar garrafas plásticas...

Papel alumínio? Garrafas plásticas? Quantos anos eu tenho? Seis?

— Veja só, Jess! — a voz animada de Janice nos interrompe, e ela aparece segurando um potinho. — Encontrei vitaminas! Ácido fólico! É bom para mulheres jovens como vocês, não é?

Troco olhares com Jess.

— Só se elas pretendem engravidar — responde Jess friamente.

— Bom, vou colocar na minha cesta assim mesmo. — A expressão casual de Janice não engana ninguém. — Vejam só isso: é um livro com nomes de bebês! São mil nomes, de meninas e meninos, por apenas 1 libra!

— Não estou *acreditando* nisso — sussurra Jess, cruzando os braços de maneira defensiva.

— Por que você precisa de um livro com nomes de bebês, Janice? — pergunto.

— Ora! — O rosto de Janice fica vermelho e ela desvia o olhar de mim para Jess. — Nunca se sabe...

— Eu sei *sim*! — Jess explode, de repente. — Presta atenção, Janice. Eu não estou grávida e nem *vou* ficar grávida. Tom e eu decidimos que, quando quisermos ter uma família, nós adotaremos uma criança pobre da América do Sul. Então, não será bebê e terá um nome latino. Sendo assim, você pode ficar com a porcaria do ácido fólico e do livro com nomes de bebês!

Ela sai da loja, nos deixando completamente boquiabertas.

Uma criança da América do Sul! Isso é muito *legal*.

— Ela disse que... vão *adotar*? — pergunta Janice finalmente, com a voz trêmula.

— Achei a ideia maravilhosa! — digo firmemente. — Ei, mãe! — Ela está enchendo sua cesta com flores ressecadas. — A Jess vai adotar uma criança da América do Sul!

— Ooh! — Os olhos dela se iluminam. — Que beleza!

— E o que eu já tricotei? — Janice parece que vai cair em prantos. — Eu já fiz todo o enxoval de bebê! É amarelo e branco, serve tanto para menina quanto para menino, e também tem as roupinhas de Natal até a criança fazer 6 anos!

OK. Janice é realmente louca.

— Bom, ninguém pediu para você fazer isso, não é? — ressalto. — Talvez você possa doar para casas de caridade.

Acho que eu estou me transformando na Jess. Até o meu tom de voz está severo como o dela. Francamente! Por que Janice estava tricotando roupas de bebê antes de Tom e Jess ficarem *noivos*?

— Eu vou falar com o Tom. — Janice parece ter tomado uma decisão de repente. — Ele só está concordando com este plano para agradar a Jess. Ele vai querer ter um filho dele e passar os nossos genes adiante, eu sei disso. A família do Martin vem desde o Cromwell e o Tom já fez a sua árvore genealógica.

— Janice — começo a dizer. — Eu *realmente* não me meteria...

— Vejam! — Seu olhar foca, subitamente, na prateleira em frente. — Um par de luvas para jardinagem! Acolchoadas! Por 1 libra!

No caminho de volta para casa, todas estão mais felizes. Nós tivemos que pegar um táxi, pois estávamos com muitas sacolas de compras. Depois de termos economizado tanto dinheiro, o que é uma tarifa de táxi?

Janice não falou mais de bebês e genes, mas fica tirando tudo das sacolas e mostrando para nós.

— Um kit dental completo com espelho! Por 1 libra! — Ela olha em volta para garantir que nós estamos tão impressionadas quanto ela. — Um kit de sinuca de mesa em miniatura! Por 1 libra!

Mamãe parece ter comprado todo o estoque de Tupperware; além de vários utensílios de cozinha e grandes caçarolas; milhares de frascos de xampu L'Óreal, com rótulos em polonês; algumas flores de plástico; uma caixa enorme de cartões de aniversário e um esfregão muito legal, que tem um cabo cor-de-rosa e listrado que a Minnie vai adorar.

Quase no fim das compras, eu encontrei vários cabides de madeira muito bonitos. Eram três por 1 libra, o que é uma pechincha *total*. Eles devem custar pelo menos 2 libras cada um, em qualquer outro lugar. Então eu comprei uns cem.

Com a ajuda do motorista do táxi, nós entramos cambaleando em casa e largamos as sacolas no corredor.

— Bem! — diz mamãe. — Estou exausta depois de tanto trabalho! Você quer um chá, minha filha? E um daqueles biscoitos de licor... — Ela começa a mexer em uma das sacolas, no exato momento em que meu pai sai do escritório. Por um instante ele nos encara boquiaberto.

Acho que 17 sacolas podem parecer muita coisa. Principalmente se você não está esperando por isso.

— O que é isso? — diz ele, finalmente. — O que é isso tudo?

— Fomos na loja de 1 libra — digo empolgada. — Nos saímos muito bem!

— Jane... — Papai olha incrédulo para cada sacola. — Nós deveríamos estar *economizando*, lembra?

Mamãe tira a cabeça de dentro da sacola cheia de comida; seu rosto está vermelho.

— Eu *estou* economizando. Você não ouviu? Fiz as compras na loja de 1 libra!

— Você comprou toda a porcaria da *loja*? — Papai está olhando para o mar de sacolas. — Sobrou alguma coisa lá?

Ui! Mamãe respira com aquela expressão do tipo "eu nunca fui tão ofendida na minha vida".

— Se você quer saber, Graham, eu comprei torta de carne enlatada e biscoitos baratos para nós, já que não podemos comprar mais nada na Ocado! — Ela sacode os biscoitos na cara dele. — Você sabe quanto isto custa? Cinco pacotes por 1 libra! Estou desperdiçando dinheiro?

— Jane, eu não disse que nós não poderíamos mais comprar na Ocado — papai começa, impaciente. — Eu só disse...

— Da próxima vez eu vou na loja de 99 centavos, está bem? — A voz dela fica estridente. — Ou na loja de 10 centavos! Você vai ficar satisfeito assim, Graham? Ou talvez *você* queira fazer as compras da casa. Talvez você queira se esforçar para gastar pouco e manter esta família alimentada e vestida.

— Alimentada e vestida? — responde papai, ridicularizando a ideia. — Como é que isto aqui vai manter todos nós alimentados e vestidos? — Ele pega o esfregão cor-de-rosa e com listras.

— Então, agora nós não temos mais dinheiro para gastar com higiene básica, é isso? — Mamãe está vermelha de raiva. — Não podemos mais limpar o chão?

— Nós podemos limpar o chão com os milhares de esfregões que *já temos*! — papai explode. — Se eu encontrar mais um material de limpeza inútil nesta casa...

Está beeeeem. Acho que vou sair de fininho, antes que sobre para mim e os dois comecem a dizer: "A Becky concorda comigo, não concorda?"

Além disso, eu estou *morrendo* de vontade de ver como Kyla está se saindo com a Minnie.

Elas estão juntas há duas horas e a presença da Kyla já deve ter gerado algum efeito positivo na Minnie. Talvez ela já tenha começado a ensinar mandarim ou francês. Ou, quem sabe, bordado!

Vou, nas pontas dos pés, até a porta da cozinha, esperando ouvir Minnie recitando um poema; ou dizendo "*un, deux, trois*", com um sotaque perfeito; ou talvez fazendo uma simples equação de matemática. Mas, em vez disso, tudo que ouço é Kyla dizendo: "Minnie, por favor. Por *favor*!"

Ela parece estar um pouco cansada, e isso é estranho, pois eu jurava que ela era uma daquelas pessoas que tomam suco de clorofila e têm energia para dar e vender.

— Oi! — grito, e empurro a porta. — Voltei!

Nossa! O que foi que aconteceu? Kyla perdeu completamente o brilho. Ela está descabelada, com o rosto vermelho e uma mancha de purê de batata na blusa.

Já Minnie, sentada na cadeira para bebê, parece estar se divertindo muito.

— Então! — digo, animada. — Vocês tiveram uma boa manhã?

— Ótima!

Kyla sorri, mas é um daqueles sorrisos automáticos, que não estão de acordo com o olhar. Na verdade, os olhos dela estão dizendo: "Me tira daqui agora."

Acho que vou ignorá-los, e vou fingir também que não vi que as mãos dela estavam agarrando a parte de trás da cadeira.

— Ela já começou a aprender alguma língua? — digo, esperançosa.

— Ainda não. — Kyla exibe os dentes de novo. — Na verdade, eu gostaria de conversar um pouco com você, se não se incomodar.

Fico tentada a dizer: "Não, começa o mandarim logo", fechar a porta e sair correndo. Mas esta não seria a atitude de uma mãe responsável, não é mesmo?

— Claro! — Dou um sorrisão. — O que houve?

— Sra. Brandon. — Kyla reduz o tom de voz enquanto vem na minha direção. — A Minnie é uma criança fofa, encantadora e inteligente, mas nós tivemos alguns... problemas hoje.

— Problemas? — repito, inocentemente, depois de uma pausa mínima. — Que tipo de problemas?

— Em alguns momentos, a Minnie foi um pouco teimosa. Isso é o normal dela?

Coço o nariz, tentando ganhar tempo. Se eu admitir que a Minnie é a pessoa mais teimosa que eu já conheci na vida, estarei resolvendo o problema para Kyla. Ela precisa *curar* a teimosia da Minnie. Aliás, por que é que ela ainda não fez isso?

De qualquer modo, todo mundo sabe que não se deve rotular as crianças, pois isso as deixa complexadas.

— Teimosa? — Levanto as sobrancelhas, como se estivesse perplexa. — Não, isso não é um hábito da Minnie. Ela nunca foi teimosa comigo — acrescento, para pegar bem. — Ela é sempre um anjinho, não é, querida? — Sorrio para Minnie.

— Entendi. — O rosto de Kyla está vermelho e ela parece um pouco incomodada. — Bom, acho que nós estamos nos adaptando, não é, Minnie? Outra coisa... — Ela diminui o tom de voz. — Ela não come as cenouras comigo. Tenho certeza de que só está fazendo birra. Você disse que ela come cenoura, não é mesmo?

— Com certeza — digo, depois de outra pequena pausa. — Sempre. Vamos, Minnie, coma as cenouras!

Vou até a cadeirinha dela e olho a comida. A maior parte do frango e da batata já acabou, mas há uma pilha de cenouras lindamente cozidas, que a Minnie está encarando como se fosse a peste bubônica.

— Não entendo o que estou fazendo de errado. — Kyla parece muito incomodada. — Nunca tive esse tipo de problema com a Eloise...

— Você pode pegar uma caneca para mim, Kyla? — digo, casualmente. — Enquanto Kyla se vira para o armário, eu pego uma cenoura do prato, enfio na boca e engulo de uma vez só.

— Ela acabou de comer uma. — Tento não parecer convencida.

— Ela *comeu*? — Kyla se vira rapidamente para mim. — Mas... eu estou tentando fazê-la comer há 15 minutos!

— Você vai pegar o jeito — digo gentilmente. — Será que pode pegar um jarro também? — Quando ela se vira, eu enfio outra cenoura na minha boca. Vou dar crédito para a Kyla: estão uma delícia.

— Ela acabou de comer outra? — Vejo Kyla contando as cenouras no prato com entusiasmo. Ainda bem que eu mastigo rápido!

— Comeu! — Tusso um pouco. — Muito bem, Minnie! Agora coma o resto para a Kyla...

Vou rapidamente para o outro lado da cozinha e começo a fazer café. Atrás de mim, ouço Kyla dizer, cheia de determinação e otimismo:

— Vamos, Minnie! Que delícia de cenoura! Você já comeu duas, então, agora vamos ver se consegue comer as outras também!

— Nãããão! — Minnie dá um grito; eu me viro e a vejo jogando o garfo para longe. — Cenoula não!

Ai meu Deus! Ela vai jogar as cenouras longe em um minuto.

— Na verdade, Kyla — digo rapidamente —, você poderia fazer um grande favor para mim e levar as compras lá para cima? As sacolas estão no corredor. Eu cuido da Minnie.

— Claro. — Kyla limpa a testa. — Sem problema.

Assim que ela sai, eu corro até a cadeira de Minnie e começo a enfiar todas as cenouras na minha boca. Pelo amor de Deus, por que ela cozinhou *tantas* destas porcarias? Eu mal consigo fechar a boca, que dirá mastigar...

— Becky? — Congelo, totalmente desesperada, ao ouvir a voz de Kyla atrás de mim. — Sua mãe disse para eu trazer estas sacolas para a cozinha, tudo bem?

Não sei o que fazer. Minhas bochechas estão enormes com tantas cenouras.

Tudo bem, não tem problema. Estou de costas, ela não consegue ver meu rosto.

— Mm-hum — consigo murmurar indistintamente.

— Nossa! Ela comeu todas as cenouras? — Kyla solta as sacolas de compras. — Foi muito rápido! O que aconteceu? Ela começou a devorar tudo?

— Mm-hum. — Mantenho a cabeça virada e tento parecer que não estou dando muita importância.

Agora Kyla está vindo em direção à cadeira. Eu chego rapidinho para trás até parar na janela, de costas para ela. Nossa, que coisa ridícula! Minha mandíbula está começando a doer, de tanto segurar as cenouras, e o meu rosto está ficando quente com todo este empenho. Arrisco uma mastigadinha rápida, depois outra...

— *Impossível.* — A voz de Kyla surgiu do nada.

Droga! Ela está a menos de 1 metro de mim, olhando para o meu rosto. Como ela chegou tão perto sem que eu percebesse? Olho rapidamente para o meu reflexo na geladeira de aço inoxidável.

Ai meu Deus. Tem um pedaço de cenoura saindo pela minha boca.

Por um instante, Kyla e eu ficamos nos olhando e eu nem me atrevo a empurrar a cenoura de volta para a minha boca.

— A Minnie não comeu nenhuma cenoura, não é? — diz Kyla educadamente, mas com um tom levemente irônico.

Olho para ela desesperada. Será que se eu começar a falar agora as cenouras vão cair no chão?

— Talvez eu a tenha ajudado — digo de forma vaga. — Um pouco.

Kyla olha para mim, para Minnie e, depois, para mim de novo, cada vez mais descrente.

— Eu estou começando a achar que ela também não escreveu o poema, não é mesmo? — Agora percebo um tom de sarcasmo em sua voz. — Sra. Brandon, para que eu possa trabalhar de maneira eficiente com uma família, eu preciso de uma comunicação satisfatória e franca. Preciso de sinceridade. E está claro que não há nenhuma chance de isso existir por aqui. Sinto muito, Minnie. Espero que você encontre alguém que consiga ajudá-la.

— Você não pode simplesmente *ir embora* — começo a falar, desesperada, num tom abafado, e três cenouras caem da minha boca.

Droga.

De: cathy@governantasinsuperaveisuk.com
Assunto: Re: Favorzinho
Data: 8 de fevereiro de 2006
Para: Becky Brandon

Prezada Sra. Brandon,

Obrigada pela mensagem deixada na caixa postal. Sentimos muito por não ter dado certo com a Kyla.

Infelizmente, não podemos mandar Post-its para todos os nossos funcionários, como você sugeriu, a fim de que informem ao seu marido, caso ele ligue, que "para todos os efeitos a Kyla quebrou a perna". Em relação à substituição imediata, por "alguém igual à Kyla", sinto dizer que isso também não será possível.

Você pode ligar para mim, caso queira conversar mais sobre o assunto.

Tudo de bom.

Cathy Ferris
Diretora
Governantas Insuperáveis

OXSHOTTMARKETPLACE.COM

O site oficial para pessoas que residem em
Oxshott e desejam fazer trocas.

"É divertido, de graça e para todo mundo!!!"

ITENS GERAIS

Ref10057

Procura-se: tenda grande para duzentas pessoas (para uma noite)
Oferece-se: duas bolsas Marc Jacobs muito legais, ótimas condições

Negociante: BeckyB
Clique aqui para mais detalhes, inclusive fotos

Ref10058

Procura-se: pista de dança com luzes (para uma noite)
Oferece-se: vinte tipos de presentes que nunca foram usados: Clarins, Lancôme, Estée Lauder etc.

Negociante: BeckyB
Clique aqui para mais detalhes, inclusive fotos

Ref10059

Procura-se: saco de dormir e barraca orgânicos, de cânhamo
Oferece-se: 16 garrafas de vinho de pêssego caseiro

Negociante: JessWebster
Clique aqui para mais detalhes. Sem fotos

Ref10060

Procura-se: cem garrafas de champanhe
Oferece-se: aparelho Power Plate (nunca utilizado, nem testado), abdominizer de plástico, Supermodel Stepper e o DVD *Fique em forma em três dias!*, que vem com corda de pular e livro

Negociante: BeckyB
Clique aqui para mais detalhes, inclusive fotos

Ref10061
Procura-se: espetáculo de fogos de artifício (que forme a frase "Feliz Aniversário, Luke")
Oferece-se: bar original Art Déco, de uma loja de antiguidades de Manhattan. Vem com coqueteleiras

Negociante: BeckyB
Clique aqui para mais detalhes, inclusive fotos

Página 1 de 6 Próxima

UNIDADE DO DEPARTAMENTO CENTRAL DA POLÍTICA MONETÁRIA

5º Andar
Whitehall Place, 180
Londres, SW1

À Sra. Rebecca Brandon
The Pines
Elton Road, 43
Oxshott
Surrey

10 de fevereiro de 2006

Prezada Rebecca,

Obrigado pela sua carta do dia 8 de fevereiro e por todas as suas sugestões.

Fazer trocas é, com certeza, uma ideia para ajudar a economia. No entanto, não estou convencido de que seria muito útil para o ministro trocar "algumas coisas velhas dos museus de que não precisamos" por "vários queijos franceses, que podem ser compartilhados por todos". Também acredito que seja inviável trocar, com os EUA, "um membro pouco importante da família real" por "uma quantidade de roupas da J Crew que seja suficiente para todos".

Todavia, agradeço o seu contínuo interesse pela nossa economia.

Atenciosamente,

Edwin Tredwell
Diretor de Pesquisa Política

DEZ

Hm. Que bela agência de governantas! Estou pensando em reclamar com um ombudsman do setor. Essas agências deveriam ser *confidenciais*. Deveriam ser *discretas*. Pelo visto contaram a história da mãe com as cenouras para todas as agências de governantas da cidade. Suze me ligou pedindo desculpas, e disse que todo mundo na St. Cuthbert's estava falando sobre isso e que é a nova lenda urbana. Só que agora a história termina comigo e com Kyla jogando cenouras uma na outra.

Luke não ficou comovido, por mais que eu tenha explicado que, de qualquer jeito, Kyla era completamente inadequada para nós. Além disso, aparentemente a agência acha que vai ser "difícil" encontrar outra Governanta Insuperável. Então eu tive que pedir ajuda a minha mãe, que ficou ressentida e disse: "Ah, agora eu sirvo para você, não é?"

Para piorar as coisas, ontem à noite eu finalmente olhei direito para os produtos de festa baratinhos da loja de 1 libra. Abri primeiro os cartões de mesa e vi que eles estão personalizados com a seguinte frase: "Feliz Aniversário, Mike". Tem duzentos deles.

Por um momento eu considerei a possibilidade de começar a usar "Mike" como um apelido para Luke. Por que ele não pode ter um apelido? E por que não pode ser Mike? Pensei que se eu começasse a enviar e-mails chamando-o de Mike, isso faria meus pais também o chamarem de Mike. E se eu gritasse "Ah, Mike, Mike!" algumas vezes durante o sexo, talvez conseguisse fazê-lo se acostumar até o dia da festa.

Se bem que nos portas-guardanapos está escrito "Parabéns, Lorraine", então desisti dessa ideia.

Pelo menos existem *algumas* coisas positivas acontecendo ultimamente. Minha aventura no mundo das trocas já é um triunfo. Na verdade, Jess tem razão: é maravilhoso! Por que será que as pessoas compram coisas se podem fazer trocas? Já recebi várias respostas para os meus anúncios e vou encontrar várias pessoas hoje. Se continuar assim, conseguirei bem rápido tudo de que eu preciso para a festa, e sem gastar nada!

Jess também me mandou alguns links de sites com eco-decoração e, apesar de a maioria das ideias ser uma porcaria, encontrei uma que é bem legal. Basta cortar as sacolas de plástico em tiras e fazer pompons. Fica muito legal, e não gasta nada! Então passei a fazer isso sempre que o Luke não está por perto. Por sorte, já tenho uma grande quantidade de sacolas plásticas. Os pompons da Selfridges estão lindos, bem brilhantes e amarelos, e os verdes da Harrods também ficaram muito legais. Agora eu só preciso de uns brancos. (Acho que vou ter que fazer umas compras no Harvey Nichols Food Hall. É um lugar caro, tudo bem, mas esse é o preço que se paga por ser ecológico.)

A outra coisa positiva é a nossa casa nova, que continua dando certo. Aproveitei o horário de almoço para mostrá-la a Suze — e está melhor do que antes!

— Bex, eu adorei! — Suze corre escada abaixo, toda animada. — É tão *iluminada*! E o andar de cima é enorme! Todos aqueles quartos parecem surgir do nada!

— É incrível, não é? — Sorrio, orgulhosa.

— Só mostra o que os arquitetos são capazes de fazer. — Ela balança a cabeça, pensativa. — E não tem nenhum defeito? Nenhum problema?

A coitada da Suze ouviu a saga de todas as outras casas que tentamos comprar.

— Nada! Vamos começar a mudança na semana que vem e terminar em 15 dias. Já reservamos um caminhão e tudo mais. — Sorrio para Suze. — Essa é para ser nossa mesmo.

— Você deve estar tão *aliviada*. — Suze me abraça. — Não acredito que você finalmente tem uma casa!

— Pois é. — Puxo-a pelo braço. — Venha ver o quintal!

Saímos da casa e atravessamos a grama do jardim de trás, onde há um carvalho enorme com um balanço e vários equipamentos para escalar o tronco das árvores.

— Seus filhos vão poder vir brincar aqui — digo com orgulho.

— Eles vão adorar! — Suze senta no balanço e começa a balançar para a frente e para trás.

— E o Ernie? — Lembro de repente. — Como foi a reunião na escola?

— Ainda não teve. — A expressão de Suze muda. — Estou morrendo de medo. Preciso ir a um evento da escola, na semana que vem, e tenho certeza de que a diretora vai pegar no meu pé... — Ela de súbito faz uma pausa. — Bex, você não quer ir comigo? Você pode me proteger. Ela não vai poder ser cruel comigo se você estiver por perto, não é mesmo?

— É claro que eu vou!

Para falar a verdade, eu mal posso esperar para dar uma bronca nessa diretora.

— É uma exibição de arte. Cada criança pintou um quadro, e nós vamos lá para tomar uma xícara de café e ver o que eles fizeram — diz Suze. — Depois vamos ter que fazer uma doação para a escola.

— Eu pensei que vocês já pagassem uma mensalidade à escola — digo, confusa. — Por que precisam fazer uma doação?

— A mensalidade é só o *começo* — responde Suze, como se eu não entendesse nada. — Depois temos a arrecadação de fundos e a bolsa de caridade escolar e as coletas para os professores. Fico assinando cheques o tempo todo.

— E, não bastasse tudo isso, eles são cruéis com você?

— São. — Suze fica deprimida de repente. — Mas é uma escola muito boa.

Nossa, essas porcarias de escolas parecem um pesadelo. Talvez eu encontre uma alternativa. Talvez eu eduque Minnie em casa. Quer dizer, não em *casa*. Seria muito chato. As aulas podiam ser na... Harvey Nicks! É claro! Isso é perfeito. Já consigo me imaginar a uma mesa tomando um latte e lendo interessantes informações culturais do jornal para a Minnie. Poderíamos fazer somas com cubos de açúcar e estudar geografia na seção de Produtos de Design Internacional. As pessoas me chamariam de A Mulher que Dá

Aulas Para a Filha na Harvey Nicks, e eu poderia começar uma tendência internacional de instrução em lojas de departamento...

— Ei, Bex. — Suze parou de se balançar e está analisando, de forma suspeita, a minha blusa. — Essa blusa é minha? É aquela que eu te emprestei assim que fomos morar juntas? — Ela levantou do balanço. — E eu a pedi de volta, mas você disse que ela tinha pegado fogo, sem querer, numa fogueira, não foi?

— Hã...

Dou um passo para trás automaticamente.

Essa história não me é estranha. Por que foi que eu disse que a blusa tinha pegado fogo? Não consigo lembrar, já faz tanto tempo...

— É sim! — Suze me examina de perto. — É a blusa da Monsoon! A Fenny me emprestou, e eu emprestei para você, e depois você disse que não sabia onde estava e depois ainda falou que tinha pegado fogo! Você tem noção do quanto a Fenny me encheu o saco por causa disso?

— Pode pegar de volta — digo rapidamente. — Desculpa.

— Não quero de volta *agora*. — Ela me olha incrédula. — Por que você está usando essa blusa, hein?

— Porque estava no meu armário — respondo, desanimada. — E eu disse que ia vestir três vezes cada roupa do meu armário antes de comprar uma peça nova.

— *O quê?* — Suze parece surpresa. — Mas... por quê?

— Depois que o banco faliu, eu e o Luke fizemos um acordo. Ele não vai mais comprar um carro e eu não vou comprar roupas novas até outubro.

— Mas, Bex... — Suze me olha preocupada. — Isso não vai fazer mal para a sua saúde? Não é *perigoso* parar assim de uma hora para outra? Uma vez eu vi num programa de TV que as pessoas tremiam e tinham apagões. Você já começou a tremer?

— Já! — Estou abismada. — Tremi muito quando passei, outro dia, pela liquidação da Fenwick!

Nossa! Nunca pensei que, ao parar de fazer compras, eu pudesse estar colocando em risco a minha *saúde*. Será que devo ir ao médico?

— E a festa do Luke?

— Shhh! — digo ferozmente, olhando em volta do quintal vazio, toda paranoica. — Não pode contar para ninguém! O que tem a festa?

— Você não vai comprar um vestido novo? — pergunta Suze, aos sussurros.

— É claro que vou... — Congelo.

Eu nem tinha pensado nisso. Não posso comprar um vestido novo para a festa do Luke, não é? Não enquanto o nosso acordo ainda estiver valendo.

— Não — digo finalmente. — Não posso. Vou ter que usar algo que eu já tenha. Prometi a ele.

Desanimo na hora. Quer dizer, não que eu estivesse planejando a festa só para poder comprar um vestido novo, mas mesmo assim...

— Mas então... como está indo a festa? — pergunta Suze depois de uma pausa.

— Uma maravilha! — digo de uma vez, de um jeito esnobe. — Tudo certo. Eu te mando um convite quando ficar pronto.

— Ótimo! Você não está precisando de ajuda?

— Ajuda? — repito, um pouco rígida. — Por que eu precisaria de ajuda? Está tudo completamente sob controle.

Eu vou mostrar a ela. Espere só até ela ver os meus pompons de saco plástico.

— Excelente! Bom, estou animada para a festa. Com certeza vai ser sensacional. — Suze voltou a se balançar, mas sem me olhar nos olhos.

Ela não acredita em mim, não é mesmo? Eu *sei* que não acredita. Estou prestes a desafiá-la quando um grito chama minha atenção.

— Olha lá elas! Olha lá as diabólicas!

Um homem de meia-idade, com o rosto vermelho, sai da casa ao lado gesticulando para mim.

— Quem é? — murmura Suze.

— Sei lá — respondo baixinho. — Não conhecemos os vizinhos. O pessoal da imobiliária disse que um senhor morava ali. Que era doente e que nunca saía de casa... — Levanto a voz: Posso ajudá-lo?

— Me ajudar? — Ele me encara com raiva. — Você pode ajudar me explicando o que fez com a minha casa! Eu vou chamar a polícia!

Suze e eu trocamos olhares preocupados. Será que vou morar do lado de um maluco?

— Eu não fiz nada com a sua casa! — grito de volta.

— Ah é? Então quem foi que roubou os meus quartos? *Hein?*

Antes que eu possa responder, o corretor aparece no quintal. Ele se chama Magnus, usa um terno com risca de giz e tem uma voz bem baixa e discreta.

— Sra. Brandon, pode deixar que eu cuido disso. Algum problema? — diz ele. — Senhor...

— Evans.

O homem chega perto de Magnus e eles começam a conversar através da cerca do quintal. Eu só consigo ouvir um pouco, mas consigo entender as palavras *processar*, *absurdo* e *roubo em plena luz do dia*. Fico pasma.

— Você não acha que tem algo de *errado*, acha? — pergunto, tensa, para Suze.

— É claro que não! — responde ela rápido, me tranquilizando. — Deve ser algum mal-entendido entre vizinhos. Uma daquelas coisas que podem ser resolvidas com uma xícara de chá. Talvez seja sobre... a cerca viva! — ela acrescenta apressadamente, enquanto o Sr. Evans começa a sacudir os punhos na direção de Magnus.

— As pessoas ficam chateadas desse jeito por causa de uma cerca viva? — digo com incerteza.

Ele começa a falar mais alto, e eu consigo entender trechos maiores:

— ... *eu mesmo vou pegar a marreta... essas pessoas diabólicas precisam ser punidas...*

— Muito bem. — Magnus está vindo em nossa direção pela grama. Parece que vai ter um troço. — Sra. Brandon, surgiu um probleminha em relação aos quartos da sua propriedade. De acordo com esse vizinho, vários deles foram... tomados da propriedade dele.

— O quê? — Eu o encaro sem reação.

— Ele acredita que alguém derrubou a parede que separa as duas propriedades e... roubou os quartos. Três quartos, para ser mais exato.

Suze suspira.

— Bem que eu *achei* que essa casa parecia grande demais!

— Mas você disse que tinha oito quartos! Está na descrição da casa!

— Pois é. — Magnus está cada vez menos à vontade. — Fomos informados pelo proprietário que era uma casa de oito quartos, e não tínhamos nenhum motivo para duvidar...

— Então ele simplesmente quebrou o andar de cima do vizinho, roubou os quartos e ninguém *verificou?* — Eu o encaro incrédula.

Magnus parece ainda mais preocupado.

— Acho que o proprietário conseguiu as autorizações necessárias com o Conselho...

— Como? — O Sr. Evans se aproxima, nitidamente cansado de esperar. — Forjando documentos e molhando a mão de alguém, com certeza! Voltei dos EUA, subi para tirar um cochilo e o que é que eu descobri? Metade do andar de cima tinha sumido! Agora existe uma parede! Alguém entrou e roubou uma parte da minha casa!

— Por que ninguém percebeu antes? — pergunta Suze com firmeza. — Não foi um pouco de descuido da sua parte deixar fazerem isso?

— Meu pai é surdo e praticamente cego! — O Sr. Evans parece mais enfurecido agora. — Os enfermeiros dele entram e saem, mas não sabem de nada. Vocês se aproveitaram dos mais fracos, isso sim. — O rosto dele está quase roxo, e os olhos amarelados são tão ameaçadores que eu me encolho.

— A culpa não é minha! Eu não fiz nada! Eu nem sabia! Você pode pegar os quartos de volta — acrescento rapidamente. — Ou... podemos pagar por eles, talvez? É que estamos desesperados, morando com os meus pais, e temos uma filha de 2 anos...

Olho desesperada para o Sr. Evans, tentando torná-lo mais flexível, mas ele está com mais cara de assassino psicopata do que antes.

— Vou ligar para o meu advogado. — Ele dá a volta e vai para casa.

— O que isso quer dizer? — exijo de Magnus. — O que vai acontecer?

Ele não consegue nem me olhar nos olhos.

— Infelizmente, vai ficar complicado. Vamos ter que consultar os documentos e buscar aconselhamento legal. Talvez a obra precise ser desfeita, ou talvez o Sr. Evans aceite um acordo... Acho que vocês conseguirão sucesso em processar o proprietário, deve haver uma acusação de fraude...

Eu o encaro com desalento. Não me interessa a acusação de fraude. Quero uma casa.

— Então não vamos poder nos mudar na semana que vem?

— O negócio está cancelado por enquanto, sinto muito.

— Mas nós precisamos de uma casa! — reclamo. — Esta é a nossa quinta tentativa!

— Sinto muito. — Magnus pega o celular. — Por favor, me deem licença, preciso conversar com os nossos advogados.

Enquanto ele se afasta, olho para Suze. Por um momento, nenhuma de nós duas diz nada.

— Eu não estou acreditando — falo, finalmente. — Será que somos *amaldiçoados*?

— Vai dar tudo certo — diz Suze, esperançosa. — Todo mundo vai processar todo mundo e você vai ficar com a casa no final. Além do quê, se você *tiver* que continuar morando mais um pouco com a sua mãe, pense em como ela vai ficar feliz.

— Não vai nada! — retruco, desesperada. — Ela vai ficar uma fera! Suze, ela não tem nada de síndrome do ninho vazio. A gente entendeu tudo errado.

— O quê? — Suze parece chocada. — Mas eu achei que ela ia sentir muito a sua falta e ia querer se matar.

— Era tudo fingimento! Ela mal pode esperar para a gente ir embora! A *vizinhança* toda está contando com isso. — Coloco as mãos na cabeça, desesperada. — O que eu vou fazer?

Faz-se silêncio, enquanto nós duas olhamos em volta do jardim.

Talvez a gente possa invadir, penso. Ou montar uma barraca grande no jardim e torcer para que ninguém nos veja. Podemos ser pessoas com um estilo de vida alternativo, daquelas que moram num yurt. Eu posso mudar o meu nome para Arco-Íris, o Luke pode ser Lobo e a Minnie pode ser Corre-na-Grama-de-Maria-Chiquinha.

— O que vocês vão fazer então? — Suze interrompe a minha fantasia, na qual estou sentada perto de uma fogueira e Luke está cortando madeira, com uma calça de couro velha e com a palavra "Lobo" tatuada na mão.

— Sei lá — digo, sem esperanças. — Tenho que pensar em alguma coisa.

* * *

Quando volto para casa, vejo mamãe e Minnie na cozinha: as duas de avental, decorando cupcakes. (Mamãe comprou o glacê e os cupcakes na loja de 1 libra.) Elas estão tão entretidas e felizes que por um instante não me veem, e, sem aviso, eu tenho o flashback mais esquisito da minha vida: Elinor está parada no provador, parecendo velha, triste e solitária, perguntando se pode ver a neta.

Elinor não vê Minnie desde que ela era bebê. Já perdeu *tanta* coisa da vida da neta... Eu sei que a culpa é dela e que ela é uma megera, mas mesmo assim...

Ai, meu Deus. Me sinto tão dividida... Será que devo deixar Minnie conhecê-la melhor? É claro que eu não consigo imaginar Elinor decorando cupcakes, mas elas podem fazer alguma coisa juntas. Talvez olhar o catálogo da Chanel.

Minnie está tão concentrada colocando granulados coloridos nos cupcakes que eu não quero atrapalhar. O rosto dela está vermelho de tanto empenho, o nariz está franzido e há granulados colados com glacê nas suas bochechas. Ao observá-la, meu coração fica feliz. Eu poderia ficar aqui olhando para ela para sempre, enquanto mexe, cuidadosamente, no seu potinho. Então, de repente, ela me vê e seu rosto se ilumina.

— Mamãe! Ganulado! — Ela levanta o pote de granulado, toda orgulhosa.

— Muito bem, Minnie! *Olha só* os seus lindos cupcakes! — Eu corro e dou um beijo nela, que está com o rosto cheio de açúcar de confeiteiro. Na verdade, parece haver uma fina camada de açúcar de confeiteiro na cozinha toda.

— Come. — Agora a Minnie está me oferecendo um cupcake. — Come ganulado. — Ela começa a enfiar tudo na minha boca.

— Hum! — Não consigo deixar de rir quando os pedaços caem no meu queixo. — Hum.

— Então, Becky! — Mamãe olha para mim com o saco de confeitar na mão. — E a casa?

— Oh! — Me recomponho. — Ótima.

O que não deixa de ser verdade. A casa *era* ótima, apesar do fato de metade dela ter sido roubada.

— E está tudo certo para vocês se mudarem?

— Bem. — Coço o nariz e os granulados caem no chão. — Talvez atrase um pouquinho...

— Atraso? — Ela fica tensa na hora. — Que tipo de atraso?

— Eu ainda não tenho certeza. — Tento voltar atrás rapidamente: — Pode não ser nada.

Olho preocupada para minha mãe. Seus ombros estão tensos, o que não é bom sinal.

— Bom, é claro que se *houvesse* um atraso — diz ela, finalmente —, vocês poderiam continuar aqui. Não podemos imaginar outra coisa.

Ai, meu Deus. Ela parece tão nobre e abnegada que eu não aguento.

— Tenho certeza de que não vai chegar a esse ponto! — digo rapidamente. — Porém, se chegasse... nós sempre podemos... alugar? — Mal ouso dizer a palavra e ela surta como um tubarão que sente cheiro de sangue.

— *Alugar?* Você não vai *alugar* uma casa, Becky. Isso é jogar dinheiro fora!

Mamãe é patologicamente contra aluguel. Todas as vezes que eu tentei sugerir que eu e Luke poderíamos alugar algo, ela reagiu como se fôssemos dar dinheiro ao proprietário só para irritá-la. E quando eu digo que "milhares de pessoas na Europa pagam aluguel", ela torce o nariz e diz: "Europa!"

— Becky, *existe* algum problema? — Ela para de decorar os cupcakes e olha enfaticamente para mim. — Vocês vão se mudar ou não?

Eu não posso dizer a verdade. Nós temos que nos mudar, de qualquer jeito.

— É claro que vamos! — digo feliz. — É claro! Eu só disse que *talvez* haja um atraso, mas é mais provável que não ocorra. Vamos embora daqui a três semanas. — Saio rápido da cozinha, antes que ela pergunte mais alguma coisa.

Tudo bem. Então eu tenho três semanas para resolver a situação da casa. Ou achar outra solução. Ou comprar um yurt.

Nossa, como os yurts são caros! Eu acabei de pesquisar na internet. Milhares de libras só por um pouco de lona impermeabilizada. Então, eu não sei se vamos fazer isso. Na verdade, não sei *o que* vamos fazer.

Mas não pensarei nisso agora, porque estou prestes a fazer a minha primeira troca. Meus pais saíram, Luke tem um jantar de negócios e Minnie está dormindo, então está tudo tranquilo. Eu estou muito animada! Darei início a um estilo de vida completamente novo: sem consumo, ecológico e com trocas éticas na comunidade local. É assim que a vida *deve* ser. Acho que eu nunca mais farei compras. As pessoas vão me chamar de A Mulher que Nunca Faz Compras.

Minha primeira negociante, Nicole Taylor, chegará às 7 com a tenda e eu darei duas bolsas Marc Jacobs para ela. É uma troca muito justa, principalmente porque eu não uso mais essas bolsas. Embrulhei as duas com papel de seda, depois coloquei-os nos pacotes originais e até acrescentei um chaveiro Marc Jacobs, para ser generosa. O único problema que eu posso prever é que poderá ser difícil colocar a tenda na garagem, caso seja grande demais. No entanto, tenho certeza de que darei um jeito.

Depois, um engolidor de fogo chamado Dylan vem trocar os seus serviços por uma carteira Luella (o que me pareceu um pouco estranho, mas talvez ele a queira para dar para a namorada ou algo assim). E também vem uma malabarista, que vai ganhar um par de sandálias Gina, e uma mulher que faz canapés e vai trocar seus quitutes por um casaco Missoni. (Vai ser triste abrir mão dele, mas o da Banana Republic, que eu ofereci originalmente, não recebeu nenhuma oferta.)

Eu fiquei mais animada com o engolidor de fogo. Ele disse que faria uma demonstração. Será que ele vem com uma roupa cheia de lantejoulas? A campainha toca e eu sinto um frio na espinha; vou correndo em direção à porta da frente. Deve ser a tenda!

— Olá!

Abro a porta rapidamente, com esperanças de ver uma tenda de casamento enorme, completamente montada e iluminada na frente da casa.

— Oi.

Uma garota magra me olha de lado, do degrau. Ela deve ter uns 16 anos; seu cabelo é escorrido, partido ao meio, o rosto pálido e não parece trazer uma tenda com ela, a não ser que esteja muito bem dobrada.

— Você é a Nicole? — pergunto, incerta.

— Sou. — Seu hálito tem cheiro de chiclete de menta.

— Você veio aqui para trocar uma tenda por duas bolsas Marc Jacobs?

Há uma longa pausa, como se ela estivesse pensando sobre isso.

— Posso ver as bolsas? — diz ela.

Não era exatamente isso que eu esperava.

— Bem, posso ver a tenda? — replico. — Qual é o tamanho? Cabem duzentas pessoas nela? É listrada?

Mais uma longa pausa.

— Meu pai é dono de uma empresa de tendas — diz ela, finalmente. — Posso arranjar uma para você, juro.

Ela pode *me arranjar uma*? Que porcaria de troca é essa?

— Você deveria tê-la trazido com você! — falo com indignação.

— É, bem, eu não conseguiria, não é verdade? — diz ela, meio ríspida. — Mas vou arranjar uma para você. Para quando precisa? Essas são as bolsas? — Seus olhos se voltam de maneira gananciosa para as sacolas do Marc Jacobs, que estão perto dos meus pés.

— São — digo, relutante.

— Posso dar uma olhada?

— Acho que sim.

Ela desembrulha a primeira — uma bolsa grande e cinza —, suspira e seu rosto se ilumina. Não consigo deixar de sentir uma pontada de compaixão. Dá para ver que ela também é apaixonada por bolsas.

— Nossa, eu amei. *Preciso* ficar com ela. — Nicole já colocou a bolsa no ombro e está balançando-a para lá e para cá. — Cadê a outra?

— Olha só, você só pode ficar com elas se me der uma tenda...

— Oi, Daryl.

Ela levanta a mão para outro adolescente magrelo, que se aproxima da casa. Ele está usando calça jeans skinny, seu cabelo é pintado de preto e ele carrega uma mochila nas costas.

Ele é o engolidor de fogo?

— Você o conhece? — pergunto, um pouco descrente.

— Nós fazemos faculdade juntos. Estamos no sexto período do curso de moda. — Nicole mastiga o chiclete. — Foi por isso que vimos os seus anúncios na internet.

— Oi. — Daryl chega perto e levanta a mão mole, numa espécie de cumprimento. — Sou o Daryl.

— Você é mesmo um engolidor de fogo?

Olho para ele com dúvida. Eu estava imaginando alguém mais másculo, bronzeado, com dentes brilhantes e uma sunga de lantejoulas. Por outro lado, eu não deveria julgar ninguém. Talvez esse Daryl tenha crescido num circo ou algo assim.

— Sou. — Ele confirma com a cabeça, várias vezes, e seus olhos piscam muito.

— E você quer a minha carteira Luella em troca?

— Eu coleciono artigos da Luella. — Ele balança muito a cabeça. — Amo a Luella.

— Daryl cria bolsas — acrescenta Nicole. — Ele é, tipo, *muito* talentoso. Onde você comprou isto? — Ela ainda está em transe com a bolsa Marc Jacobs.

— Na Barneys, em Nova York.

— Na Barneys? — Ela suspira. — Você já foi lá? Como é?

— Na verdade, eu trabalhava lá.

— *Mentira.* — Agora Daryl está me encarando admirado. — Estou guardando dinheiro para ir a Nova York.

— Nós dois estamos. — Nicole concorda com animação. — Eu tinha 160 libras até o Natal. Só que começaram as liquidações e eu entrei na loja da Vivienne Westwood. — Ela faz uma cara de sofrimento.

— Eu entrei na Paul Smith. — Daryl suspira. — Agora só tenho 30 libras.

— E eu estou com menos 80 libras — diz Nicole, toda triste. — Estou devendo ao meu pai. Ele me perguntou por que eu precisava de outro casaco, e eu disse: "Pai! É da Vivienne *Westwood*." E ele me olhou com uma cara tipo: "Hã?"

— Sei exatamente como você se sente — não consigo deixar de concordar, com simpatia. — Eles simplesmente não entendem. Qual era o casaco? *Não* era aquele vermelho maravilhoso com o forro, era?

— Isso! — Seu rosto se ilumina. — Esse mesmo! E uns sapatos lindos... Tenho fotos deles em algum lugar... — Ela começa a procurar no celular.

Ela é exatamente como eu! Eu tenho fotos de todas as minhas roupas preferidas.

— Posso segurar a Luella? — pergunta Daryl enquanto eu admiro os sapatos Westwood de Nicole.

— É claro! Aqui está. — Entrego a carteira Luella para ele e Daryl a observa, por um instante, admirado. — Então...

Talvez seja hora de falar de negócios. Você pode demonstrar como engole fogo? É para uma festa. Quero que seja muito legal.

Há uma pequena pausa, e então Daryl diz:

— Posso, claro. Vou mostrar para você.

Ele coloca a mochila no chão, mexe nela por um tempo e pega um bastão grande, que acende com um Zippo.

Não parece nem um pouco um bastão de um engolidor de fogo. Parece uma cana de bambu do jardim.

— Vamos lá, Daryl. — Nicole o observa concentrada. — Você consegue.

Daryl joga a cabeça para trás, mostrando o pescoço fino, e levanta o bastão. Com a mão tremendo, ele traz a chama para bem perto da boca, mas depois hesita e afasta o bastão.

— Foi mal — murmura ele. — É quente.

— Você consegue! — Nicola o encoraja de novo. — Vamos. É só pensar na *Luella*.

— Beleza. — Seus olhos estão fechados e ele parece estar se preparando psicologicamente. — Vou conseguir, vou conseguir.

Metade do bastão já está pegando fogo. OK, não existe a menor *possibilidade* de ele ser um verdadeiro engolidor de fogo.

— Espera! — exclamo no momento em que ele levanta novamente o bastão em chamas. — Você já fez isso antes?

— Aprendi no YouTube — diz Daryl, com o rosto suado. — Vou conseguir.

YouTube?

— Expira, Daryl — diz Nicole, parecendo ansiosa. — Lembre-se, *expira*.

Ele levanta o bastão de novo com a mão tremendo. As chamas de cor laranja estão aumentando, como se estivéssemos no inferno. Daqui a pouco ele vai botar fogo em todos nós.

— Vamos — ele fala para si mesmo. — *Vamos*, Daryl.

— Para! — grito horrorizada. — Você vai se machucar! Olha só, você pode ficar com a carteira Luella, está bem? Pode *ficar* com ela! Só não queime o seu rosto!

— Jura? — Daryl abaixa o bastão, parecendo um pouco pálido e trêmulo, e de repente dá um pulo quando a chama queima sua mão. — Ai! Droga! — Ele deixa o bastão cair no chão ao sacudir a mão, e nós o observamos enquanto pega fogo.

— Você não é um engolidor de fogo, é? — digo finalmente.

— Não. — Ele arrasta o pé no chão. — Eu só queria a carteira. Você vai me dar mesmo?

Não posso culpá-lo. Para ser sincera, se eu tivesse visto um anúncio oferecendo uma bolsa de marca em troca de habilidades para engolir fogo, acho que também fingiria ser capaz de fazer isso. Mas, mesmo assim, continuo me sentindo frustrada. O que eu vou fazer com a festa do Luke agora?

— Está bem. — Suspiro. — Pode ficar com ela.

Olho para Nicole, que está toda esperançosa, agarrada à bolsa cinza Marc Jacobs. A verdade é que eu não uso mais nenhuma dessas bolsas e algo me diz que eles nunca vão me arranjar uma tenda.

— E, Nicole, você pode ficar com as bolsas Marc Jacobs, se quiser.

— Uau! — Ela quase explode de alegria. — É sério mesmo? Você quer que eu... lave o seu carro ou algo do tipo?

— Não, obrigada! — Eu não consigo deixar de rir.

O rosto de Nicole está repleto de felicidade.

— Isso é *sensacional*. Olha, é a Julie!

— Não me diga — falo para ela. — Mais uma amiga de vocês.

Uma adolescente loura se aproxima da casa, segurando três bolas coloridas.

— Oi! — Ela sorri, hesitante. — Sou a malabarista, para as sandálias Gina.

— Você sabe fazer malabarismo? — pergunto diretamente.

— Bem... — Ela olha ansiosa para Nicole, que faz uma careta e balança a cabeça. — Hmm... Eu aprendo rápido?

Quando Daryl, Nicole e Julie vão embora, eu sento no degrau, em frente à casa, e fico olhando para o nada, abraçada aos meus joelhos. Não consigo deixar de me sentir deprimida. Que belas trocas... Não que eu seja *contra* dar algo de graça. Na verdade, foi um prazer ver as minhas coisas sendo levadas para bons lares e saber que os três adolescentes ficaram muito agradecidos.

Mas, mesmo assim, não foi uma transação exatamente bem-sucedida, não é? Se você quiser saber, fazer trocas é uma porcaria e eu não sei por que acreditei na Jess. Perdi três bolsas de marca e um par de sandálias e não ganhei nada em retorno. Não estou conseguindo organizar a festa... e nós não temos uma casa... e precisamos sair da casa dos meus pais... Minha cabeça está caindo cada vez mais para a frente e eu demoro uns instantes até ouvir uma voz gentil dizendo:

— Rebecca?

Olho para cima e vejo uma mulher alinhada, vestida com um casaco e uma saia, segurando uma bandeja de comida.

— Sou a Erica — diz ela. — Do Oxshottmarketplace.com. Quero trocar os canapés pelo casaco Missoni. Resolvi trazer uma seleção deles para você escolher.

Demoro para me levantar e a encaro, com suspeita, por um instante.

— Você realmente sabe cozinhar?

Erica ri.

— Pode provar. — Ela aponta para a bandeja. — E você me diz.

Silenciosamente, eu estico o braço, pego um canapé e dou uma mordida. É de camarão com chilli, numa massinha crocante. É uma delícia, assim como o enroladinho de mussarela com abacate.

Quando termino de comer todos, já estou me sentindo um milhão de vezes melhor. A Erica tem um serviço bufê de verdade! Ela vai fazer uma boa seleção e servir pessoalmente. E o casaco Missoni ficou ótimo nela, principalmente quando acrescentei um cinto fino, as botas brilhosas até o joelho da Prada (elas sempre machucavam as minhas canelas e eu nunca as usava mesmo) e arrumei o cabelo dela.

Ela ainda disse que, se eu quisesse um bufê para a festa toda, estaria disposta a fazer mais trocas!

Eu estou muito orgulhosa. Deu certo! Aqui estou eu, fazendo trocas na minha comunidade local, sendo completamente ecológica e justa, usando as fontes do mundo da maneira como *devem* ser usadas. Sem dinheiro, sem cartão de crédito, sem desperdício. Espere só até eu contar para a Jess!

Entro em casa toda feliz para ver como a Minnie está. Depois ligo o laptop e, só por curiosidade, entro no site de bufê da Erica. Nossa! É realmente impressionante. Lá está ela, bem-sucedida e profissional, vestindo o seu avental. E há uma página de recomendações... e aqui está uma lista de cardápios de festa... e...

O quê?

Olho a página do site em estado de choque. Não estou acreditando.

O casaco Missoni, as botas Prada e o cinto que eu troquei com ela davam um total de 1.600 libras, no *mínimo*, e aqui diz que eu posso ter exatamente a mesma quantidade de canapés por 1.200 libras no "Negócio Especial de Belisquetes".

Gastei 400 libras a mais. Não é *à toa* que ela ficou tão entusiasmada.

Ao fechar o laptop, estou completamente revoltada. Eu tinha razão pela primeira vez: fazer trocas é um sistema idiota, imbecil, houve um *motivo* para ter saído de moda e eu nunca mais vou fazer isso, nunca. O que há de errado com o *dinheiro*?

DR. JAMES LINFOOT
36 HARLEY STREET
LONDRES W1

Rebecca Brandon
The Pines
Elton Road, 43
Oxshott
Surrey

17 de fevereiro de 2006

Prezada Rebecca,

Obrigado pela sua carta do dia 15 de fevereiro.

Sou, de fato, um especialista em coração e pulmão, e fiquei triste ao saber dos seus sintomas. No entanto, acho improvável que tenham sido causados por "parar de fazer compras de uma hora para outra".

Não concordo que seja imperativo que você "compre algumas coisinhas pelo bem de sua saúde". Também não posso enviar uma "receita para fazer compras".

Sugiro que você marque um horário com o seu clínico geral, caso os sintomas persistam.

Atenciosamente,

James Linfoot

UNIDADE DO DEPARTAMENTO CENTRAL DA POLÍTICA MONETÁRIA

5º Andar
Whitehall Place, 180
Londres, SW1

À Sra. Rebecca Brandon
The Pines
Elton Road, 43
Oxshott
Surrey

20 de fevereiro de 2006

Prezada Rebecca,

Obrigado pela carta do dia 16 de fevereiro.

Compreendo a sua infelicidade com a recente experiência de trocas que não deu certo. Pode ter certeza que, caso eu tenha a oportunidade, avisarei ao ministro que "fazer trocas não é mesmo o caminho". Por favor, não se preocupe: ele ainda não colocou em prática a ideia de "trocar todas as nossas coisas com a França".

Se servir de consolo, as ineficiências de instrumentos financeiros ilíquidos sempre foram uma fonte de frustração para os investidores. Coincidentemente, no momento estou escrevendo um artigo intitulado "A história do orçamento e da avaliação de investimentos ilíquidos desde 1600" para o *British Journal of Monetary Economics*. Com a sua permissão, eu gostaria de usar o seu exemplo de decepção nas trocas como um "toque" de humor. Posso, é claro, dar o devido crédito na nota de rodapé, se você quiser.

Atenciosamente,

Edwin Tredwell
Diretor de Pesquisa Política

ALARIS PUBLICATIONS LTDA
PO Box 45
Londres E16 4JK

À Sra. Rebecca Brandon
The Pines
Elton Road, 43
Oxshott
Surrey

27 de fevereiro de 2006

Prezada Rebecca,

Obrigada pelo seu CD demo: "Discursos Inspiradores da Becky", que já ouvimos. Eles são realmente muito animados e têm alguns relatos muito divertidos.

Você afirma que a sua "mensagem profunda e espiritual é recebida de forma alta e clara". Infelizmente, depois de ouvi-lo várias vezes e com bastante atenção, não conseguimos detectar exatamente qual é a mensagem. Na realidade, parecia haver várias mensagens no seu texto, sendo que algumas contradiziam outras.

Não iremos, portanto, lançar um set de 12 volumes e anunciá-lo na TV, como você sugere.

Atenciosamente,

Celia Hereford
Diretora
Mente-Corpo-Espírito

ONZE

Está acontecendo. Definitivamente, está acontecendo, de verdade. Os convites para a festa já foram enviados! Não tem como voltar atrás agora.

Ontem a Bonnie mandou a lista final de convidados para a conta de e-mail secreta que eu criei para a festa. Ao analisar a lista, fiquei um pouco nervosa. Eu tinha esquecido como Luke é bem relacionado. Algumas pessoas importantes foram convidadas, como o presidente da Foreland Investments e todo o conselho do Bank of London. Tem até uma pessoa chamada bispo St. John Gardner-Stone, que me soa aterrorizante e que eu não acredito que possa ser amigo do Luke. (Eu procurei rapidinho, no Google e, ao ver sua barba enorme e cheia, acreditei menos ainda.)

Duzentas pessoas importantes vão à festa e eu ainda não tenho uma tenda. Não recebi mais respostas para os meus anúncios de trocas e não tenho *como* bancar o aluguel de uma tenda numa dessas empresas esnobes. Meu estômago dá um nó de ansiedade toda vez que eu penso nisso, mas preciso me manter otimista. Vou conseguir uma tenda de qualquer jeito. Preciso conseguir. Eu tenho os canapés, as decorações de mesa da loja de 1 libra e já fiz uns quarenta pompons...

Será que posso *fazer* uma tenda? Com sacolas de compras?

Imagino uma tenda perfeita de patchwork, com centenas de nomes de estilistas brilhando nela toda...

Não. Sejamos realistas. Pompons são o meu limite.

Por outro lado, o meu último plano maravilhoso é arranjar patrocínio para a festa. Escrevi milhares de cartas para diretores de marketing de empresas como Dom Perignon e Bacardi, dizendo que seria uma ótima oportunidade para eles estarem ligados a um evento tão extravagante e importante. Se somente alguns deles mandarem umas coisinhas de graça, nós estaremos bem abastecidos. (E, obviamente, eu os obriguei a manter segredo. Se um deles abrir a boca, estarão *mortos*.)

Eu me analiso, nervosa, e tiro uma poeirinha do casaco cor-de-rosa de tweed da Minnie. Nós estamos caminhando pela Piccadilly e eu nunca me senti tão apreensiva em toda a minha vida. Estamos chegando ao Ritz e a Elinor está lá, esperando num quarto, para o qual estamos indo.

Ainda não acredito que estou fazendo isso. Eu marquei um encontro secreto e não disse absolutamente nada para Luke. Sinto como se fosse a maior traição do mundo, mas, ao mesmo tempo... sinto que é uma coisa que preciso fazer. Preciso dar a Elinor uma chance de conhecer a neta. Só uma.

E se for um desastre ou se Elinor disser qualquer coisa horrível, eu simplesmente levo Minnie embora e finjo que nada aconteceu.

O Ritz está majestoso e lindo, como sempre, e eu tenho um súbito flashback do encontro que tive com Luke aqui, antes de começarmos a namorar. Imagine se eu soubesse naquela época que nós iríamos nos casar e ter uma filha! Imagine se eu soubesse que eu acabaria traindo Luke marcando um encontro secreto com sua mãe...

Não. Pare. Não pense nisso.

Ao entrarmos no Ritz, vejo uma noiva morena, a poucos metros de distância, usando o vestido justo mais lindo do mundo, com um véu comprido, cheio de brilhos, e uma tiara. Então eu sinto uma pontada de desejo. Nossa, eu adoraria me casar de novo.

Com o Luke, é óbvio.

— Plincesa. — Minnie está apontando para a noiva com seu dedo gordinho e os olhos dela estão arregalados. — Plincesa!

A noiva se vira e sorri, encantadoramente, para Minnie. Ela pega uma rosa pequena do buquê, vem até nós e a entrega para Minnie, que sorri de volta e tenta pegar outra, bem maior.

— Não, Minnie! — Seguro a mão dela a tempo. — Muito obrigada! — acrescento para a noiva. — Você está linda. Minha filha acha que você é uma princesa.

— Plíncipe? — Minnie está olhando em volta. — Plíncipe?

A noiva olha para mim e ri.

— Lá está o meu príncipe, querida. — Ela aponta para um homem de fraque que está vindo em nossa direção sobre o tapete estampado.

Nossa! Ele é baixinho, gordinho, quase careca e deve ter seus 50 e poucos anos. Parece mais um sapo. Pela testa franzida da Minnie, eu percebo que ela não se convenceu.

— Plíncipe? — pergunta ela de novo para a noiva. — Cadê plíncipe?

— Parabéns e tenha um ótimo dia! — digo rapidamente. — É melhor nós irmos. — Eu pego Minnie e saio correndo, enquanto sua voz ainda pergunta: "Cadê plíncipe?"

Estou torcendo um pouco para que o homem da recepção diga: "Sinto muito, Elinor Sherman vai passar a tarde fora", e assim nós poderemos esquecer tudo e ir para a Hamleys, em vez de ficar aqui. Mas ela obviamente instruiu os funcionários, porque ele imediatamente diz: "Ah, sim, as visitas da Sra. Sherman" e em seguida me leva, pessoalmente, até o elevador. Antes que eu perceba, estou num corredor que tem um carpete elegante, batendo na porta, e a minha mão treme, de repente.

Talvez tenha sido uma péssima ideia. Ai, meu Deus. Foi uma péssima ideia, não foi? Foi uma péssima, péssima, *infeliz* ideia...

— Rebecca.

Elinor abre a porta tão de repente que eu dou um gritinho de susto.

— Oi.

Aperto a mão da Minnie com mais força e, por um instante, todas nos entreolhamos. Elinor está usando uma roupa branca, de buclê, com pérolas gigantes no pescoço. Ela parece ainda mais magra e seus olhos estão estranhamente arregalados, enquanto olha para mim e para Minnie.

Ela está *com medo*, eu percebo de repente.

Tudo está ao contrário. Eu morria de medo *dela*.

— Entrem.

Ela abre espaço e eu levo, gentilmente, Minnie para dentro. O quarto é lindo, tem uma mobília majestosa e uma vista para o Green Park. Há uma mesa posta, com um bule de chá e um suporte chique de bolo, cheio de bombinhas e outras coisas. Levo Minnie até um sofá duro e a coloco sentada. Elinor senta também e há um momento de silêncio tão tenso e desconfortável que eu tenho vontade de gritar.

Finalmente, Elinor respira fundo.

— Você gostaria de uma xícara de chá? — ela pergunta a Minnie.

Minnie a encara de volta com os olhos bem abertos. Ela parece estar um pouco intimidada com a presença de Elinor.

— É Earl Grey — Elinor acrescenta para Minnie. — Posso pedir outros tipos se preferir.

Ela está perguntando para uma criança de *2 anos* de que tipo de chá ela gosta? Será que ela já teve algum contato com uma criança de 2 anos?

Bem. Na verdade, provavelmente não.

— Elinor... — digo gentilmente. — Ela não bebe chá. Ela não sabe exatamente o que é chá. Quente! — acrescento bruscamente quando Minnie se estica para pegar o bule. — Não, Minnie.

— Ah. — Elinor parece decepcionada.

— Mas ela pode comer biscoito — acrescento rapidamente.

Até eu estou de olho nesses biscoitos. E nos bolos.

Com a pontinha dos dedos, Elinor coloca um biscoito num prato com enfeites de ouro e o entrega para Minnie.

Ela pirou? Um prato caríssimo do Ritz... e uma criança? Tenho vontade de cobrir os olhos ao imaginar Minnie derrubando o prato, arremessando-o na parede, esmagando todo o biscoito, criando um caos, basicamente...

No entanto, para minha surpresa, Minnie está sentada imóvel, com o prato no colo, o biscoito intocado e o olhar ainda fixo em Elinor. Ela parece hipnotizada por ela. E Elinor também parece um pouco hipnotizada por Minnie.

— Sou sua avó, Minnie — diz ela rigidamente. — Você pode me chamar de... Vó.

— Fó — Minnie diz, hesitante.

Sinto um pânico atingir, subitamente, meu coração. Não posso deixar Minnie sair falando "Fó" por aí. Luke vai querer saber o que é ou quem é "Fó".

Não posso nem fingir que ela está falando da mamãe, porque ela a chama de "Vovó", o que é completamente diferente.

— Não — digo rapidamente. — Ela não pode chamar você de "Vó", nem de "Fó", nem nada disso. Ela vai ficar repetindo isso em casa e o Luke vai descobrir. Ele não sabe que eu estou aqui. — Sinto a tensão surgir na minha voz. — E ele *não pode* saber, está bem?

Elinor está em silêncio. Percebo que ela está esperando que eu continue. Eu estou no comando da situação.

— Ela pode chamar você de... — Tento pensar em alguma coisa inocente e impessoal. — Moça. Minnie, esta é a Moça. Consegue dizer "Moça"?

— Moça. — Minnie olha para Elinor com dúvida.

— Sou a Moça — diz Elinor depois de uma pausa, e eu sinto um pouco de pena dela, o que é ridículo, já que isso tudo é culpa dela, que sempre agiu como uma megera sem coração. Mesmo assim, é meio deprimente estar num quarto de hotel sendo apresentada a sua própria neta como "Moça".

— Trouxe uma distração.

Elinor levanta abruptamente e vai até o quarto. Aproveito a oportunidade para limpar a saia de Minnie e enfiar uma bomba de chocolate na boca. *Meu Deus*, que delícia...

— Aqui está. — Elinor volta com uma caixa nas mãos.

É um quebra-cabeça de um quadro impressionista, com duzentas peças.

Pelo amor de Deus. Não existe a menor possibilidade de Minnie montar um quebra-cabeça desses. É mais provável que ela o coma.

— Que ótimo! — digo. — Talvez possamos montar juntas!

— Eu gosto muito de quebra-cabeças — diz Elinor, e meu queixo quase cai no chão. Isso é inédito. Eu nunca ouvi Elinor dizer que gostava de alguma coisa.

— Bem... er... vamos abrir...

Abro a caixa e espalho as peças na mesa, contando que Minnie vai pegá-las, enfiá-las no bule ou algo desse tipo.

— A única maneira de montar um quebra-cabeça é sendo metódica — diz Elinor a Minnie. — Primeiro, viramos as peças.

Quando ela começa a fazer isso, Minnie pega um monte.

— Não — diz Elinor, olhando para Minnie com um ar de reprovação que costumava me deixar paralisada. — Assim não.

Por um instante Minnie fica imóvel, com as peças ainda em sua mãozinha, como se estivesse analisando a seriedade de Elinor. Elas estão se encarando fixamente e as duas parecem muito determinadas. Na verdade...

Ai, meu Deus, elas são iguais.

Acho que vou ter um ataque, vou desmaiar ou algo assim. Eu nunca tinha reparado nisso antes, mas Minnie tem os mesmos olhos, a mesma inclinação de queixo e o mesmo olhar dominador de Elinor.

Meu maior medo tornou-se verdade. Eu dei à luz uma miniElinor. Pego um suspiro pequeno e o enfio na boca. Preciso de açúcar, por causa do choque.

— Dê as peças para mim — diz Elinor para Minnie, que, depois de uma pausa, a obedece.

Por que a Minnie está se comportando tão bem? O que está *acontecendo*?

Elinor já começou a arrumar as peças na mesa e seu olhar está concentrado. Minha nossa. Ela estava falando sério quando disse que gostava de quebra-cabeça, não é mesmo?

— Como está o Luke? — pergunta ela, sem levantar os olhos, e eu fico paralisada.

— Ele... ele... está bem. — Tomo um gole de chá, torcendo para que tenha um pouco de conhaque. Só de falar no Luke já fico nervosa. Eu não deveria estar aqui; Minnie não deveria estar aqui; e se o Luke descobrir isso um dia...

— Teremos que ir daqui a pouco — digo abruptamente. — Minnie, mais cinco minutos.

Não acredito que estou agindo com tanta confiança. No passado, era sempre Elinor que entrava e saía quando bem entendia, e nós aceitávamos os seus horários.

— Eu e Luke tivemos um... desentendimento. — A cabeça dela está firmemente voltada na direção das peças.

Fico um pouco desconcertada. Não é sempre que Elinor menciona assuntos complicados de família.

— Eu sei — digo diretamente.

— Há traços no caráter do Luke que eu considero... — ela faz uma pausa de novo — difíceis de compreender.

— Elinor, eu realmente não devo tocar nesse assunto — digo, pouco à vontade. — Não posso falar sobre isso. É entre você e o Luke. Eu nem sei o que aconteceu. Só fiquei sabendo que você fez um comentário sobre a Annabel...

Estou imaginando coisas ou Elinor estremeceu um pouco? Suas mãos ainda estão mexendo nas peças do quebra-cabeça, mas seus olhos estão distantes.

— O Luke era dedicado a... aquela mulher — diz.

Aquela mulher de novo. Sim, e é exatamente assim que ele se refere a você, tenho vontade de dizer.

Mas é claro que eu não digo nada. Simplesmente tomo o meu chá, observando Elinor com cada vez mais curiosidade. Quem sabe o que se passa embaixo desse cabelo com laquê. Será que ela tem pensado, esse tempo todo, na briga com o Luke? Será que ela finalmente percebeu que errou feio? Será que ela *finalmente* percebeu tudo o que está perdendo?

Nunca conheci ninguém tão misterioso quanto ela. Eu adoraria entrar na cabeça dela, pelo menos uma vez, para ver o que a faz ser do jeito que é.

— Eu só a vi uma vez. — Elinor levanta a cabeça com uma expressão interrogativa. — Ela não me pareceu particularmente refinada, nem elegante.

— Foi isso que você disse ao Luke? — acabo perguntando, furiosa. — Que a Annabel não era refinada nem elegante? Não é à toa que ele tenha parado de falar com você. Ela *morreu*, Elinor! Ele está *arrasado*.

— Não — diz Elinor, e agora vejo um espasmo exatamente embaixo do seu olho. Deve ser o único milímetro quadrado que não tem botox. — Não foi isso que eu disse. Estou apenas tentando entender os exageros dele.

— O Luke nunca exagera! — falo com raiva.

Tudo bem, isso não é totalmente verdade. Preciso admitir que Luke é conhecido por ter reações exageradas de vez em quando. Mas, *francamente*, eu tenho vontade de bater na cabeça de Elinor com o bule de prata.

— Ele a amava — diz ela, e eu não consigo decifrar se é uma afirmação ou uma pergunta.

— Sim! Ele a amava! — Olho furiosa para Elinor. — É claro que amava!

— Por quê?

Eu a encaro de maneira suspeita, pensando se ela está tentando ganhar pontos comigo, mas logo percebo que está falando sério. Elinor realmente está me perguntando por quê.

— Como assim *por quê*? — Me irrito, frustrada. — Como você pode perguntar *por quê*? Ela era a *mãe* dele!

Há um silêncio doloroso e minhas palavras parecem pairar no ar. Sinto uma sensação de alfinetada esquisita surgindo dentro de mim.

Porque, é claro, Annabel não era a mãe do Luke. A mãe verdadeira dele é a Elinor. A diferença é que Annabel sabia *ser* mãe.

Elinor não tem a menor ideia do que é ser mãe. Em primeiro lugar, se ela soubesse o que é isso não teria abandonado Luke e o pai dele, quando o filho ainda era bem pequeno. Se ela soubesse, não teria dado as costas quando ele foi para Nova York, com 14 anos. Nunca vou me esquecer dele contando que ficou esperando na frente do prédio dela, desesperado para conhecer a mítica e glamourosa mãe, que ele nunca tinha visto. Quando ela finalmente apareceu, imaculada e linda como uma rainha, ele disse que ela o viu do outro lado da rua, e *com certeza* sabia exatamente quem ele era... mas fingiu que não o conhecia. Ela simplesmente entrou num táxi e desapareceu. Eles só se viram de novo quando Luke já era adulto.

Então, é claro que ele ficou um pouco obcecado com Elinor e é claro que ela o decepcionou várias vezes. Annabel entendia tudo e foi eternamente paciente e compreensiva, até mesmo quando Luke cresceu e ficou deslumbrado com a mãe. Ela sabia que ele era fascinado pela mãe biológica e que ela o magoaria de novo. Tudo o que Annabel queria era protegê-lo, como qualquer mãe.

Já Elinor... Elinor não faz ideia de nada.

Uma parte de mim quer dizer: "Quer saber de uma coisa, Elinor? Esquece, você nunca entenderá." Mas a outra parte quer aceitar o desafio. Quero tentar *fazê-la* entender, mesmo que isso seja impossível. Respiro fundo, tentando organizar meus pensamentos. Sinto como se fosse explicar outra língua para ela.

— Annabel amava Luke — digo, finalmente, fazendo várias dobras no meu guardanapo. — Incondicionalmente. Ela o amava por tudo de bom que ele tem e também por todos os seus defeitos. E não queria nada em troca.

Durante todo esse tempo que eu e Luke estamos juntos, Elinor só se interessou por ele quando havia algo que ele podia fazer por ela. Ou então quando queria arrecadar dinheiro para sua caridade idiota ou quando ele podia refletir algum tipo de glória para ela. Até o casamento que arranjou para nós no Plaza era para ela e para afirmar a posição *dela* na sociedade.

— Annabel teria feito qualquer coisa pelo Luke. — Olho para o meu guardanapo com determinação. — E ela nunca esperaria nada em troca. Ela tinha orgulho do sucesso dele, é claro, mas o amaria sempre, independentemente do que ele fizesse, de *qualquer coisa* que ele realizasse. Luke era simplesmente o filho dela, e ela o amava e nunca negava esse amor. Acho que ela não tinha como.

Estou ficando com um nó na garganta. Por mais que nós quase não víssemos Annabel, a morte dela também me afetou. Às vezes eu não acredito que ela não está mais aqui.

— E, a propósito, só para você saber, ela *era* elegante e refinada — não consigo deixar de acrescentar, com um pouco de raiva. — Quando o Luke começou a passar mais tempo em Nova York, conhecendo você melhor, ela só disse coisas boas a seu respeito. Ela o amava tanto que preferia fazer isso e vê-lo feliz a deixá-lo perceber o quanto estava magoada. Esta é uma maneira muito elegante e refinada de se comportar, se quer saber a *minha* opinião.

Percebo, horrorizada, que meus olhos estão cheios de lágrimas. Eu não deveria ter entrado nesse assunto. Enxugo os olhos furiosamente e pego a mão de Minnie.

— Precisamos ir, Min. Obrigada pelo chá, Elinor.

Pego minha bolsa de maneira apressada. Preciso sair daqui. Nem me preocupo em colocar o casaco em Minnie. Eu simplesmente o pego, e nós estamos quase na porta quando a voz de Elinor diz, atrás de mim:

— Eu gostaria de ver a Minnie de novo.

Apesar de não querer, eu acabo me virando e olhando para ela. Elinor está sentada imóvel na cadeira, com o rosto mais pálido e inexpressivo do que nunca. Não sei dizer se ela ouviu o que eu disse, muito menos se entendeu alguma coisa.

— Eu gostaria... — Ela parece estar falando com dificuldade. — Eu ficaria muito grata se pudesse marcar outro encontro entre mim e a Minnie.

Ela "ficaria muito grata". Nossa, como as coisas mudam.

— Não sei — digo, depois de uma pausa. — Talvez.

Os pensamentos estão girando na minha cabeça. Não era para ser o início de algo recorrente. Era para acontecer uma única vez. Já sinto como se tivesse traído Luke. E Annabel. E todo mundo. O que estou *fazendo* aqui?

Mas, ao mesmo tempo, não consigo me livrar daquela imagem: Minnie e Elinor se encarando silenciosamente, com o mesmo olhar hipnotizado.

Se eu não permitir que elas se encontrem, será que estarei repetindo o que aconteceu com Luke? Será que Minnie vai ficar complexada e me culpar por nunca tê-la deixado ver a avó?

Oh, Deus, é tudo tão complicado... Não consigo lidar com isso. Quero uma família normal, tranquila, na qual as avós são criaturas fofas que sentam perto da fogueira e fazem tricô.

— Eu simplesmente não sei — digo novamente. — Precisamos ir.

— Tchau, Minnie. — Elinor levanta a mão, rigidamente, como a rainha.

— Tchau, Moça — diz Minnie, toda feliz.

Percebo que o bolso do vestido de Minnie está cheio de peças do quebra-cabeça. Eu deveria tirá-las dali e devolvê-las para Elinor, porque, caso contrário, ela pode passar milênios tentando montar um quebra-cabeça que está incompleto. Isso seria muito irritante e frustrante para ela, não é?

Então, como uma pessoa madura e adulta, eu deveria devolvê-las.

— Tchau, então — falo, saio do quarto e fecho a porta.

No caminho para casa, já me sinto paranoica e culpada. Não posso contar para *ninguém* onde eu estive hoje. Ninguém entenderia e Luke ficaria arrasado. Ou furioso. Ou os dois.

Ao entrar na cozinha, estou preparada para um interrogatório imediato sobre onde eu e Minnie estivemos a tarde toda, mas mamãe simplesmente levanta o olhar, do local onde está, e diz: "Oi, filha." Tem algo no seu tom agudo e irritado que faz com que eu olhe para ela de novo, e suas bochechas estão vermelhas.

— Oi, mãe. Tudo bem? — Vejo uma meia azul-marinho em sua mão. — O que você está fazendo?

— Bem! — É claro que ela só estava esperando a pergunta. — Eu achei que seria óbvio! Estou costurando as meias do seu pai, já que somos *miseráveis* demais para comprar roupas novas...

— Eu não disse isso! — Papai entra na cozinha passando por trás de mim.

— ... mas agora ele diz que são inutilizáveis! — mamãe termina. — Parece inutilizável para você, Becky?

— Hã...

Analiso a meia que ela joga em mim. Não quero falar mal dos dotes da minha mãe, mas está meio torta e com uma costura enorme feita com um fio de lã azul-claro. *Eu* não gostaria de usá-la.

— Você não pode comprar meias novas na loja de 1 libra? — sugiro.

— Meias novas? E quem vai pagar por elas, posso saber? — pergunta mamãe, gritando, como se eu tivesse sugerido que o meu pai comprasse a melhor meia, feita sob medida e com as iniciais do nome dele, na Jermyn Street.

— Bem... er... elas só custam 1 libra...

— Já pedi meias na John Lewis — diz papai, com um ar decidido.

— John Lewis! — A voz dela fica mais estridente. — Nós podemos fazer compras na John Lewis nesse momento, é? Já entendi: há uma regra para você, Graham, e outra para mim. Bem, contanto que eu saiba onde é o meu lugar...

— Jane, não seja *ridícula*. Você sabe muito bem que um par de meias não vai nos levar à falência...

Sem que eles percebam, eu pego Minnie pela mão e saio da cozinha.

Meus pais estão muito tensos, principalmente minha mãe. Por sorte eu levei Minnie para jantar no Pizza Express no caminho de casa, então ela só precisa tomar um banho e um copo de leite. Depois, quando ela estiver na cama, eu poderei acessar a minha conta de e-mail secreta e ver se chegou alguma resposta...

— Becky.

A voz de Luke me faz pular como um gato assustado. Lá está ele, descendo as escadas. O que ele está fazendo em casa tão cedo? Será que ele sabe sobre Elinor? Do que será que ele suspeita?

Pare. Fique calma, Becky. Ele não suspeita de nada. Ele teve uma reunião com um cliente em Brighton, só isso.

— Ah, oi! — digo, sorridente. — Eu e Minnie apenas... saímos.

— Estou vendo. — Luke me olha confuso. — Como está a minha garotinha? — Ele se abaixa e pega Minnie no colo.

— Moça — diz Minnie seriamente.

— Moça? — Luke faz carinho no queixo dela. — Que moça, filhotinha?

— Moça. — Seus olhos estão bem abertos e respeitosos. — Quebra-cabeça.

Aaargh! Desde quando Minnie sabe dizer "quebra-cabeça"? Por que ela tem que expandir o vocabulário *agora*? Quais são as outras palavras que ela vai falar, assim, de repente? "Elinor?" "Hotel Ritz?" "Adivinha, papai, eu fui ver minha outra avó hoje"?

— Quebra-cabeça. — Ela pega as peças no bolso e mostra para Luke. — Moça.

— Que engraçado! — Rio rapidamente. — Nós vimos alguns quebra-cabeças na loja de brinquedos e havia um da Mona Lisa. Deve ser por *isso* que ela está dizendo "quebra-cabeça" e "moça".

— Chá — acrescenta Minnie.

— E nós tomamos chá — grito, desesperada. — Só a gente. Só nós duas.

Não diga "Fó", pelo amor de Deus, não diga "Fó"...

— Que beleza! — Luke coloca Minnie no chão. — Aliás, eu acabei de receber uma mensagem de voz da assistente do Michael.

— Michael! — digo sem pensar. — Que ótimo! Como ele está?

Michael é um dos nossos amigos mais antigos. Hoje ele mora nos EUA, mas foi sócio do Luke durante anos, e agora está praticamente aposentado.

— Não sei. Foi um pouco estranho. — Luke pega um Post-it e olha confuso para o papel. — A ligação estava ruim, mas eu *acho* que a assistente disse alguma coisa sobre o dia 7 de abril. Era algo sobre ele não poder ir a uma festa.

Festa?

Festa?

O mundo parece congelar. Estou imóvel, encarando, horrorizada, Luke. Meu coração parece bater ferozmente na minha cabeça.

Por que a assistente de Michael está *ligando*? Ela tinha que mandar um *e-mail*. Era para ser um *segredo*. Eu não escrevi isso bem grande? Não deixei claro?

— Ele nos chamou para alguma coisa? — Luke parece confuso. — Eu não me lembro de ter recebido nenhum convite.

— Nem eu — consigo dizer, depois de um tempo que parece ter sido seis horas. — Acho que o recado veio distorcido.

— De qualquer forma, nós não teríamos como ir aos EUA. — Luke está franzindo a testa enquanto olha para o recado. — Simplesmente não é viável. E eu acho que tenho algum compromisso nesse dia. Uma conferência de treinamento ou algo assim.

— Certo. — Concordo freneticamente com a cabeça. — Certo. Bem, por que eu não falo com o Michael? — Pego o Post-it de Luke, me esticando toda para não arrancá-lo da mão dele. — Pode deixar comigo. Eu preciso conversar com a filha dele, de qualquer forma. Às vezes ela vai na The Look quando está por aqui.

— É claro que vai. Aonde mais ela iria? — Luke dá um sorriso irresistível para mim, mas eu não consigo sorrir de volta.

— Então... Você se incomoda de dar banho na Minnie? — Tento falar calmamente. — Preciso fazer uma ligação rapidinho.

— Claro. — Luke vai até a escada. — Vamos, Min, é hora do banho.

Espero até eles subirem a escada para, então, sair correndo lá para fora e ligar para Bonnie.

— Desastre! Catástrofe! — Mal espero ela dizer "alô". — A assistente de um dos convidados ligou falando sobre a festa! Ela deixou um recado para o Luke! No final, eu consegui contornar a situação... Mas e se eu não tivesse conseguido?

— Minha nossa. — Bonnie parece chocada. — Que azar...

— Eu escrevi no convite "Não ligue"! — Estou histérica ao telefone. — Como eu poderia ter sido mais clara? E se as outras pessoas começarem a ligar? O que eu faço?

— Becky, fique calma — diz Bonnie. — Vou pensar em alguma coisa. Que tal se tomarmos café juntas amanhã para bolar um plano? Vou avisar ao Luke que chegarei mais tarde.

— Está bem. Muito obrigada, Bonnie. Até amanhã.

Aos poucos meu batimento cardíaco começa a desacelerar. Sinceramente, organizar uma festa surpresa de aniversário é como fazer corridas de 100 metros de forma inesperada, o tempo todo. Deveriam propor isso, em vez de personal training.

Uau, talvez eu acabe ficando em forma, sem fazer esforço. *Isso* seria muito legal.

Guardo o celular e estou voltando para dentro de casa quando ouço o barulho de um motor. Uma grande van branca está se aproximando da entrada da casa, o que é muito estranho.

— Oi. — Chego perto, hesitante. — Posso ajudá-lo?

Um cara, vestindo uma camiseta, bota a cabeça para fora da janela. Ele tem seus 40 e muitos anos, uma barba escura e um braço enorme cheio de tatuagens.

— Você é a garota das trocas? Becky?

— O quê?

Olho surpresa para ele. O que está acontecendo? Eu não coloquei nenhum anúncio recentemente. A não ser que ele tenha aqueles óculos escuros da Prada que estão na moda e queira trocar por um cachecol Missoni azul.

O que eu acho difícil.

— Minha filha prometeu uma tenda para você. Nicole Taylor. Lembra dela? Uma garota de 16 anos?

Esse é o *pai* da Nicole? De repente eu percebo que ele está franzindo muito a testa. Droga. Ele é muito assustador. Ele vai brigar comigo por ter negociado com uma menor de idade?

— Bem, sim, mas...

— Soubemos da história toda ontem. Minha esposa queria saber onde ela tinha conseguido as bolsas que você deu para ela. A Nicole não deveria ter feito o que fez.

— Eu não sabia que ela era tão nova — digo rapidamente. — Sinto muito...

— Você acha que uma tenda custa a mesma coisa que duas bolsas? — diz ele, me ameaçando.

Oh, Deus. Será que ele acha que eu estava tentando dar algum tipo de golpe?

— Não! Quer dizer... Eu não sei! — Minha voz fica alta de tanto nervosismo. — Eu só estava torcendo para que alguém tivesse uma tenda que não quisesse mais, sabe, largada por aí...

Paro de falar quando percebo que a minha voz pode estar chegando até a janela do banheiro. Droga.

— Podemos falar mais baixo, por favor? — Chego mais perto da van. — Era para ser um segredo. Então, se o meu marido aparecer... eu estou comprando frutas com você, pode ser?

O pai de Nicole olha para mim sem acreditar e diz:

— Quanto custaram aquelas bolsas mesmo?

— Elas custam cerca de mil libras quando são novas. Na verdade, eu acho que depende do quanto você gosta do Marc Jacobs...

— Mil paus. — Ele balança a cabeça, incrédulo. — Ela é uma porcaria de uma *lunática*.

Não ouso dizer nada; nem concordo, nem discordo. Na verdade, agora eu penso melhor e acho que ele pode estar falando de mim.

Abruptamente, o pai de Nicole olha para mim de novo.

— Muito bem — diz ele pesadamente. — Já que minha filha prometeu uma tenda para você, eu arranjarei uma tenda. Não posso garantir a montagem. Você terá que fazer isso sozinha. Mas vamos manter o acordo. Vou dar um jeito.

Por um instante, não acredito no que acabo de ouvir.

— Você vai me dar uma *tenda*? — Tapo a boca com a mão. — Ai, meu Deus. Você tem noção de que acabou de salvar a minha vida?

O pai de Nicole dá uma risada e me entrega um cartão.

— Um dos meus funcionários vai entrar em contato com você. É só dizer a data e informar que o Cliff já está sabendo, que nós vamos dar um jeito. — Ele passa a marcha na van e sai de ré.

— Obrigada, Cliff! — grito para ele. — Diga à Nicole que eu espero que ela esteja se divertindo com as bolsas!

Eu quero dançar no meio da rua, quero gritar de alegria. Consegui uma tenda! Não custou uma fortuna e agora tudo está resolvido. Eu *sabia* que ia conseguir.

UNIDADE DO DEPARTAMENTO CENTRAL DA POLÍTICA MONETÁRIA

5º Andar
Whitehall Place, 180
Londres, SW1

À Sra. Rebecca Brandon
The Pines
Elton Road, 43
Oxshott
Surrey

28 de fevereiro de 2006

Prezada Rebecca,

Obrigado pela resposta imediata. É muita bondade sua enviar a autorização tão rapidamente.

Infelizmente, *The British Journal of Monetary Economics* não é um periódico ilustrado e não tem "editor de fotografia" nem "estilista", como você sugere. Portanto, não poderei usar as fotografias do casaco Missoni, do cinto e das botas que você incluiu em sua carta tão gentilmente e vou encaminhá-las de volta, agradecido.

Atenciosamente,

Edwin Tredwell
Diretor de Pesquisa Política

DOZE

Desta vez nós fomos a um restaurante que fica mais no centro de Londres, bem longe do escritório de Luke. Ao chegar lá, vejo Bonnie na mesa do canto, imaculada como sempre, com um terninho coral e pequenos brincos de pérolas que eu fiz Luke comprar para ela de presente de aniversário. Ela parece perfeitamente à vontade sentada sozinha, com a cabeça erguida, tomando calmamente uma xícara de chá. É como se ela já tivesse sentado milhões de vezes sozinha em restaurantes.

— Os brincos ficaram lindos! — falo ao sentar na cadeira em frente a ela.

— São lindos mesmo! — diz Bonnie, passando a mão em um deles. — Espero que você tenha recebido a minha mensagem de agradecimento, Becky. Como foi que você conseguiu?

— Fui muito sutil — digo orgulhosa. — Vi na internet e disse ao Luke que queria para mim. Depois eu disse: "Na verdade, não! Vão combinar com alguém que tenha outro tom de pele. Talvez alguém como a sua assistente, a Bonnie!"

Não vou comentar que tive que dizer isso umas cinco vezes, cada vez mais alto, até que Luke ao menos tirasse o olho do laptop.

— Você é uma especialista. — Bonnie suspira. — Não tive tanta sorte em relação à sua academia no porão. Sinto muito. Eu *tentei* falar sobre o assunto...

— Ah, não se preocupe mais com isso. A casa está em suspenso, por enquanto. — Pego o cardápio e o coloco de volta na mesa, distraída. — Estou mais preocupada com a festa. Você *acredita* no que aconteceu ontem à noite?

— As pessoas são tão relaxadas quando se trata de convites. — Bonnie faz um barulho com a boca em sinal de desaprovação. — Elas nunca leem as instruções direito.

— O que eu devo fazer? — Torço para que ela já tenha pensado numa solução inteligente e Bonnie logo me tranquiliza, fazendo um sinal com a cabeça calmamente.

— Tenho uma sugestão. Podemos entrar em contato pessoalmente com cada convidado e reiterar a natureza supersecreta da festa, evitando, assim, qualquer outro contratempo.

— Isso — digo devagar. — É uma boa ideia. Vou levar a lista amanhã para o trabalho.

— Becky, posso fazer as ligações? — diz Bonnie gentilmente. — Se você ligar, dará a impressão de que é o contato. No entanto, você *não* deveria ser o contato. Nós precisamos separar, o máximo possível, você dos convidados, para que não aconteça qualquer outro engano.

— Mas daria muito trabalho! Você não pode fazer isso!

— Não me incomodo nem um pouco. Sério, fico feliz em ajudar. É muito divertido!

— Bom... obrigada!

Há um garçom por perto, e eu peço um cappuccino duplo. Preciso de cafeína. Essa festa está dando mais trabalho do que eu imaginava. Os músculos da minha mão estão doendo de tanto que eu corto sacolas de plástico para fazer pompons (já fiz 72), e também estou sempre paranoica, achando que o Luke vai encontrar a minha pasta com anotações. Ontem à noite eu sonhei que ele chegava em casa no momento em que eu estava fazendo o bolo de aniversário dele. Aí eu tinha que fingir que era para o café da manhã e ele dizia: "Mas eu não quero bolo de café da manhã."

O que é um sonho idiota, porque não existe a menor *possibilidade* de eu fazer um bolo de aniversário para duzentas pessoas.

Oh, céus. Preciso acrescentar isso à lista. *Encomendar bolo de aniversário.*

— Becky, querida, relaxe — diz Bonnie, como se estivesse lendo os meus pensamentos. — Pequenos imprevistos sempre vão acontecer, mas parece que você está com tudo sob controle. Você sabe que o Luke tem funcionários muito leais — ela acrescenta baixinho. — Eles ficarão felizes com esta oportunidade de mostrar o quanto gostam dele.

— Puxa! — Fico um pouco emocionada. — Bem... Isso é muito bom.

— Eu nunca tive um chefe que defendesse os funcionários com tanta *determinação*. Se um cliente é difícil ou há uma reclamação, o Luke insiste em ir à reunião. Ele diz que é o nome dele que está na porta e que, por isso, é ele quem deve lidar com as críticas. É claro que isso também pode significar uma fraqueza — acrescenta ela, de modo pensativo, enquanto bebe o chá. — Acho que ele deveria delegar mais.

Não consigo deixar de olhar para Bonnie de uma maneira diferente. O que será que ela observa, enquanto está sentada, quietinha num canto, olhando para todo mundo?

— Esse novo cliente, que trabalha com carbono, parece ser bacana — digo, com a intenção de estimulá-la a falar mais.

— Ah, sim. O Luke adorou o resultado. É claro que ele tentou não criar expectativas... Mas eu sempre sei quando uma reunião é importante para ele. — Bonnie dá um sorrisinho de repente. — Por que ele refaz a gravata.

— *Sim*! — exclamo, reconhecendo aquela característica. — Ele faz isso em casa também!

Nós sorrimos uma para a outra, e eu tomo um gole do cappuccino. De certa forma, é esquisito falar sobre o Luke sem que ele saiba, mas, por outro lado, é muito legal ter com quem compartilhar isso. Ninguém mais conhece as peculiaridades do dia a dia dele.

— Você sempre fez amizade com as esposas dos seus chefes? — não consigo deixar de perguntar. — Ou com os maridos?

— Na verdade, não. — Ela está quase achando divertido. — Eles não me considerariam uma... amiga. Acho que não.

Eu já vi fotos da Lady Zara Forrest, a esposa do ex-chefe da Bonnie. Ela é dona de um spa em Notting Hill e está sempre dando entrevistas. Não consigo imaginá-la andando e conversando com Bonnie.

— Bom acho que para você é mais natural fazer amizade com as outras pessoas da empresa — digo rapidamente. — O clima de lá parece ser ótimo...

— É, sim — diz Bonnie. — Mas como assistente pessoal do Luke, fico numa posição complicada. Preciso ser discreta sobre alguns assuntos. Então, é natural que exista uma distância entre mim e os outros. — Ela sorri. — Sempre foi assim.

Ela é solitária.

Percebo claramente. É claro que ela poderia ter uma vida social agitada fora do ambiente de trabalho, mas de alguma forma eu acho que não é bem assim. Luke comentou uma vez que ela sempre está disponível nos finais de semana, que sempre responde em menos de uma hora os e-mails e que isso o ajuda muito. Talvez seja ótimo para ele. Mas será que é bom para ela?

— Bem, eu fiquei muito feliz por *nós termos nos* conhecido melhor — digo calorosamente. — Eu disse que nós formaríamos uma boa equipe. A propósito, estou tentando dar um jeito na questão do ar-condicionado.

Luke mantém o escritório gelado *demais*. Não é à toa que Bonnie morre de frio.

— Obrigada! — Ela sorri. — Tem mais alguma coisa que eu possa fazer por você?

— Deve haver alguma coisa... — Tomo uns goles do café, pensando sobre o assunto. — Ah, sim! Sabe aquele novo sabonete líquido que o Luke está usando? Não tem um cheiro horrível?

— Sabonete líquido? — Bonnie parece desconcertada. — Bem, eu não poderia comentar...

— Você *com certeza* já sentiu o cheiro. É aquele de alecrim com ginseng. Eu odeio, mas ele diz que o mantém desperto. Bem, se você dissesse que também odeia, talvez ele parasse de usar.

— Becky, querida. — Bonnie olha para mim. — Eu não tenho como comentar sobre algo tão pessoal quanto um *sabonete líquido*.

— Tem sim! É claro que tem! Pode acreditar em mim. O Luke respeita todas as suas opiniões e não ficaria ofendido. Sabe aquela gravata azul dele com desenhos de carros? Você também pode dizer a ele que é horrorosa?

— Becky, realmente...

— Por favor. — Sorrio de forma cativante para ela, de esposa para secretária. — *Com certeza* você também odeia essa gravata.

— Bem... — Bonnie parece desconfortável. É claro que odeia.

Desembrulho o biscoito e dou uma mordida, ponderando. Um pensamento novo e radical me ocorre. Existe uma maneira melhor de usar a influência que ela tem sobre Luke a meu favor. É claro.

— Bonnie... Você é filha única? — pergunto finalmente.

— Não, eu tenho um irmão.

Perfeito!

— Bom, se você tiver oportunidade... Você poderia falar dele para o Luke e dizer o quanto ter um irmão é importante para você? E talvez perguntar se ele quer ter mais filhos, além da Minnie, e dizer que seria ótimo se ele os tivesse? E também que ele deveria andar logo com isso?

Bonnie parece horrorizada.

— Becky! Isso *realmente* não é da minha conta... Eu *realmente* não poderia...

— Pode sim! — digo, tentado encorajá-la. — Quero muito ter outro filho e sei que, lá no fundo, ele também quer. Ele certamente ouviria você.

— Mas...

— Mas só se você tiver oportunidade — tento, para tranquilizá-la. — Se surgir numa conversa. Vamos pedir a conta?

Quando saímos do restaurante, dou um abraço impulsivo nela.

— Muito obrigada por tudo, Bon. Você é a melhor!

Eu deveria ter ficado amiga da Bonnie há *milênios*. Da próxima vez, vou pedir para ela convencer o Luke de que temos que ir para as Ilhas Maurício.

— Imagina. — Ela ainda está um pouco atordoada, mas sorri para mim. — E, por favor, não se preocupe com a festa. Tenho certeza de que o Luke não está suspeitando de nada.

— Não tenho tanta certeza. — Olho para os lados, toda paranoica. — Eu contei para você que a gente se esbarra depois do nosso almoço? Eu disse que tinha ido colocar botox, mas ele não acreditou, e agora fica me olhando de um jeito como se soubesse que estou tramando alguma coisa... — Paro de falar ao ver a expressão de Bonnie. — O que foi?

— *Agora* faz sentido! — exclama ela, e me puxa para o lado, para longe da movimentação das pessoas na calçada. — Becky, naquele dia em que nós nos encontramos, o Luke voltou para o escritório e me perguntou se tinham aberto alguma loja de marca por ali. Achei que fosse algum tipo de pesquisa de varejo. Mas agora pensei: talvez ele ache que você estava secretamente... — Bonnie para de falar, com cuidado.

— Fazendo compras? — digo, incrédula. — Ele acha que eu estava *fazendo compras?*

— É possível, não acha? — Ela pisca. — Pode ser uma boa desculpa.

— Mas... Mas você não entende! Eu prometi que não ia mais fazer compras! Nós fizemos um acordo depois que o banco faliu. E eu realmente estou cumprindo a minha promessa!

Minha mente está girando de tanta indignação. Será que o Luke achou que eu estava quebrando a minha promessa e escondendo isso dele com uma história sobre botox? Foi por *isso* que ele ficou olhando com desconfiança para a minha bolsa?

Minha vontade é entrar no escritório dele, jogar a minha bolsa como se fosse uma manopla e declamar: "Rebecca Brandon, ex-Bloomwood, cumpre a sua palavra, senhor!" E, depois, o desafiar para um duelo, talvez.

— Ah, não. — Bonnie parece preocupada. — Becky, é só uma suposição...

— Não, tenho certeza de que você tem razão. Ele acha que eu estava fazendo compras. Bom, *ótimo*. Ele pode achar o que quiser. — Levanto o queixo com firmeza. — Vou usar isso como uma isca.

Afinal, quanto mais o Luke suspeitar que estou fazendo compras escondida menos ele suspeitará que estou, secretamente, organizando uma festa. Ao caminhar pela rua, sinto-me completamente determinada. Se o Luke acha que eu ando fazendo compras... então ele vai ver as compras. Muitas.

* * *

Quando ouço a chave de Luke girar na porta, de noite, eu já estou pronta para ele. Estou vestindo um moletom verde-limão gritante, que eu nunca tinha vestido antes (um erro total, no que eu estava *pensando*?) e que ainda está com a etiqueta da loja. Por cima coloquei uma jaqueta de couro, que comprei numa liquidação, com o rótulo da Whistles cuidadosamente reatado e à mostra, além de um cachecol, um colar e um cinto laranja fluorescente, coisas que eu nunca usei.

Na verdade, eu *tinha* planejado usar essas coisas. Sabe como é. Quando fosse a hora certa.

Tirei algumas sacolas chiques de cima do armário e as coloquei embaixo da mesa da cozinha, para ficarem à mostra. Enfiei papel de seda da Prada no lixo e escondi mais ou menos uns recibos antigos atrás do micro-ondas. Minnie está andando atrás de mim, de pijama e roupão, comendo pão com mel e me observando maravilhada. Ao ouvir Luke se aproximando da cozinha, eu digo "Shhh!" para ela, só para garantir que ficará quieta.

— Shhh! — responde ela na hora, colocando o dedo na boca. — Shhh, mamãe!

Ela parece tão séria que eu não consigo deixar de rir. Então, me preparo na cozinha, dando uma olhada no meu reflexo na porta da geladeira, fazendo a minha melhor pose fashionista. Quando ele entra, dou um pulo convincente.

— Você me assustou, Luke! — digo, e rapidamente tiro a jaqueta, garantindo que a etiqueta cor-de-rosa da Whistles fique bem à mostra. — Eu estava só... Hm... Isto aqui não é nada. Nada mesmo! — Amasso a jaqueta e a escondo atrás de mim. Luke me olha confuso. Ele vai até a geladeira e pega uma cerveja.

Ooh. Talvez fosse melhor se eu tivesse colocado os recibos na geladeira.

Não. Óbvio demais.

— Shhh, papai! — diz Minnie ao pai, com um tom de gravidade e com o dedo ainda na boca. — Pique-esconde.

É *isso* que ela acha que eu estava fazendo. (Pique-esconde é a brincadeira preferida da Minnie. Só que não é um pique-esconde normal. Você precisa contar até três e dizer onde vai se esconder. E quando é a vez dela, Minnie sempre se esconde no mesmo lugar, que é bem no meio do cômodo em que estivermos brincando.)

— Vou brincar daqui a pouco, filhota. Que moletom interessante... — diz ele para mim, levantando a sobrancelha. É uma reação válida, já que eu pareço uma bala de gelatina, de cor verde-limão.

— É muito velho! — respondo rápido. — Comprei há milênios. Pode perguntar para a Suze. Pode ligar para ela agora, se não acredita em mim! Pode ligar!

— Becky... — Luke dá uma risada. — Eu não disse que não acreditava em você. Por que está tão paranoica?

— Porque... Por nada!

Vou até a mesa e chuto as sacolas que estão ali embaixo, de maneira furtiva porém óbvia. Vejo que os olhos de Luke correm para lá e que ele as registra.

Ha! Um resultado!

— Então, o que você fez hoje? — pergunta ele tranquilamente, pegando um abridor de garrafa.

— Nada! Não fui a lugar nenhum! Nossa, você está sempre me *interrogando*, Luke. — Enfio o colar embaixo do moletom como se quisesse escondê-lo.

Luke abre a boca para dizer alguma coisa, mas depois parece desistir e resolve abrir a cerveja.

Jogue a tampa no lixo..., ordeno silenciosamente. *Vamos, jogue no lixo.*

Isso!

Eu deveria ser coreógrafa. Quando ele está prestes a abrir a lixeira, eu dou um salto pela cozinha, num timing perfeito, e coloco a mão na tampa para impedi-lo.

— Pode deixar comigo — digo, de forma muito casual. — Eu cuido disso.

— Eu só estou colocando para reciclar.

Luke parece intrigado. Ele faz que vai abrir a lixeira, e eu deixo que um pedacinho do papel de seda da Prada apareça, antes de segurar a tampa de novo.

— Eu disse para deixar comigo! — digo, agitada.

— Becky, não precisa.

Ele abre a lixeira e o papel de seda da Prada levanta com a corrente de ar, como se dissesse: "Olha eu aqui! Olha pra mim! Prada!"

Por um instante, nenhum dos dois fala nada.

— Minha nossa, o que isso está fazendo aqui? — digo, com uma voz aguda e forçada, e começo a empurrar o papel de volta. — É velho. Muito, muito velho. Na verdade, eu nem me lembro da última vez que entrei na Prada. Nem quando comprei na Prada. Nem quando comprei nada!

Estou me enrolando com as palavras e nunca pareci tão culpada na vida.

Na verdade, estou começando a me *sentir* culpada. Parece que estourei o limite do cartão de crédito e que todas as compras estão escondidas embaixo da cama.

— Becky... — Luke passa a mão na testa. — Que diabos está acontecendo?

— Nada!

— Nada. — Ele lança um olhar de dúvida para mim.

— Nada mesmo.

Tento parecer firme e confiante, apesar de estar me perguntando, agora, se exagerei na dose.

Talvez ele não tenha caído na minha encenação, nem por um instante. Talvez ele esteja pensando: "Bem, é óbvio que ela *não* fez compras, então o que é que ela está tentando esconder de mim? Aha, já sei, uma festa."

Durante um tempo, apenas nos olhamos. Estou respirando alto e minha mão ainda segura a tampa da lixeira.

— Achou? — diz Minnie, quebrando o silêncio. Ela está em pé no meio da cozinha, cobrindo os olhos com a mão, pois é assim que ela se esconde.

— Becky! — Papai aparece na porta. — Querida, é melhor vir aqui. Você tem uma entrega.

— Ah, sim — digo, surpresa. Eu não estou esperando nenhuma entrega. O que pode ser?

— Achou? — A voz de Minnie se eleva, reclamando. — *Achou?*

— *Achei* você! — eu e Luke dizemos rapidamente, em uníssono. — Muito bem, Minnie! — acrescento, quando ela abre os olhos e sorri orgulhosa para nós dois. — Que beleza de esconderijo! De quem é essa entrega? — Me viro, novamente, para meu pai.

— É uma van da fashionpack.co.uk — diz ele enquanto o seguimos pelo corredor. — É muita coisa, aparentemente.

— Sério? — Franzo a testa. — Não pode estar certo. Eu não fiz compras na fashionpack.co.uk. Quer dizer, não recentemente.

Vejo Luke me olhando sem acreditar e fico com vergonha.

— *Não* fiz compras, está bem? Deve ser um engano.

— Entrega para Rebecca Brandon — o entregador diz quando chego na porta. — Assine aqui, por favor... — Ele mostra um aparelho eletrônico e uma caneta Stylus.

— Peraí! — Levanto as mãos. — Não vou assinar nada. Eu não fiz nenhum pedido para vocês! Quer dizer, eu não me *lembro* de ter pedido nada...

— Pediu sim. — Ele parece estar de saco cheio, como se já tivesse ouvido isso antes. — Dezesseis itens.

— *Dezesseis?* — Fico de queixo caído.

— Posso mostrar o recibo, se quiser. — Ele revira os olhos e vai até a van.

Dezesseis itens?

Muito bem, isso não faz sentido. Como é que eu posso ter pedido 16 itens da fashionpack.co.uk e não lembrar? Será que estou com Alzheimer?

Há um minuto eu estava fingindo que me sentia culpada por fazer compras e agora tudo está virando realidade, como se eu estivesse num pesadelo. Como isso pode estar acontecendo? Eu *fiz* isso acontecer de alguma forma?

De repente reparo que Luke e meu pai estão trocando olhares.

— Não fui eu! — digo irritada. — Eu não pedi nada! Deve ter sido algum erro bizarro do computador deles.

— Becky, a desculpa do erro no computador de novo não — diz Luke, parecendo um pouco cansado.

— Não é uma desculpa, é verdade! Eu não pedi essas coisas.

— Bom, *alguém* pediu.

— Talvez a minha identidade tenha sido roubada. Ou talvez eu tenha feito compras dormindo! — digo, numa súbita inspiração.

Ai, meu Deus. Agora isso faz *todo* sentido. Explica tudo. Sou uma sonâmbula que faz compras escondidas. Já consigo me imaginar levantando silenciosamente da cama, descendo a escada com um olhar apático, ligando o computador, digitando meus dados do cartão de crédito...

Mas, então, por que não comprei a bolsa maravilhosa da Net-A-Porter que eu tanto queria? Será que meu eu sonâmbulo não tem bom gosto?

Será que posso escrever um bilhete para o meu outro eu sonâmbulo?

— *Fazer compras dormindo?* — Luke levanta a sobrancelha. — Essa é nova.

— Não é não — respondo. — O sonambulismo é uma doença muito comum, como você deve saber, Luke. E eu acho que fazer compras nesse estado também deve ser.

Quanto mais eu penso nessa teoria, mais certeza eu tenho de que é verdade. Explicaria tanta coisa da minha vida! Na verdade, estou começando a ficar ressentida com todas as pessoas que me criticaram ao longo dos anos. Aposto que mudariam o discurso se soubessem que eu sofro de uma doença rara.

— É muito perigoso acordar a pessoa quando ela está em transe — digo a Luke. — Ela pode ter um ataque cardíaco. É preciso deixar que ela continue o que está fazendo.

— Entendi. — Luke começa a contrair a boca. — Então, se eu vir você de pijama, comprando tudo do Jimmy Choo pela internet, preciso me conter e deixá-la ir em frente, senão você tem um infarto e morre?

— Só se for no meio da noite e eu estiver com um olhar apático — explico.

— Minha querida. — Luke dá uma risadinha. — É *sempre* no meio da noite e você *sempre* está com um olhar apático.

Ele tem muita audácia mesmo.

— Eu *não* tenho um olhar apático! — começo a dizer furiosa, mas então o cara da van volta.

— Aqui está. — Ele joga um pedaço de papel para mim. — Dezesseis casacos verdes Miu Miu.

— Dezesseis casacos? — Olho, incrédula, para o papel. — Por que diabos eu compraria 16 casacos da mesma cor e do mesmo tamanho?

Para ser sincera, eu *vi* esse casaco na internet e até coloquei no meu carrinho, mas eu nunca...

Meus pensamentos são interrompidos. Uma imagem repentina e horrível surge na minha mente. Meu laptop aberto na cozinha. A página do site aberta. Minnie subindo na cadeira...

Ai, meu Deus, ela *não* fez isso.

— Minnie, você apertou os botões no computador da mamãe? — Olho para ela horrorizada.

— Você está brincando. — Luke parece chocado. — Ela não poderia ter feito isso!

— Poderia sim! Ela sabe mexer direitinho no mouse. E o site tem um botão de um clique só. Se ela bateu no teclado várias vezes e clicou várias vezes...

— Você quer dizer que a *Minnie* pediu os casacos? — Papai está igualmente perplexo.

— Bom, se não fui *eu* nem o Luke...

— Onde posso deixá-los? — o entregador nos interrompe. — Dentro da casa?

— Não! Eu não quero os casacos! Você precisa levá-los de volta.

— Não posso fazer isso. — Ele balança a cabeça. — Se quiser devolvê-los, precisa aceitar a entrega, pegar o formulário de retorno e mandá-los de volta.

— Mas por que devo aceitar a entrega? — digo, frustrada. — Eu não *quero* os casacos.

— Bom, da próxima vez que não quiser alguma coisa, sugiro que não faça o pedido — diz o entregador com uma risada áspera, achando graça do próprio comentário. Em seguida, ele pega uma caixa grande na parte de trás da van. É mais ou menos do tamanho do meu pai.

— Estão todos aí? Na verdade, não é tão ruim quanto eu imaginava.

— É um só — o rapaz me corrige. — Eles vêm embrulhados individualmente, numa arara. — Ele já está pegando outra caixa. Eu olho horrorizada. O que vamos fazer com 16 caixas de casaco enormes?

— Você é muito, muito levada, Minnie. — Não consigo deixar de descontar nela. — Você *não* pode pedir casacos Miu Miu pela internet. E eu vou... vou... tirar a sua mesada desta semana!

— Meeeeu caixa! — Minnie estica os braços na direção das caixas, ainda segurando o pão numa das mãos.

— O que é isso tudo? — Mamãe aparece na porta. — O que é isso? — Ela aponta para as caixas gigantescas. Parecem caixões em pé, todos em fila.

— Foi um engano — digo rapidamente. — As caixas não vão ficar. Vou devolvê-las assim que possível.

— Oito... — O cara pega mais uma caixa. Ele está gostando disso, posso perceber.

— São 16 ao todo — diz meu pai. — Talvez nós possamos colocar algumas na garagem.

— Mas a garagem está cheia! — diz mamãe.

— Ou na sala de jantar...

— Não. — Mamãe balança a cabeça. — Não. Não. Becky, já chega. Está me ouvindo? Chega! Não podemos mais lidar com as suas coisas!

— É só por uns dois dias...

— É o que você sempre diz! Foi o que você disse quando se mudou para cá! Não aguentamos mais! *Não podemos mais lidar com as suas coisas!* — Ela está histérica.

— São só mais duas semanas, Jane. — Papai põe as mãos no ombro dela. — Vamos lá. Só mais duas semanas. Nós conseguimos. Vamos fazer uma contagem regressiva, dia após dia, lembra? Um dia de cada vez. Certo?

É como se ele a estivesse ajudando no trabalho de parto ou num campo de concentração. Nos abrigar aqui é o equivalente a estar num *campo de concentração*?

De repente, fico completamente horrorizada. Não posso mais fazer a minha mãe passar por isso. Nós precisamos ir embora. Precisamos nos mudar agora, antes que ela enlouqueça de vez.

— Não são duas semanas! — digo rapidamente. — São... dois dias! Era isso que eu ia contar para vocês. Vamos nos mudar em dois dias!

— Dois *dias*? — repete Luke, incrédulo.

— Isso! Dois dias! — Evito olhar para ele.

Dois dias é o tempo suficiente para arrumar tudo. E encontrar um lugar para alugar.

— O quê? — Mamãe levanta a cabeça do peito do meu pai. — Dois dias?

— É! De repente, tudo ficou pronto na casa e nós vamos nos mudar. Eu ia contar para vocês.

— Vocês vão embora mesmo em dois dias? — Mamãe gagueja um pouco, como se não estivesse acreditando.

— Juro — confirmo.

— Aleluia — diz o entregador. — A senhora pode assinar? — Seus olhos se desviam para a van. — Ei! Mocinha!

Acompanho o olhar dele e levo um susto. Droga. Minnie subiu no banco do motorista.

— Carro! — grita ela, toda feliz, com as mãos no volante. — Meeeu carro!

— Desculpa! — Saio correndo para tirá-la de lá. — Minnie, que *diabos* você está... — Tapo a boca com a mão.

Ela espalhou mel por todo o volante. Mel e migalhas decoram o assento, a janela e o câmbio.

— Minnie! — digo furiosamente, aos sussurros. — Sua menina levada! O que você *fez*? — Um pensamento terrível me ocorre de repente. — Cadê o seu pão? O que você fez com ele? Onde você...

Meu olhar se desvia para o toca-fitas embutido.

Ah... Droga.

O motorista da van foi surpreendentemente legal, levando em consideração que ele tinha acabado de entregar 16 casacos para alguém que não os queria e que, depois, a filha desta pessoa enfiou um pão lambuzado de mel no toca-fitas dele. Só demorou cerca de meia hora para limpar tudo e nós prometemos um toca-fitas novo para substituir o danificado.

Quando a van vai embora, meus pais vão até a cozinha, para fazer uma xícara de chá, e Luke praticamente me arrasta lá para cima.

— Dois dias? — pergunta ele, sussurrando. — Nós vamos nos mudar em dois *dias*?

— Nós precisamos, Luke! Olha, eu já planejei tudo. Vamos encontrar um lugar para alugar e dizer à mamãe que estamos nos mudando para nossa casa. Todos vão ficar felizes.

Luke está me olhando como se eu tivesse um parafuso a menos.

— Mas ela vai querer nos visitar, Becky. Você não pensou nisso?

— Não vamos deixar! Vamos adiando até a casa ser liberada. Vamos dizer que queremos arrumar tudo primeiro. Luke, não temos escolha — digo defensivamente. — Se continuarmos aqui, ela vai ter um colapso nervoso!

Luke murmura alguma coisa. Parece algo do tipo: "Você vai *me* fazer ter uma droga de um colapso nervoso."

— Bem, você tem uma ideia melhor? — revido, mas Luke fica em silêncio.

— E a Minnie? — ele diz, depois de um tempo.

— Como assim "e a Minnie"? Ela vem com a gente, é claro!

— Não foi isso o que eu quis dizer. — Ele faz um barulho com a boca. — Quero saber o que nós vamos fazer com ela. Acredito que você esteja tão preocupada com o que aconteceu quanto eu, não?

— Com o pão com mel? — digo, chocada. — Por favor, Luke, relaxa. É só mais uma daquelas coisas que todas as crianças fazem...

— Você está fingindo que não vê! Becky, ela está cada dia mais levada. Acho que precisamos tomar medidas extremas. Não concorda?

Medidas extremas? O que *isso* quer dizer?

— Não, não concordo. — Sinto um arrepio subindo pelas costas. — Não acho que ela precisa de "medidas extremas", seja lá o que for isso.

— Bom, eu acho. — Ele parece sério e não me encara direito. — Eu vou fazer umas ligações.

Que ligações?

— Luke, a Minnie não é um *problema* — digo, com a voz um pouco tremida. — E para quem é que você vai ligar, hein? Não pode ligar para ninguém sem me avisar antes!

— Você não me deixaria ligar, tenho certeza! — Ele parece irritado. — Becky, um de nós precisa fazer *alguma coisa*. Vou sondar alguns especialistas em criança. — Ele pega o BlackBerry e, dá uma olhada, e algo dentro de mim se descontrola.

— Que especialistas? O que você quer dizer? — Pego o BlackBerry. — Me fala!

— Me devolve! — Sua voz se eleva, e ele arranca o BlackBerry da minha mão.

Eu o encaro chocada, o sangue pulsando com força nas veias. Ele falou sério mesmo. Ele realmente não queria que eu visse. Será que é sobre a Minnie? Ou será que é... outra coisa?

— Qual é o segredo? — pergunto finalmente. — Luke, o que você está escondendo?

— Nada — responde ele defensivamente. — Tenho coisas do trabalho no celular. Rascunhos. Assuntos delicados. Não gosto que ninguém veja.

Aham, sei. Ele fica desviando o olhar para o BlackBerry. Ele está mentindo, eu sei.

— Luke, você está escondendo alguma coisa de mim. — Tento me manter firme. — Sei que está. Somos um casal! Não podemos ter segredos entre nós!

— Olha *quem* fala! — Ele joga a cabeça para trás e ri. — Minha querida, eu não sei se você está fazendo compras, ou se há uma dívida gigante, ou se realmente colocou botox... Mas tem *alguma coisa* acontecendo que você não quer que eu saiba, não tem?

Droga.

— Não tem não! — digo enfurecida. — Absolutamente nada!

Por favor, pense que estou fazendo compras, por favor, pense que estou fazendo compras...

Há uma pausa estranha, um suspense, e então Luke dá de ombros.

— Ótimo. Bem, então... nenhum dos dois está escondendo nada.

— Ótimo. — Levanto o queixo. — Concordo.

TREZE

Assim que eu acordo, na manhã seguinte, ligo para Bonnie e deixo um recado urgente, pedindo para ela me ligar de volta. *Ela* vai me contar o que está acontecendo. Lá embaixo, durante o café da manhã, o clima fica meio tenso e Luke olha preocupado para mim, como se não soubesse como agir.

— Então! — diz ele, de repente, com um tom falsamente animado. — Hoje será um grande dia. Vou tentar marcar uma reunião com Christian Scott-Hughes, o braço direito de Sir Bernard Cross. Nós achamos que Sir Bernard pode ser simpatizante da causa da tecnologia climática.

Nossa, como ele é óbvio. Ele não vai me contar o que havia no BlackBerry... então, em vez disso, está me dando uma informação sem graça sobre tecnologia climática e acha que vai me enganar.

— Que maravilha — digo educadamente.

Na verdade, *estou* muito impressionada. Sir Bernard Cross é um gigante. (Em todos os sentidos: ele está sempre na mídia, por ser um filantropo bilionário com várias opiniões radicais, e pesa cerca de 160 quilos.)

— Christian Scott-Hughes é o diretor-executivo de Sir Bernard e é extremamente influente — Luke continua falando. — Se nós conseguirmos conquistá-lo, já será grande parte do caminho andada.

— Por que você não faz uma reunião com o próprio Sir Bernard Cross? — digo, e Luke dá uma risadinha.

— Sir Bernard não é o tipo de pessoa que faz reuniões — responde ele. — Isso é como dizer: "Por que não fazemos uma reunião com a própria rainha?" É impossível. Você precisa passar pelos representantes, se adaptar ao sistema.

Eu realmente não entendo. Se eu quisesse ver a rainha, tentaria ver a rainha. Mas não adianta dizer isso a Luke, porque isso só fará com que ele me dê um sermão sobre como eu não entendo as complexidades do que ele faz, assim como fez daquela vez que eu sugeri que juntasse todos os seus clientes solteiros.

Além do quê, eu não estou nem aí para Sir Bernard Barrigudo.

— E você? — Ele vira o café. — Tudo bem no trabalho?

— Um sucesso, na verdade — digo com orgulho. — Temos mais agendamentos do que nunca e o diretor-executivo me enviou um e-mail dizendo que sou genial.

Luke dá uma risada incrédula.

— Não sei como você consegue fazer isso. Todos os outros setores estão às moscas, mas você continua vendendo roupas caras e de marca... — O rosto dele fica pálido de repente. — Becky, por favor, não me diga que está vendendo tudo para você mesma.

Suspiro, ofendida. Primeiro, eu fiz uma promessa, que estou *cumprindo*. Segundo, se eu estivesse fazendo isso, por que estaria usando uma saia que comprei há cinco anos, na Barney's?

— Se você *realmente* quer saber — digo, com arrogância —, nós da The Look temos uma visão única em relação à moda, que está nos provendo neste momento difícil.

Eu não vou explicar para ele que "única" quer dizer "escondemos roupas em caixas de papel para impressora". O Luke não precisa saber todos os detalhes chatos do meu trabalho, não é?

— Bem, o poder é seu, então. — Luke sorri de maneira encantadora. — Preciso ir. Mande um beijo para a Suze.

Vou me encontrar com a Suze antes do trabalho para ver a exposição de arte na escola do Ernie e, se tudo der certo, esbarrar na diretora dele. (Já pensei em vários comentários afiados. Ela vai estar tremendo nas bases quando eu terminar com ela.) E depois nós duas vamos para a The Look para a grande reunião promocional de junção.

Este é o outro motivo pelo qual estou tão bem cotada no trabalho neste momento: a minha ideia de criar uma conexão entre a nova coleção do Danny e a Shetland Shortbread deu super certo! Toda a coleção está centrada no tartã, o que é perfeito! Eles vão fazer uma oferta especial e uma campanha de marketing conjunta. Além disso, tudo está associado à British Wool Marketing Board e a sessão de fotos promocional foi na fazenda do Tarkie, com modelos magérrimas no meio dos rebanhos de carneiro dele. E a melhor parte é que tudo foi ideia minha e agora todos estão muito impressionados.

Jasmine disse, um dia desses, que estão querendo me promover a diretora! É claro que na hora eu dei uma risadinha modesta e disse: "Até parece." Mas já pensei no que eu usaria na minha primeira reunião de diretoria: uma linda jaqueta amarelo-claro, da nova coleção da Burberry Prorsum, e uma calça risca de giz escura. (Quer dizer, é permitido comprar roupas novas se você entrar para a *diretoria* ou algo do tipo. Até o Luke deve saber disso.)

No caminho para a St. Cuthbert's, chegam dois e-mails no meu BlackBerry que me fazem querer gritar de alegria. O primeiro é da Bonnie e ela obviamente enviou na noite anterior: diz que já recebemos 43 confirmações. Quarenta e três! Não *acredito* que o Luke seja tão popular!

Não. Mentira. É claro que acredito.

Mas, mesmo assim, 43 confirmações em dois dias! E isso sem contar todos os funcionários da Brandon Communications, que ainda não sabem que é uma festa e acham que vão a uma conferência.

E o outro e-mail é da Kentish English Sparkling Wine. Eles querem fornecer as bebidas da festa! Vão me mandar cinquenta garrafas! Só pedem para comunicar à imprensa e publicar fotos do Luke e dos convidados saboreando seu produto de qualidade. Na verdade, eu nunca provei o vinho da Kentish English Sparkling Wine, mas tenho certeza de que é uma delícia.

Me sinto muito orgulhosa enquanto caminho. Estou me saindo *tão* bem! Já consegui a tenda, as bebidas, os canapés, os pompons *e* contratei um engolidor de fogo profissional chamado Alonzo, que também canta música country se quisermos. (Ele não canta música country *enquanto* engole fogo. Ele muda de roupa e diz que seu nome é Alvin.)

A St. Cuthbert's fica num daqueles quarteirões chiques, com várias grades e estuques, e eu estou quase chegando no portão da escola quando o celular toca e vejo o número da Suze.

— Suze! — cumprimento-a. — Estou aqui fora. Onde devo encontrar você?

— Eu não cheguei! Estou no médico. — Ela parece desesperada. — O Ernie está com muita dor de ouvido. Passamos a noite em claro. Eu também não poderei ir à The Look.

— Ah, lamento muito! Bem... Eu vou embora, então?

— Não seja boba! Vá para a exposição e coma um pedaço de bolo. Deve estar uma delícia. Metade das mães fez curso de cordon-bleu. E você pode dar uma olhada no quadro do Ernie — ela acrescenta, como se tivesse pensando nisso só agora.

— É *claro* que eu vou ver o quadro do Ernie! — digo firmemente. — E nós precisamos nos encontrar assim que ele melhorar.

— Com certeza. — Suze faz uma pausa. — Então... Como você está? — pergunta ela. — Como vão os preparativos para a festa?

— Tudo ótimo, obrigada — digo com entusiasmo. — Está sob controle.

— Porque eu e o Tarkie tivemos uma ótima ideia, caso você sirva café...

Sinto uma pontada de irritação. Ninguém nunca vai acreditar que eu consigo fazer isso, não é? Todo mundo acha que sou uma incompetente e não consigo nem servir café direito.

— Suze, pela última vez, eu não preciso da sua ajuda! — As palavras saem antes que eu possa segurá-las. — Consigo fazer isso sozinha! Então, me deixe em paz!

Instantaneamente eu me arrependo de ter sido tão grossa. O outro lado da linha está em silêncio, e eu sinto meu rosto ficar vermelho.

— Suze... — Engulo. — Eu não quis...

— Sabe, Bex, às vezes as pessoas *querem* ajudar — Suze me interrompe, e sua voz treme de repente. — E nem tudo é sempre sobre *você*, sabia? Não é porque nós achamos que você não consegue. É porque o Luke não é só o seu marido, ele é nosso amigo também e nós queríamos fazer uma coisa legal para ele. O Tarkie pensou em falar com os caras da Shetland Shortbread para criarem uma receita especialmente para o Luke. E nós achamos que ela poderia ser servida na festa, com café. Mas tudo bem, se você está tão incomodada, a gente não faz isso. Pode esquecer. Preciso ir.

— Suze...

Tarde demais. Ela desligou. Tento ligar de volta, mas só dá ocupado.

Oh, céus. Acho que ela ficou magoada. Talvez eu *tenha* ficado um pouco na defensiva. Mas como eu ia saber que ela estava propondo um biscoito especial?

Por alguns instantes fico ali parada, me sentindo mal. Será que mando uma mensagem?

Não. Ela está com muita raiva de mim. Vou esperar até que tenha se acalmado um pouco. E que tenha talvez uma boa noite de sono.

Não há nada que eu possa fazer agora. É melhor entrar e comer um pedaço de bolo.

Atravesso os portões da escola, passo por todas as mães tagarelas e sigo as placas para a exposição. Foi organizada num hall arejado, com um chão de madeira, e eu já posso ver o que Suze quis dizer sobre os bolos. Há uma mesa cheia de macarons coloridos, minibrownies de chocolate e várias mães musculosas, usando calça jeans de cintura baixa, segurando xícaras de café e observando as delícias com olhos hostis. Nenhuma delas está comendo bolo, então por que se deram ao trabalho de fazê-los?

— Oi! — Me aproximo da mesa, onde uma loura bem-arrumada está servindo. — Eu gostaria de um brownie de chocolate, por favor.

— Claro! — Ela me dá uma fatia mínima de brownie num guardanapo. — Cinco libras, por favor.

Cinco libras? Por duas mordidas?

— Tudo pela escola! — Ela vibra com risadas que parecem pingos de gelo e guarda o meu dinheiro numa caixa de veludo com a borda de tecido de algodão. — Você é mãe de algum aluno novo do jardim? Porque nós estamos aguardando as casas de biscoito de gengibre até terça-feira, mas a resposta tem sido um pouco decepcionante...

— Não sou mãe — eu a corrijo rapidamente. — Pelo menos, não aqui. Sou apenas uma visitante. Minha filha ainda não está na escola.

— Ah, entendi. — O interesse em seus olhos diminui. — Então, onde a sua filha vai estudar?

— Não sei. — Minha voz está abafada por causa do brownie, que é simplesmente delicioso. — Ela só tem 2 anos.

— Dois meses? — A mulher concorda a cabeça, como se soubesse. — Bem, você precisa se apressar...

— Não, 2 anos. — Engulo o brownie. — Dois anos.

— Dois anos? — A mulher parece surpresa. — E você ainda não começou ainda?

— Hm... Não.

— Você ainda não a levou a nenhuma escola? — Ela me encara com os olhos arregalados. — *Nenhuma?*

Muito bem, essa mulher está me deixando louca, com esses dentes superbrancos e seu jeito estressado. Eu sei que as vagas das escolas são muito concorridas e tudo mais. Mas, por favor, até a lista de espera do novo modelo de bolsa Prada é só de um ano. Nenhuma escola pode ser mais exclusiva do que uma bolsa Prada edição limitada, não é mesmo?

— Muito obrigada pelo brownie!

Me afasto rapidamente. Agora me sinto ansiosa, como se tivesse perdido um barco, só que eu nem sabia que o barco *existia*. Deveria haver uma *Vogue* de escolas. Eles deveriam indicar, a cada mês, o que é Indispensável e as Últimas Tendências, além de divulgar o tempo das listas de espera. Assim você *saberia*.

De qualquer maneira, não vou ficar obcecada com isso. Vamos colocar a Minnie numa ótima escola, tenho certeza.

Eu queria saber qual é a escola dos filhos da Madonna. Não que eu fosse colocar a Minnie numa escola só por causa das celebridades. É óbvio que não.

Mas mesmo assim. Talvez eu dê uma olhada na internet, só por curiosidade.

Compro um café e vou até a seção de arte. A maioria dos quadros é de flores e, quando vejo o de Ernie, bem no canto, fico um pouco assustada. É... diferente. É muito obscuro, borrado, e tem a imagem de um carneiro num fundo escuro que parece um pântano...

Ah. Ao analisar mais de perto, acho que o carneiro está morto.

Bem, não há nada de *errado* em pintar um quadro com um carneiro morto, não é? E o sangue escorrendo da boca dele é muito realista. Vou comentar isso com a Suze quando fizermos as pazes. Isso. Vou dizer: "Adorei o sangue! Tinha tanto... movimento!"

— ... completamente repugnante!

— Nojento!

Percebo que várias meninas também estão olhando o quadro. Uma delas tem uma trança francesa loura, perfeita, e está tapando a boca com a mão.

— Estou enjoada — declara. — Sabe quem pintou isso? *Ernest.*

— Ele *sempre* desenha carneiros — diz outra, zombando. — Ele só sabe fazer isso.

As outras dão risadinhas insuportáveis e eu as encaro, morrendo de raiva. Todas parecem uma versão júnior da Lola Vadia Bunny. O sinal toca e elas saem apressadas, o que é uma coisa boa. Caso contrário, é provável que eu dissesse algo pouco digno e imaturo que envolvesse a palavra "vacas".

De repente, reparo numa mulher de cabelo escuro, preso num coque, e com um ar de superioridade, que está andando pelo lugar sorrindo graciosamente para as pessoas e conversando rapidamente com cada um. Eu a observo ansiosa, enquanto ela se aproxima de mim.

Isso! Eu sabia. Na lapela do seu cardigã há um crachá que diz "Harriet Grayson MA, Diretora". É essa mulher que está enchendo o saco do Ernie.

Bem, eu vou encher o saco *dela*. Principalmente porque ainda me sinto culpada por ter brigado com a Suze.

— Olá. — Ela sorri para mim e estende a mão. — Desculpe, mas precisa refrescar minha memória: você é do jardim?

— Ah, eu não sou mãe de ninguém da escola — começo. — Sou...

Eu ia dizer: "Sou a madrinha do Ernest Cleath-Stuart e tenho algumas coisas para dizer para você." Mas tive uma ideia melhor. Ninguém me conhece aqui, não é mesmo?

— Na verdade, sou uma olheira de arte profissional — digo tranquilamente.

— Uma olheira de *arte*? — Ela parece surpresa.

— Sim, professora Rebecca Bloomwood, do departamento júnior do Guggenheim. Sinto muito, estou sem o meu cartão. — Aperto a mão dela de maneira brusca e profissional. — Estou aqui a negócios. Nós gostamos de visitar os eventos de arte das escolas, sem ninguém saber, para avaliar novos talentos. E eu encontrei alguns aqui.

Aponto para o quadro obscuro e borrado do Ernie, e a diretora acompanha o meu olhar com incerteza.

— É do Ernest Cleath-Stuart — diz ela finalmente. — O Ernest é uma criança interessante.

— *Incrivelmente* talentoso. Tenho certeza de que não preciso explicar para você. — Concordo, de um jeito sério, fazendo um movimento com a cabeça. — Observe a maneira sutil com que ele introduz a mensagem na... textura. — Aponto para o carneiro. — Observe a forma. É muito fácil subestimá-la. Mas, como profissional, percebi imediatamente.

A diretora está com a testa franzida, olhando para o quadro.

— De fato — diz ela finalmente.

— Tenho certeza de que uma escola excelente como a sua está tirando proveito desta criança única e estimulando-a. — Sorrio para ela com um olhar penetrante. — Porque, acredite em mim, você tem algo muito especial aqui. Ele tem uma bolsa de arte?

— Ernest? Uma *bolsa*? — A diretora parece ficar desnorteada só de imaginar. — Bem, não...

— Prevejo outras escolas querendo roubar esse talento extraordinário. — Dou outro sorriso penetrante e olho para o meu relógio. — Infelizmente, eu preciso ir, mas obrigada pela atenção.

— Deixe eu mostrar os trabalhos de outros alunos! — diz a diretora, se apressando para me alcançar enquanto vou em direção à porta. — Este é de uma menina muito talentosa chamada Eloise Gibbons, que já saiu da escola... — Ela aponta para um quadro com um campo cheio de papoulas, que parece ser do Van Gogh.

— Derivativo — digo com desprezo, quase sem olhar. — Muito obrigada. Adeus.

Saio rapidamente pelos portões da escola e ando pela calçada, me segurando para não rir. Ha. Talvez comecem a apreciar o Ernie agora. E eu fui sincera! Tudo bem, o quadro era meio estranho, mas continuo achando que o carneiro morto do Ernie era a melhor coisa naquele lugar.

* * *

Assim que chego à The Look, percebo que Danny já está lá, pois há uma limusine na rua e um grupo de garotas no primeiro andar, comparando os autógrafos em suas camisas.

Vou até a sala de reuniões, no último andar, e, ao entrar, vejo que a reunião já está em andamento. Há pratos com Shetland Shortbread em toda parte, fotos da coleção nova nas paredes e vários empresários sentados à mesa. Danny está no centro, parecendo um pavão, com um casaco fluorescente azul e verde e uma calça jeans. Ao me ver, ele acena e bate na cadeira ao seu lado.

Todos os empresários importantes da loja estão aqui, além de algumas pessoas que eu não reconheço, mas devem ser da Shetland Shortbread, e o amigo do Luke, Damian, que virou consultor do Tarkie. Brenda, do nosso departamento de marketing, está fazendo uma apresentação no PowerPoint e mostrando uma espécie de gráfico com pré-encomendas da nova coleção de Danny Kovitz, comparando-as com as do ano anterior.

— Maravilhoso — ela está dizendo. — Nunca tivemos uma reação assim. Então, agradeço a Danny Kovitz, pela excelente sociedade; obrigada, Shetland Shortbread, por fazer parte dela, e um brinde a todos nós, que estamos trabalhando juntos!

— Vocês fizeram um trabalho sensacional — diz Danny. — Ei, Becky, você tinha que ter ido à Escócia para a sessão de fotos! Nos divertimos muito! Minha gaita de foles já chegou, Zane? — De repente ele se vira para um garoto com o cabelo pintado de ruivo que está parado atrás dele. Deve ser um dos 5 trilhões de assistentes do Danny.

— Hm... — Zane já pegou o celular, todo ansioso. — Posso dar uma olhada...

— Você comprou uma gaita de foles? — Não consigo deixar de rir. — Sabe tocar?

— Como um *acessório*. Pode acreditar, será a próxima bolsa do momento. Ei, vocês deveriam colocar gaitas de foles na vitrine da loja — Danny fala para Kathy, a diretora de merchandising, que automaticamente pega um caderno, escreve "Gaitas de foles" e sublinha três vezes.

— Nós também estamos muito animados com a publicidade de pré-lançamento que tivemos — continua Brenda. — Já fomos mencionados na *Vogue* e no *Telegraph*, e fiquei sabendo que o lorde Cleath-Stuart deu uma entrevista recentemente para a revista *Style Central*.

— O Tarkie está na *Style Central*?

Eu olho para ela, com vontade de rir. A *Style Central* é a bíblia dos estilistas e editores de moda de vanguarda que moram em lugares como Hoxton.

E Tarkie é... bem... Tarkie. Quer dizer, ele ainda usa o casaco de críquete que usava no Eton.

— Ele fez a entrevista comigo — comenta Danny, me tranquilizando. — Não se preocupe, eu falei a maior parte do tempo. *Ótimas* fotos — acrescenta. — Ele não teve medo de inovar. Existe um lado, assim, realmente experimental no Tarquin, sabia?

— Jura? — digo, duvidando.

Estamos falando do mesmo Tarquin? O Tarquin que ainda lava o rosto com sabonete carbólico, não importa quantos potes de sabonetes de marca, especiais para o rosto, a Suze compre para ele?

— Bem, agora... — Trevor, nosso diretor-executivo, está falando pela primeira vez, e todo mundo se vira para prestar atenção. — Enquanto estamos todos nós aqui, eu gostaria de dar destaque a outra pessoa na mesa. Becky foi a funcionária inspirada que teve a ideia para essa enorme colaboração. Primeiro ao apresentar Danny Kovitz à loja, e agora ao estabelecer uma parceria com a Shetland Shortbread. Parabéns, Becky!

As pessoas começam a aplaudir e eu sorrio toda orgulhosa, mas Trevor levanta a mão, para interromper.

— Não apenas isso. Como todos nós sabemos, os tempos estão difíceis para o comércio. Porém, o departamento da Becky demonstrou um *aumento* de 17 por cento nas vendas no último mês!

Ele faz uma pausa de efeito e todos me olham com admiração — ou ódio. Gavin, o diretor do departamento masculino, está com o pescoço todo vermelho e com cara emburrada.

— E os recados das clientes da Becky são incríveis — acrescenta Trevor. — Jamie, você pode ler alguns?

— Com certeza! — Jamie, do atendimento ao cliente, concorda, com entusiasmo. — Aqui está um da Davina Rogers, uma médica. "Prezado senhor, eu gostaria de elogiar o seu departamento de *personal shopping* e, especificamente, Rebecca Brandon. Sua estratégia perspicaz e discreta em relação às compras nesses momentos difíceis fez toda a diferença para mim. Retornarei muitas vezes."

Fico encantada de tanta satisfação. Eu não fazia ideia que Davina tinha escrito uma carta! Ela mandou um e-mail com uma foto dela na festa e estava espetacular com o vestido Alberta Ferretti.

— Tenho mais um. — Jamie pega outro papel. — "Finalmente alguém entende do que as mulheres precisam e o que querem quando fazem compras! Muito obrigada. Chloe Hill."

Eu me lembro da Chloe Hill. Ela comprou umas dez peças da nova coleção do Marc Jacobs e as deixou na loja. Combinamos que, na noite seguinte, Jasmine iria para sua casa com as roupas dentro de um saco de lixo, fingindo que uma vizinha ia voltar para a Nova Zelândia e estava se livrando de roupas que não queria mais. Aparentemente, o marido da Chloe estava lá e acreditou em tudo. (O único probleminha foi quando ele sugeriu que Chloe desse algumas roupas para a faxineira e a acusou de ser egoísta quando ela disse que não daria de jeito nenhum.)

— Para honrar este feito — Trevor está dizendo —, nós gostaríamos de dar uma pequena lembrança à Becky e perguntar: como você conseguiu fazer isso?

Para a minha surpresa, ele pega um buquê de flores de sob a mesa, entrega-o para mim e puxa uma salva de palmas.

— Não há dúvidas sobre quem será anunciada a Funcionária do Ano no mês que vem — acrescenta Trevor, piscando. — Meus parabéns, Becky.

— Nossa. — Não consigo deixar de ficar vermelha de alegria. — Muito obrigada.

Funcionária do Ano! Que legal! Vou ganhar 5 mil libras!

— E, agora, sério. — Trevor mal espera. — Como *foi* que você conseguiu isso, Becky? Pode explicar o segredo do seu sucesso?

Os aplausos vão parando. Todos na mesa estão esperando, atentos, pela minha resposta. Enfio o rosto no buquê e cheiro as flores, para ganhar tempo.

A questão é que... Eu não sei se *quero* explicar o segredo do meu sucesso. Alguma coisa me diz que ninguém aqui compreenderia a entrega de roupas para clientes dentro de sacos de lixo. E, mesmo que compreendessem, todos fariam perguntas complicadas sobre quando começamos com isso, quem a aprovou e se está de acordo com a política da empresa.

— Quem sabe? — Olho para cima, finalmente, com um sorriso. — Talvez todas as minhas clientes estejam tentando ajudar a economia.

— Mas por que só no seu departamento? — Trevor parece frustrado. — Becky, queremos adotar os seus métodos e aplicá-los em *todos* os departamentos, caso seja por causa de um produto específico... uma técnica de venda...

— Talvez seja o layout do departamento — sugere um jovem de óculos.

— Isso, boa ideia! — digo rapidamente.

Mas Brenda está balançando a cabeça. Ela é muito inteligente, esse é o problema.

— O atendimento ao cliente é o mais importante, na minha opinião — diz. — É óbvio que você está fazendo a coisa certa de algum jeito. Será que posso observá-la durante alguns dias?

Ai, meu Deus. De jeito *nenhum* queremos Brenda por perto. Ela ia perceber na hora o que estamos fazendo e contar tudo para Trevor.

— Acho melhor não — digo rapidamente. — Jasmine e eu trabalhamos muito bem em equipe, sem mais ninguém. Minha preocupação é que, caso a fórmula seja alterada, possamos comprometer todo o sucesso que alcançamos.

Eu posso ver a palavra "prejudicar" se fixando na cabeça de Trevor.

— Bem, vamos deixar assim por agora — ele diz pesadamente. — Continue fazendo o que está fazendo. Bom trabalho, pessoal. — Ele arrasta a cadeira para trás e olha para mim. — Danny e Becky, vocês querem almoçar conosco? Fizemos uma reserva no Gordon Ramsay, se não for problema.

— Sim, por favor! — digo, toda feliz.

Um almoço no Gordon Ramsay com o diretor-executivo! Funcionária do Ano! Eu vou chegar *mesmo* na diretoria.

Enquanto Trevor atende uma ligação no celular, Danny arrasta a cadeira para perto de mim.

— Então, como vai a festa?

— Shhh! — Eu olho brava para ele. — Não fale tão alto!

— É que eu estava numa festa de moda em Shoreditch, na semana passada, e pensei em você. — Ele me oferece chiclete. — Não sei qual é a empresa de segurança que você vai usar, mas a Fifteen Star Security está uma porcaria. Os seguranças eram do tipo muito agressivos e o valet foi uma confusão. Então, se você os contratou, é melhor pensar duas vezes.

Por um instante, não consigo encontrar uma resposta.

Seguranças? Valet? Eu nem tinha *pensado* em seguranças e valet.

— Bem, com certeza não vou usar *essa* empresa, então — digo, da maneira mais convincente possível.

— Beleza. — Danny apoia os pés numa cadeira. — Qual você vai usar?

— Ainda estou... hã... definindo os planos de segurança.

Está tudo bem. Não entre em pânico. É só acrescentar à lista. *Contratar seguranças e valet.*

— Mas os banheiros eram *ótimos* — acrescenta ele, entusiasmado. — Ficavam numa tenda separada e todo mundo recebeu uma massagem nos pés. Você vai contratar massagistas?

Não consigo responder. Estou completamente horrorizada.

Banheiros. *Droga*. Como eu posso ter esquecido isso? Eu estava esperando que duzentas pessoas usassem o da Janice?

Discretamente escrevo "Contratar banheiros" na minha mão com uma caneta esferográfica.

— É claro que vou chamar massagistas de pé. — Tento parecer indiferente. — *E* de mão. E... pessoas que fazem reiki.

Não vou permitir que uma festinha de moda qualquer em Shoreditch ganhe da *minha* festa.

— Excelente. — Seus olhos brilham. — E o Luke não faz a menor ideia?

— Nenhuma. E fale mais baixo!

— Bom, isso não vai durar. Ninguém nunca deu uma festa surpresa que fosse, de fato, uma surpresa.

— Já sim! — respondo com raiva, mas Danny está balançando a cabeça.

— Pode acreditar em mim, Becky. Algum idiota vai falar demais. Veja só o que eu fiz para a minha afilhada. — Ele pega uma camisa de tartã pequena na qual está escrito "Minnie Arrasa", com letras rosa-shocking.

É sempre a mesma coisa com Danny. Quando você está prestes a bater na cabeça dele por ser tão irritante, ele faz alguma coisa muito fofa e você se apaixona por ele de novo. Não consigo deixar de lhe dar um abraço.

Mas, meu Deus. E se ele tiver razão?

Quando estou chegando em casa, meu celular toca. É Bonnie *finalmente* retornando a minha ligação.

— Bonnie! — Me escondo nos arbustos. — Tudo bem?

— Tudo certo, obrigada. — Ela parece um pouco desmotivada, diferente do seu normal. — Está tudo bem.

Olho para o celular desconfiada.

— Bonnie, o que houve? Você parece muito incomodada.

— Bem, a verdade é que... — Bonnie suspira. — O Luke não reagiu muito bem quando tentei comentar sobre o sabonete líquido dele, agora há pouco. Na verdade, ele ficou muito irritado comigo.

— Puxa, sinto muito — digo, morrendo de culpa. — Bom, não se preocupe mais com isso. Obrigada pela tentativa. Como está indo a festa aí do seu lado?

— Nós recebemos várias confirmações hoje! Já criei um arquivo com todos os detalhes e pedidos especiais.

— Pedidos especiais? — repito, com incerteza.

— As pessoas pediram comida vegetariana, kosher, sem trigo... Acredito que o seu bufê dê conta de tudo. Além disso, um dos convidados precisa de uma área de espera para o motorista, outro precisa de uma área para dar comida ao filho pequeno, um ministro do governo gostaria de mandar seus seguranças antes, para examinarem o local...

— Certo! Sem problemas!

Estou tentando parecer confiante e proativa, mas por dentro estou me sentindo um pouco assustada. Desde quando as festas de aniversário ficaram tão *complicadas*?

— Becky.

— Desculpa. — Me concentro de novo. — Bonnie, tem outra coisa. Preciso fazer uma pergunta. — Respiro fundo. — O Luke está escondendo alguma coisa de mim?

Há silêncio, e o meu coração para. Eu *sabia*.

— É sobre a Minnie? Seja sincera.

— Não, querida! — Ela parece surpresa. — Não ouvi o Luke falar nada da Minnie!

— Ah. — Coço o nariz. — Bem, é alguma coisa em relação ao trabalho, então?

Outro silêncio. É óbvio que a resposta é "sim". De repente, tenho uma sensação ruim sobre isso.

— Bonnie, eu pensei que você fosse minha amiga — digo finalmente. — Por que não pode me dizer o que está acontecendo? É ruim? É mais um caso de tribunal? — Minha mente está pensando em coisas terríveis. — O Luke está com problemas? Ele *faliu*?

— Não! — Bonnie me interrompe rapidamente. — Por favor, Becky, não pense em nada desse tipo!

— Bom, o que devo pensar então? — Minha voz fica mais alta com a agitação. — Sei que o Luke quer me proteger de todas as coisas ruins, mas como eu posso ajudá-lo se não sei o que está acontecendo?

— Becky, por favor, não fique chateada! Não é nada ruim! É, simplesmente... um novo cliente.

— Ah.

Meu balão murchou levemente. Não era isso que eu estava esperando. Se bem que, agora estou lembrando, Luke comentou sobre outro cliente, não foi? Mas por que é um segredo tão grande?

— Quem é?

— Não posso dizer — responde Bonnie, relutante. — O Luke pediu especificamente para não comentar. Ele achou que você poderia ficar... animada demais. Ele queria primeiro ter certeza de que daria certo.

— Animada demais? — Encaro o celular indignada. — Bonnie, você *precisa* me contar.

— Não posso.

— Pode sim! Somos uma equipe, lembra?

— Não posso. — Bonnie parece estar sofrendo. — Becky, você precisa entender que o Luke é o meu chefe...

— E eu sou sua *amiga*. Amigas são mais importantes do que os chefes! Todo mundo sabe disso.

Silêncio. Então, Bonnie sussurra:

— Becky, eu preciso ir. Falo com você amanhã.

Ela desliga, e eu observo a luz do meu celular ir se apagando. Vou até o salgueiro, que fica no meio do jardim, na frente da casa, e sento no velho banco de madeira. Para ser sincera, estou um pouco atormentada. O que está acontecendo com Luke? E como vou lidar com essa festa? Achei que estava indo tão bem, eu estava tão feliz comigo mesma... Mas agora estou em pânico.

Seguranças. Valet. Comida kosher. Banheiros. Massagistas de pé. Meu Deus, meu Deus. Como vou pagar por tudo isso? Por que passei tanto tempo fazendo pompons idiotas? Em que *mais* eu preciso pensar?

Suze saberia. Suze vai a festas chiques o tempo todo. Mas não posso perguntar para ela. Não agora.

Por impulso, pego meu BlackBerry e começo a analisar a lista de pessoas confirmadas. Quanto mais nomes eu leio, pior me sinto. Por que o Luke não pode ter amigos *normais*? Por que precisam ser chiques e importantes? Essas pessoas estão acostumadas com grandes festas, em lugares ótimos. Estão acostumadas com pilares de mármore, quartetos de cordas e garçons com blazers brancos...

— Becky? — Mamãe está olhando pela porta da casa, com uma expressão preocupada. — Você está bem, filha?

— Estou ótima — digo sorridente. — Estou só... pensando.

Não existe a menor possibilidade de eu admitir que estou preocupada com a festa.

Minha mãe some de novo e eu roo a unha do dedão. Bom, eu não tenho escolha, né? Vou ter que reservar os seguranças, os banheiros, os massagistas e tudo mais. E, simplesmente pagar por tudo... de algum jeito.

Eu estremeço quando penso nas minhas finanças. Não posso tirar dinheiro da conta conjunta, porque o Luke vai ver. E não posso tirar da minha própria conta, porque não há nada para tirar. Tenho certeza de que o banco não vai aumentar o meu cheque especial. Não no momento. E eu já atingi o limite da metade dos meus cartões. As empresas de crédito estão tão *mesquinhas* ultimamente.

Será que eu posso falar com o meu ex-gerente de banco, Derek Smeath, e implorar por um cheque especial de emergência, para festas? Ele entenderia, com certeza. Ele sempre gostou do Luke, e eu posso convidá-lo para o evento...

De repente, sento com a coluna bem reta. Não. Já sei. Vou pedir o dinheiro de Funcionária do Ano adiantado para o Trevor. Ele não pode recusar, né? Não depois de todas as coisas legais que disse sobre mim.

Na verdade, enquanto estou falando neste assunto... por que não peço um aumento?

Estou tão aliviada que quase rio alto. Por que não pensei nisso antes? Ele acabou de me dar flores, pelo amor de Deus. Meu departamento é de longe o melhor. Está lançando tendências. É *óbvio* que eu deveria ter um aumento. Vou marcar uma reunião particular e, calmamente, pedir um pequeno porém significante aumento e, com o dinheiro de Funcionária do Ano, conseguirei pagar tudo.

Talvez um aumento médio porém significante. Melhor ainda.

Enquanto isso, vou procurar no Google "detalhes de planejamento de festas luxuosas e caras", só para ver o que mais eu esqueci.

Me sentindo muito melhor, eu me levanto do banco e estou quase entrando em casa quando chega uma mensagem no meu celular. Vejo que é da Bonnie.

Becky querida. Estou me sentindo muito culpada. Acho que você tem razão. Sua amizade se tornou muito importante para mim e o principal de toda amizade precisa ser a confiança. Portanto, vou confiar em você e enviar, em outra mensagem, o nome do novo cliente que o Luke está escondendo de você (pelos melhores motivos, posso garantir).

Por favor, apague estas mensagens depois que ler. Espero e acredito que você vai respeitar o fato de eu estar me arriscando muito ao divulgar esta informação. Por favor, tente não demonstrar para o Luke que você sabe. Um pouco de autocontrole será necessário da sua parte.

Sua amiga querida,
Bonnie.

Fico emocionada ao ler essas palavras. Bonnie *é* minha amiga. E eu sou amiga dela. E é isso que importa. Eu quase não me importo mais com o nome do cliente. Deve ser algum cara sem graça do mundo financeiro, provavelmente.

Para quê dizer que preciso de autocontrole?... pelo amor de Deus. Acho que, às vezes, as pessoas que trabalham com RP começam a acreditar nas manias deles. Clico em "Responder" e começo a escrever uma mensagem:

Querida Bonnie, muito obrigada. Você é uma ótima amiga. Não se preocupe, não vou demonstrar, nem um pouquinho, para o Luke que eu sei o nome do cliente, e realmente acho que o autocontrole não será um problema...

Um apito me interrompe. Opa, deve ser a segunda mensagem da Bonnie. Acho melhor ver antes de continuar. Clico nela e espero a mensagem aparecer na tela.

São apenas duas palavras. Por um instante fico imóvel, sem conseguir processar o que estou vendo.

Sage Seymour.

Sage Seymour, a estrela de cinema? *Ela* é a nova cliente? Mas... mas... como é possível...

Não. Não pode ser verdade. É um absurdo. Luke não representa estrelas de cinema.

Mas Bonnie não diria isso se não fosse...

Sage Seymour?

Como isso aconteceu? Como ele passou de banqueiros chatos para atrizes? E por que ele não disse nada sobre isso?

Começo a suar. Levanto o olhar e depois olho de novo para a tela, só para ver se continua escrito a mesma coisa.

Sage Seymour é a estrela de cinema mais badalada *de todos os tempos*. Ela fez aquele filme sobre nazistas. Ela usou aquele vestido de contas transparente e maravilhoso no Oscar. Eu sempre, sempre, sempre quis conhecê-la.

E Luke a *conheceu*? Ele está *trabalhando* com ela?

Por que ele não ME DISSE?

Sage Seymour — Pesquisa no Google

Sugestões

Google earth
Google mapas
Google.com
Google wave
Google tradutor
Google chrome
Google voice

Pesquisas Recentes

sage seymour luke brandon
sage seymour luke brandon novo agente RP
sage seymour becky brandon
sage seymour moda
jimmy choo 50 por cento desconto
filhos madonna escola
filhos claudia schiffer escola
detalhes de planejamento de festas luxuosas caras
detalhes de planejamento de festas luxuosas baratas
valet oxshott
alexander wang bolsa
alexander wang bolsa liquidação
venetia carter difamada e arruinada
sage seymour piscina cor-de-rosa
sage seymour novo melhor amigo

CATORZE

Não estou acreditando que o Luke não me contou sobre a Sage Seymour.

Eu nunca, nunca, *nunca* esconderia algo tão grande assim dele. Na verdade, estou completamente chocada. É assim que ele acha que um casamento funciona? Com uma pessoa conhecendo uma estrela de cinema e não contando para a outra?

É óbvio que ele não pode saber que eu sei, porque senão eu estaria traindo a confiança da Bonnie. Mas eu *posso* jogar umas indiretas ou uns olhares sarcásticos, como quem diz: "Alguém tem um baita segredo, não é mesmo?"

— Becky, aconteceu alguma coisa?

Luke olha para mim com uma expressão confusa quando passa ao meu lado, levando duas sacolas enormes para o caminhão de mudança. Os caras estão aqui há uma hora e nós já conseguimos despachar quase tudo.

— Não! — digo acidamente. — O que poderia estar acontecendo?

Luke me analisa por um instante e depois suspira.

— Ah! Já entendi. — Ele solta as sacolas e me abraça.
— Sei que é um dia difícil para você. É claro que vai ser ótimo ter nosso próprio espaço, apesar de termos sido felizes morando aqui. É o fim de uma era.

Não é o "fim de uma era"!, quero gritar para ele. Por que eu me importaria com isso? O problema é: "Por que você não me apresentou uma estrela de cinema?"

Eu simplesmente não acredito que perdi uma oportunidade dessas. Nós já poderíamos ter jantado juntas. Nós, provavelmente, teríamos nos dado muito bem. Sage e eu teríamos trocado telefones, nos tornado melhores amigas e ela teria me convidado para visitar a casa dela em Malibu, aquela que tem uma piscina cor-de-rosa, em formato de concha e com mosaico. É *maravilhosa.*

Já consigo nos imaginar flutuando na água em colchões de ar, bebendo smoothies, jogando conversa fora. Ela podia me contar como consegue manter o cabelo naquela cor dourada maravilhosa e eu teria dito exatamente onde ela errou com o seu último namorado. (Porque eu discordo completamente daquele colunista da revista *Heat* — a separação *não* foi inevitável.) E, depois, nós poderíamos fazer compras e seríamos flagradas pelos paparazzi, lançando uma tendência nova com lenços ou algo do tipo.

Mas o Luke está me excluindo de propósito. Ele não *merece* uma festa surpresa. Estou tão chateada que fico com vontade de contar tudo para ele.

— Becky? — Levanto os olhos e vejo Jess chegando. — Boa sorte no novo lar — diz ela casualmente. — Tenho um presente para a casa.

Ela me entrega uma sacola grande e volumosa, de papel marrom-escuro, e rapidamente eu dou uma olhada lá dentro. Credo! Que diabos é isso?

— Nossa, obrigada! É... algodão-doce? — pergunto, sem ter certeza.

— Isolante térmico — diz Jess. — As casas neste país, por incrível que pareça, têm um isolante horrível. Coloque no seu apartamento, vai economizar energia.

— Maravilha! — Dou um tapinha na sacola. — E como você está? Quase não a vejo mais.

— Fui visitar uns amigos. Tento não ficar mais de uma noite seguida aqui. — Jess baixa o tom de voz. — Ela está me enlouquecendo. E ao Tom também.

— A Janice? — sussurro de volta, de forma solidária. — Ela ainda quer que vocês tenham um filho?

— Pior! Ela sabe que não pode mais tocar no assunto, porque o Tom vai brigar com ela. Então, está usando outros recursos.

— Que recursos? — pergunto, intrigada.

— Ela me deu um chá de ervas, outro dia. Disse que eu parecia "muito cansada". Mas achei estranho e resolvi ver o que era na internet. Descobri que é um remédio natural que aumenta a fertilidade e a libido. — Ela parece revoltada. — O Tom já tinha bebido três xícaras!

— Mentira! — Fico com vontade de rir, mas Jess está tão furiosa que eu nem ouso fazer isso.

— Eu queria que fôssemos nós nos mudando para a nossa casa. — Ela olha melancolicamente para o caminhão.

— Bom, e por que não se mudam?

— Vamos voltar para a América do Sul daqui a algumas semanas. — Jess parece desanimada. — Não faz sentido e não temos nenhum dinheiro sobrando. Mas, se ela fizer mais alguma coisa...

— Vocês podem ficar com a gente! — Eu aperto o braço dela impulsivamente. — Vamos nos divertir muito e eu prometo que não darei nenhum desses remedinhos para você.

— Sério? — Jess parece surpresa. — Mas seus pais disseram que você não queria que ninguém visitasse a sua casa até ela ficar pronta.

— Er... mais ou menos. — Tusso um pouco.

Ainda não tive a oportunidade de explicar a situação para Jess. Vou ligar para ela depois, quando estivermos na casa alugada.

— Pronta para ir? — pergunta Luke.

Ele deixou o nosso carro em casa, então iremos no caminhão de mudança. É a coisa mais legal *do mundo*. Há uma fileira de assentos na frente, então tem espaço para todo mundo, inclusive para Minnie. Ela já está acomodada na cadeirinha, com sua lancheira, e está passando passas, uma a uma, para o motorista. (Ele se chama Alf e, por sorte, parece ser muito paciente.)

Acho que a gente deveria comprar um caminhão enorme, penso de bobeira. Quer dizer, é o carro de família perfeito. Você nunca mais teria que se preocupar com a quantidade de sacolas de compras. Todos nós poderíamos sentar na frente e as pessoas nos chamariam de A Família no Caminhão Bacana, e...

— *Becky*?

Ah. Ops. Todos estão esperando.

Vou até mamãe e dou um abraço nela.

— Tchau, mãe. E muito obrigada por ter nos aturado.

— Ah, filha. — Ela faz um gesto de que está tudo bem — Não seja boba. — Ela olha para o meu pai. — Vamos...

Papai concorda com a cabeça e tosse um pouco, meio sem jeito.

— Antes de você ir, querida, eu gostaria de dizer umas palavrinhas — ele começa.

Luke desce da cabine do caminhão com um olhar confuso, e eu olho para ele sem entender nada. Eu não fazia a menor ideia de que o meu pai planejava fazer um discurso.

— Achei que este dia nunca chegaria. — A voz dele ecoa pela entrada com chão de pedrinhas. — Nossa filha comprou uma casa! — Ele faz uma pausa. — Estamos muito, muito orgulhosos, não estamos, Jane?

— Nossa dúvida era quem seria capaz de dar um empréstimo para a nossa pequena Becky — acrescenta mamãe. — Ficamos muito preocupados, filha! Mas agora você tem uma casa linda, em Maida Vale!

Não consigo olhar para Luke. Estou paralisada pelo silêncio, mordendo o lábio, me sentindo cada vez mais desconfortável. Eu sei que nós teremos uma casa em pouco tempo. Então, eu não menti *exatamente*. Mas mesmo assim.

— E então, em homenagem a esta ocasião... — Papai tosse, como se estivesse engasgado. — Becky, nós gostaríamos que você ficasse com isso. — Ele me dá um presente embrulhado em papel de seda.

— Meu Deus! Não precisava!

Tiro o papel e vejo que é a pintura da moça com as flores. É o quadro que fica do lado da escada, no andar de cima, desde que eu me entendo por gente.

308

— O *q-quê*? — Levanto os olhos, chocada. — Não posso ficar com isto! O lugar dele é aqui!

— Ah, querida. — Mamãe está com os olhos cheios d'água. — Quando você era pequena, sempre dizia que queria que este quadro ficasse no seu quarto. E eu falava: "Você poderá ficar com ele quando for adulta e tiver sua própria casa." — Ela enxuga os olhos. — E agora aqui está você, querida. Uma mulher adulta e com a própria casa.

Eu nunca me senti tão culpada em toda a minha vida.

— Bem... obrigada, mãe — gaguejo. — Me sinto muito honrada. Ele vai ter um lugar importante na nossa casa.

— Talvez naquele corredor adorável! — ela sugere. — Vai ficar lindo perto da lareira.

— É, talvez. — Agora meu rosto está ardendo.

Oh, céus. Isso é insuportável. Nós precisamos falar com o advogado e agilizar as coisas. E *assim* que estivermos na nossa casa de verdade, vamos convidá-los, vamos pendurar o quadro e tudo ficará bem.

— Nos avise quando pudermos fazer uma visita — fala mamãe com ansiedade.

— Bem... Nós vamos visitar *vocês* muito em breve — digo, evitando uma resposta direta. — Te ligo mais tarde, mãe.

Luke e eu então subimos na cabine do caminhão, e Alf olha para nós. Ele é tão enrugado que parece ter uns 103 anos, apesar de provavelmente estar na casa dos 70. Ele já disse que tem problema no quadril, um ombro defeituoso e um pulmão fraco, então os outros caras vão encontrar com ele na casa para ajudar a levar as caixas.

— Todos prontos? — pergunta Alf, a voz grossa e seu dente de ouro brilhando.

— Sim, vamos.

— A mocinha quer as passas de volta?

Reparo, de repente, que ele está com a mão cheia de passas. Algumas delas foram mastigadas.

— Minnie! — reclamo. — Sinto *muito*, deixe-me pegá-las... — Eu rapidamente enfio as passas na lancheira de Minnie e, em seguida, respiro aliviada quando o caminhão sai da entrada da casa.

— Então, Sra. Dona-de-Uma-Casa — diz Luke ironicamente. — Você deve estar muito orgulhosa.

— Cala a boca! — Envolvo a cabeça com as mãos. — Olha... Vai dar tudo certo. Eu vou esperar uns dias e, então, ligar para a mamãe e inventar que a casa precisa de uns reparos e que nós vamos alugar outra casa. Eles não vão se importar. E, depois, assim que *de fato* conseguirmos a nossa casa, vamos fazer um grande jantar para todo mundo.

— Um jantar de Natal, talvez — concorda Luke. — No ano que vem.

— O quê? — Eu o encaro horrorizada. — Não seja bobo! Não vai demorar tanto tempo *assim* para nós conseguirmos a casa. O advogado disse que tudo será resolvido rapidamente.

— O que para um advogado significa no Natal do ano que vem.

— Não significa *nada*...

— É a sua mãe? — Alf nos interrompe.

— O quê?

— Um Volvo azul? Eles estão nos seguindo.

Ele indica, com a cabeça, o espelho lateral e eu olho, sem acreditar. Lá estão eles, no carro atrás do caminhão. Por que ela está nos seguindo?

Pego o celular e ligo para ela.

— Mãe, o que você está *fazendo*?

— Ah, Becky! — sua voz ecoa. — Você estragou a surpresa! Graham, eu *disse* para ficar mais para trás! Eles nos viram!

— Mãe, presta atenção. — Sei que pareço nervosa, mas não consigo me controlar. — Você não deveria vir com a gente. Nós dissemos que avisaríamos quando estivéssemos prontos para vocês virem nos visitar.

— Becky, filha! — Mamãe ri. — É a sua primeira casa! É a sua primeira propriedade! Nós não nos importamos com o estado em que ela está!

— Mas...

— Querida, eu sei o que você disse. E, para ser sincera, nós pretendíamos deixar você ter a sua privacidade. Mas não conseguimos resistir! Não podíamos deixar você ir embora sem ajudá-la. Eu comprei uns bolinhos e seu pai está levando as ferramentas. Vamos ajudar você a arrumar tudo rapidinho...

Meu coração está a mil. Não existe a menor possibilidade de eu deixar que eles apareçam numa casa alugada e horrorosa. Não depois do discurso do meu pai.

— Podemos dar uma volta e conhecer os seus novos vizinhos! — continua mamãe, alegremente. — Eles podem acabar se tornando bons amigos, Becky. Veja só eu e Janice: ainda somos amigas, mesmo depois de trinta anos. Me lembro do dia em que chegamos e Janice apareceu com uma garrafa de xerez... Ooh, seu pai está pedindo para você lembrá-lo do endereço, caso a gente se perca.

De repente tenho uma ideia.

— Mãe, não estou ouvindo... Está picotando... — Esfrego o celular na bolsa para fazer um barulho alto, depois desligo e olho para Luke. — Está tudo bem. Eles não sabem o endereço. — Viro-me rapidamente para Alf. — Precisamos despistá-los.

— *Despistá-los?*

— Isso! Como nos filmes policias. Entre numa ruazinha ou algo do tipo.

— Uma ruazinha? — Ele parece surpreso. — Que ruazinha?

— Sei lá! Encontre uma. Sabe, como nas perseguições de carro! — Ele não *vê* filmes?

— Acho que a minha esposa quer que você dirija mais rápido, na contramão de uma rua de mão única, derrube uma carroça de frutas, faça uma multidão gritar, gire o caminhão em 360° e assim escape dos meus sogros — diz Luke ironicamente. — Você não é um motorista dublê?

— Cala a boca. — Bato no peito dele. — Você tem noção da situação em que nós estamos?

— Se dependesse de mim, não estaríamos nesta situação — diz ele calmamente. — Porque teríamos dito a verdade aos seus pais desde o início.

Paramos no sinal. Meus pais estão ao nosso lado, acenando felizes, e eu aceno de volta, com um sorriso enjoado.

— Muito bem. — Começo a instruir o Alf: — Quando o sinal abrir, você vai!

— Estamos num caminhão, querida, não numa Ferrari.

O sinal abre e eu começo a gesticular "Vai, vai!" com as mãos. Alf apenas me olha de um jeito estranho e passa a marcha sem pressa.

Francamente. Estou quase me oferecendo para dirigir.

— Sinto muito, gente. Preciso abastecer.

Alf entra num posto de gasolina e, como era de se esperar, o Volvo dos meus pais vem atrás. Um tempinho depois, minha mãe sai apressada do carro e bate na porta da cabine do caminhão.

— Tudo certo? — ela pergunta.

— Claro! — Abaixo o vidro e sorrio feliz. — Só vamos abastecer.

— Eu estou falando com a Janice. Você não se importaria se ela viesse também, não é?

O quê?

Antes que eu possa responder, mamãe já está no telefone de novo.

— Isso, estamos no posto BP que tem o café... Nos vemos daqui a pouquinho! A Janice e o Martin já estavam no carro, voltando do Yogacise... — Ela se vira para mim. — Lá estão eles! — Ela acena freneticamente quando um Audi preto surge na entrada do posto. — Iu-hu!

— Becky! — Janice se apoia na janela quando o Audi se aproxima. — Você não se importa, não é, querida? Sua mãe contou *tudo* sobre a casa. É tão emocionante!

— Vocês podem nos seguir — mamãe diz para Martin. — E nós seguimos o caminhão.

Não estou acreditando. Temos uma escolta.

— Coloque "Maida Vale" no seu GPS, Martin — diz mamãe de forma autoritária. — Assim, mesmo que a gente se perca... Becky, qual é o endereço certo? — pergunta ela para mim, de repente.

— Eu... hã... vou mandar por mensagem...

Preciso contar a verdade para ela. Preciso. Agora.

— O problema, mãe, é que...

Olho para Luke pedindo apoio, mas ele já saiu do caminhão e está falando ao celular.

— Não, não está *nada* bem, droga! — consigo ouvi-lo dizer.

Meu Deus. Ele parece estar com muita raiva. O que está acontecendo?

— Becky.

Levo um susto quando Janice aparece do nada, piscando para mim através da janela. Ela está usando uma roupa de ioga cor-de-rosa fluorescente que dói só de olhar, e meias de náilon e tamancos. É um visual que uma modelo de 19 anos estilosa poderia usar. — Eu só queria falar rapidinho, enquanto o Luke não está por perto. — Ela baixa o tom de voz e está quase sussurrando. — É sobre a F-E-S-T-A. Eu estava lendo a *Hello!* um dia desses. Aquela festa "Royal Fashion". Você viu?

Concordo com a cabeça, sem nem pensar, olhando para o Luke. Ele está longe do caminhão, mas tenho quase certeza de que está gritando com alguém. E tenho quase certeza de que não quero que a Minnie ouça o que ele está falando.

Será que ele está discutindo com Sage Seymour? Ele está cancelando tudo com ela antes que eu tenha uma chance de conhecê-la e de me tornar a melhor amiga dela? Se for isso, eu vou *matá-lo*.

— ... e eles tinham uma área de retoque para todas as celebridades! — Janice termina, toda empolgada. — Entendeu?

Acho que me perdi em algum momento.

— Sinto muito, Janice. — Sorrio, me desculpando. — Eu não estava te acompanhando.

— Eu sou *maquiadora*, querida — diz ela, como se fosse uma coisa óbvia. — Quero me oferecer para organizar uma área de retoques. Vou maquiar todos os convidados! Será o meu presente para o Luke.

Estou sem palavras. Janice *não* é maquiadora. Ela fez apenas um curso rápido e aprendeu a aplicar blush pêssego e um iluminador em listras no rosto de um manequim de plástico. E agora ela quer fazer a maquiagem das pessoas da minha festa?

— Janice... que gentileza! — digo da maneira mais convincente que consigo. — Mas você não pode perder a diversão.

— Podemos fazer turnos! — diz ela triunfalmente. — Eu conheço algumas pessoas. Todas fizemos o curso juntas então vamos usar as mesmas técnicas.

A ideia de uma equipe de Janices, todas com paletas de sombras brilhantes, me deixa meio tonta.

— Certo — consigo dizer. — Bom, isso seria realmente... alguma coisa.

Muito bem. Preciso colocar isso na minha lista de afazeres, bem no topo. *NÃO deixar a Janice maquiar os convidados.*

— É melhor eu ir. — Ela respira dramaticamente. — Luke está vindo.

Antes que eu possa dizer mais alguma coisa, ela entra no carro dela assim que Luke volta para a cabine.

— Inacreditável. — Ele está ofegante e sua mandíbula está travada. — Inacreditável.

— O que houve? — pergunto, nervosa. — E não fale palavrão na frente da Minnie.

— Becky, eu tenho más notícias. — Luke olha diretamente nos meus olhos. — A casa que alugamos não deu certo. Não poderemos ficar lá.

Por meio segundo eu penso que ele só pode estar brincando. Mas a expressão dele não muda.

— Mas...

— Um imbecil da imobiliária alugou para outra pessoa. Eles já estão na casa e o nosso corretor só soube agora.

— Mas é *nossa*! — Estou em pânico. — Nós *precisamos* daquela casa!

— Eu sei. Acredite, eles também sabem. Eles precisam encontrar uma alternativa dentro de uma hora ou então vamos ficar num hotel, por conta deles. — Ele respira fundo. — Que grande merda.

Estou meio atordoada. Isso não pode estar acontecendo.

— É melhor eu contar para os seus pais... — Luke faz como se fosse sair.

— Não! — quase grito. — Não podemos!

— Bem, o que você sugere que a gente *faça*?

Vejo a minha mãe acenando para mim do Volvo e, um segundo depois, uma mensagem apita no meu celular.

Pronta para ir, filha?

— Vamos dirigir até Maida Vale. Não vai fazer diferença. E, se tudo der certo, alguém da imobiliária vai ligar enquanto estivermos no caminho. Podemos dar um jeito.

Alf já voltou para a cabine.

— Estão prontos?

— Estamos — digo antes que Luke possa falar. — Anda. Vai.

Vamos demorar uma hora para chegar a Maida Vale, eu imagino. Pelo menos. E, enquanto isso, eles vão conseguir outra casa, nós vamos para lá e tudo ficará bem. Tem que ficar.

Só que levamos apenas quarenta minutos para chegar em Maida Vale. Eu não estou acreditando. Para onde foi todo o trânsito? Existe uma conspiração contra nós?

Estamos passando pela rua principal, onde ficam as lojas, e ainda não temos uma casa. Estou estranhamente calma por fora, apesar do meu coração acelerado. Se continuarmos seguindo de carro, não vai ter problema.

— Vai mais devagar — digo, mais uma vez, para Alf. — Pega o caminho mais longo. Vai por ali! — Aponto para uma rua estreita.

— Não posso virar à esquerda — diz Alf, balançando a cabeça.

Já contamos toda a história para Alf. Ou, pelo menos, ele descobriu sozinho, depois que o Luke ficou gritando com o corretor. (Por sorte, Minnie está dormindo. Crianças de 2 anos dormem em *qualquer* situação.) Luke começou a ligar para outras imobiliárias, mas até agora ninguém tem uma casa disponível para a qual possamos nos mudar em vinte minutos. Quero gritar de tanta frustração. Onde estão todas as casas? E onde está o *trânsito*?

Olho para o espelho retrovisor, só para ver se os meus pais de repente se perderam, mas lá estão eles, grudados em nós como cola. Luke está ouvindo uma mensagem no celular e eu olho esperançosa, mas ele balança a cabeça.

— Então aonde vocês querem que eu vá agora? — Alf para num cruzamento, apoia os braços no volante, que vibra, e olha para mim.

— Não sei — digo, desesperada. — Será que você pode apenas... dar voltas?

— *Voltas?* — Ele me olha de um jeito irônico. — Tenho cara de avião?

— Por favor. Só um pouco.

Balançando a cabeça, Alf liga a seta para a esquerda e vira numa rua residencial. Passamos por um canal, depois por outra rua residencial e então estamos de volta, quase que no mesmo lugar em que começamos.

— Foi rápido demais! — digo horrorizada.

Como era de se esperar, um minuto depois eu recebo uma mensagem da minha mãe:

Querida, seu motorista está perdido? Já passamos por esta rua. Seu pai quer saber o endereço para poder usar o GPS.

— Becky. — Luke saiu do telefone. — Nós não podemos ficar dirigindo por Maida Vale até arranjarmos uma casa.

— Teve sorte, rapaz? — Alf pergunta. Ele começou a tratar Luke com mais respeito desde que o ouviu xingando o corretor. Na verdade, apesar de todos os olhares sarcásticos, acho que ele está se divertindo com o drama.

— Nada — responde Luke. — Becky, nós vamos ter que falar a verdade.

— Não. Ainda não. Vamos... parar para almoçar! — digo, numa súbita inspiração. — Vamos encontrar um café ou algo parecido. Luke, o plano é o seguinte: vou manter meus pais distraídos enquanto você fala com o agente e o *obriga* a nos dar uma casa.

Alf revira os olhos com impaciência e logo começa a manobrar o caminhão numa vaga em frente ao café Rouge. Vejo que todos param também. Janice sai do carro para ajudar Martin, fazendo muitos sinais, apontando e dizendo: "Cuidado, Martin!"

Solto o cinto de Minnie e todos nós saímos para esticar as pernas. Parece que estamos numa viagem longa e não que viemos de Oxshott.

— Oi! — Aceno para os outros, tentando parecer tranquila e animada, como se tudo fizesse parte do plano.

— O que está acontecendo, filha? — Mamãe é a primeira a nos alcançar. — Chegamos? — Ela está analisando os apartamentos em cima das lojas, como se algum deles, de repente, fosse virar uma casa de família com um porão, um jardim e duas vagas na garagem.

— É a cara da Becky morar perto do comércio. — Martin ri da própria piadinha.

— Não, não vamos morar aqui! — Rio da maneira mais natural que consigo. — Paramos aqui para almoçar.

Há um silêncio desconcertante.

— *Almoço*, querida? — diz Janice finalmente. — Mas são só 10h20.

— É, pois é. O... hum... motorista do caminhão precisa almoçar. É a regulamentação do sindicato — improviso, e olho seriamente para Alf. — Não é, Alf?

— Mas nós devemos estar a poucos minutos da casa — diz mamãe. — Isso é um absurdo!

— Eu sei — digo rapidamente. — Mas o sindicato é muito rígido. Não temos escolha.

— Não botem a culpa em mim — diz Alf, cooperando. — Eu não faço as regras.

— Pelo amor de Deus! — diz papai, impaciente. — Nunca ouvi tanta besteira! — Ele se vira para Alf. — Olha só. Você não pode deixar a Becky na casa dela e almoçar *depois*?

— Regras são regras — Alf responde, balançando a cabeça implacavelmente. — Se eu não cumpri-las, vou parar no tribunal disciplinar, arriscando o meu emprego. Vou usufruir do meu merecido intervalo e você me avisa quando estiver pronta para ir, tudo bem, querida? — Ele pisca para mim e segue para o café Rouge.

Nossa, ele é fantástico. Fico com vontade de dar um abraço nele.

— Bem! — Mamãe parece revoltada. — *Agora* sabemos o que há de errado com o nosso país! Quem criou essas regras, hein? Vou escrever para o *Daily World*, para o primeiro-ministro...

Ao entrarmos no café Rouge, ela olha feio para Alf e ele acena de volta todo feliz.

— É melhor todo mundo pedir bastante coisa — digo, enquanto sentamos. — Quer dizer, vamos ficar um tempinho aqui, esperando pelo Alf. Comam um sanduíche, um croissant, uma carne... É por minha conta... Minnie, *não*. — Tiro, rapidamente, os cubos de açúcar da mesa antes que ela pegue todos.

— Cadê o Luke? — mamãe pergunta, de repente.

— Ele está na imobiliária — digo.

— Pegando a chave, espero — diz papai, animado. Acho que vou comer um panini.

* * *

Tento fazer o almoço durar o maior tempo possível. Mas ninguém quer comer carne às 10h20 da manhã e há um limite de croissants que se aguenta ingerir. Cada um de nós já bebeu dois cappuccinos e Luke ainda não mandou nenhuma notícia boa, e Minnie já cansou dos brinquedos que estavam na caixa. Agora, para a minha surpresa, meus pais estão ficando inquietos.

— Isso é um absurdo! — diz mamãe, de repente, ao ver que Alf pediu mais um chocolate quente. — Não vou ficar esperando um motorista burocrata terminar de almoçar! Graham, espere aqui enquanto Becky e eu vamos andando até a casa. Nós podemos ir a pé daqui, não podemos, filha?

Sinto uma pontada no coração.

— Não acho que seja uma boa ideia, mãe — digo rapidamente. — Acho que devemos esperar o Luke e ir de caminhão.

— Não seja boba! Podemos ligar para o Luke e avisar que estamos indo direto para lá. Podemos pegar a chave no caminho. Qual é o endereço? É perto daqui?

Mamãe já está juntando as coisas e pegando as luvas de Minnie. Isso não é nada bom. Preciso manter todos calmos no café Rouge.

— Não tenho certeza de onde é exatamente — digo. — Sério, acho melhor esperar. Vamos tomar outro café...

— Sem problemas! — Janice pegou um índice telefônico versão pocket encapado com couro vermelho. — Nunca saio de casa sem ele — explica ela, feliz. — Qual é o nome da sua nova rua, Becky? Vou localizá-la rapidinho!

Droga.

Todo mundo está olhando para mim com expectativa. Assim que eu disser o nome da rua, eles vão andar até lá e descobrirão a verdade.

— Eu... hum... — Coço o nariz para ganhar tempo. — Eu... não lembro.

— Você não *lembra*? — pergunta Janice, sem acreditar. — Seu próprio endereço?

— Filha — diz mamãe, quase perdendo a paciência. — Você tem que saber onde mora!

— Só não lembro exatamente o nome da rua! Acho que começa com... B — acrescento aleatoriamente.

— Bem, ligue para o Luke!

— Ele não atende — digo. — Deve estar ocupado.

Meus pais trocam olhares, como se nunca tivessem se ligado que tinham uma filha tão débil mental.

— Não vou mais esperar aqui! — Mamãe faz um barulho de reprovação com a boca. — Becky, você disse que ficava apenas algumas ruas depois das lojas. Se a gente der uma volta você vai acabar reconhecendo a rua, quando passarmos por ela. Graham, você fica aqui e espera o Luke.

Ela está de pé. Não há nada que eu possa fazer. Olho desesperada para Alf e digo: "Vamos só dar uma volta!"

— Agora *pense*, Becky — diz ela ao sairmos do café, deixando meu pai para trás. — Para que lado é?

— Hã... para lá, eu acho. — Aponto, imediatamente, para a direção oposta da casa e todos começam a caminhar juntos.

— É a Barnsdale Road? — Janice está passando o dedo pelo índice. — Barnwood Close?

— *Acho* que não...

— Becky, minha filha! — Mamãe surta de repente. — Como é que você não lembra o nome da sua própria rua? Você é *dona de uma casa*. Você precisar ter *responsabilidade*. Você precisa...

— Papai! — diz Minnie, toda alegre. — Papaaai!

Ela está apontando para a fachada de vidro da imobiliária. Lá está Luke, bem na janela, gritando com Magnus, que parece completamente horrorizado.

Droga. Por que vim por aqui?

— Essa é a imobiliária de vocês? — Mamãe olha para a Ripley & Co. — Bom, tudo bem! Podemos entrar, descobrir o endereço e pegar a chave com eles! Muito bem, Minnie querida!

— Parece que o Luke se irritou com alguma coisa — observa Janice, quando Luke começa a gesticular violentamente para Magnus. — É por causa dos utensílios e da mobília, querida? Porque o meu conselho é: não vale a pena. Deixe que *fiquem* com a cortina do banheiro. Não vá parar no tribunal, como o meu irmão...

— Vamos, Becky! — Mamãe já está quase lá dentro. — O que houve?

Estou paralisada.

— Mãe... — Minha voz está um pouco travada. — Tem... uma coisa... que preciso contar. Sobre a casa. A verdade é que... eu não fui completamente sincera.

Mamãe fica imóvel. Ao me virar, vejo bolinhas vermelhas no rosto dela.

— Eu sabia. Eu *sabia* que tinha alguma coisa. Você está escondendo alguma coisa da gente, Becky! O que é? — Ela fica perplexa, como se tivesse pensado em algo terrível. — Só dá para estacionar na rua?

Ouço as respirações profundas de Janice e Martin. Em Surrey, o estacionamento é praticamente uma religião.

— Não é isso. É que... — Estou tão arfante que mal consigo falar. — É que...

— Sra. Brandon. — Um homem de terno que eu não reconheço sai apressado da imobiliária e vem em nossa direção. — David Ripley, sócio-executivo. — Ele estende a mão. — Por favor, não fique aqui no frio. Deixe-me oferecer-lhe pelo menos uma xícara de café. Estou ciente da sua infeliz situação e, acredite, estamos fazendo *tudo* o que está ao nosso alcance para encontrar uma casa para a senhora o mais *rápido* possível.

Não consigo olhar para minha mãe. Não consigo olhar para ninguém. A única coisa que pode me salvar agora é um tornado monstruoso.

— Encontrar uma casa para a Becky? — repete mamãe, sem entender.

— Estamos arrasados com a confusão das casas para alugar — continua David Ripley. — Seu depósito será devolvido imediatamente...

— Casas para *alugar*?

O tom agudo da voz de mamãe faz David Ripley se virar.

— Desculpe, é a sua mãe? — Ele estende a mão. — Como vai? Posso garantir que estamos fazendo tudo o que podemos para atender à sua filha.

— Mas ela já *tem* uma casa! — grita mamãe. — Ela *comprou* uma casa! Viemos aqui para pegar a chave! Por que você acha que todos nós viemos até Maida Vale?

David Ripley olha, confuso, para minha mãe e para mim.

— Sinto muito. Há algo que vocês não tenham me contado?

— Não — digo, ardendo de humilhação. — Minha mãe ainda não... sabe de tudo. Preciso conversar com ela.

— Ah. — David Ripley levanta as mãos, com um gesto delicado, e volta para o escritório. — Bem, estarei aqui dentro, se precisar de mim.

— Mãe... — Engulo em seco. — Sei que eu deveria ter dito...

— Martin — murmura Janice, e eles se afastam discretamente para olhar a vitrine de uma agência de viagens. Mamãe está parada com a testa franzida de incompreensão e decepção.

De repente, fico com vontade de chorar. Meus pais estavam com tanto orgulho de mim por eu ter comprado minha primeira casa! Eles contaram para todos os amigos. E aqui estou eu, estragando tudo, como sempre.

— Houve um atraso com a casa — resmungo, olhando para a calçada. — E nós não conseguimos contar isso para você, porque sabíamos que estava incomodada com a nossa estadia tão tumultuada. Então, alugamos outra casa. Só que esta outra casa também não deu certo. Então... estamos desabrigados. — Me obrigo a levantar a cabeça. — Desculpa.

— Viemos até aqui... e você não tem uma casa?

— É. Quer dizer, vamos conseguir a casa, mas...

— Quer dizer... você nos enganou deliberadamente? Você deixou seu pai fazer aquele discurso? Você nos deixou dar o quadro? E era tudo *mentira*?

— Não era exatamente *mentira*...

— Bom, o que é então? — ela explode de repente, e eu me encolho. — Aqui estamos nós, andando por Maida Vale, Janice e Martin se deram ao trabalho de vir, todos trouxemos presentes para a casa...

— Eu disse para não virem! — digo defensivamente, mas ela não parece ouvir.

— Tudo o que você faz, Becky, é um fiasco! Tudo é uma fantasia! O que o seu pai vai dizer? Você tem ideia de como ele vai ficar decepcionado?

— Nós vamos conseguir a casa! — digo desesperadamente. — Vamos conseguir, eu juro! E eu posso devolver o quadro até lá.

— Isso é *exatamente* igual ao George Michael...

— Não é *nada*! — eu a interrompo, magoada. — *Não* é como o George Michael de novo! — Enxugo, furiosa, uma lágrima repentina. — É só... um probleminha.

— É sempre um probleminha aqui e outro ali com a filha! Sempre! — Mamãe parece descontrolada. — A festa vai ser a mesma coisa...

— Não vai *nada*! — Estou quase urrando. — E eu não *pedi* para vocês virem até aqui, pedi? Nem para comprar presentes. E se você não quer ir à festa do Luke, mãe, então não precisa! Na verdade, por favor, não vá!

Agora as lágrimas estão escorrendo pelo meu rosto e eu posso ver Janice e Martin olhando atentamente as ofertas especiais para Marrocos, como se estivessem hipnotizados.

— Não! — Minnie está olhando para mim aflita. — Chola não, mamãe!

— Muito bem — soa a voz do Luke. Levanto a cabeça e o vejo caminhando em nossa direção. — Dei um jeito. Eles vão nos colocar... — Ele para e olha o rosto de cada um. — O que houve? O que aconteceu?

Mamãe não diz nada, sua boca apenas se contrai.

— Nada — murmuro com sofrimento. — Estávamos só... conversando.

— Certo — diz Luke, claramente desnorteado. — Bem, eu negociei um apartamento de dois quartos num apart-hotel no West Place, até encontrarem outra acomodação para nós.

— West Place! — Janice para de olhar a vitrine da agência de viagens e se vira. — Vimos na TV! Martin, você se lembra daquele hotel novo, lindo, com um spa no terraço? Com os mosaicos?

— Pois é, eu não ia ficar com qualquer porcaria. — Luke dá um pequeno sorriso. — Nós podemos nos mudar hoje e as coisas vão ficar num depósito... — Ele para de falar, claramente atento à tensão no ar. — Então... Tudo bem para você, Becky?

— Minha mãe pode ficar lá. — As palavras saem da minha boca antes que eu as processe direito. — Meus pais podem ficar lá.

— Tudo beeem — diz Luke, hesitante. — Bom, é um jeito de resolver as coisas...

— Nós incomodamos os meus pais durante muito tempo, e agora nós os decepcionamos. Vamos deixá-los aproveitar esse apartamento de luxo. E depois... nos reagrupamos.

Estou olhando para o nada, não consigo encarar minha mãe. Luke fica olhando para nós duas, como se procurasse uma pista, e eu vejo Janice tentando sussurrar alguma coisa desesperadamente para ele.

— Jane? — diz Luke finalmente. — Tudo bem para a senhora? Ficar uns dias no West Place?

— Vai ser ótimo — diz mamãe, de maneira pouco natural. — Obrigada, Luke. Vou ligar para o Graham e avisá-lo.

É óbvio que ela também não consegue me olhar. Bem, que bom que não vamos mais morar juntas...

— Vou levar a Minnie para dar uma olhada nas lojas — digo, pegando-a pela mão. — Me avise quando for a hora de ir para casa.

Conseguimos, finalmente, chegar em casa às 4 da tarde. Meus pais voltaram antes, fizeram as malas e Luke os levou para o apart-hotel, que é surpreendentemente elegante. Não que eu queira saber sobre isso.

Fiz o lanche de Minnie, coloquei *Peppa Pig* para ela ver e estou sentada perto da lareira, olhando, melancolicamente, para as chamas, quando Luke chega em casa. Ele entra no quarto e me observa por um instante.

— Becky, por favor. O que está acontecendo entre você e sua mãe?

— Shhh! — diz Minnie de maneira brava, apontando para a TV. — Peppa!

— Nada. — Me viro.

— Alguma coisa aconteceu — insiste Luke, se agachando perto da minha poltrona. — Nunca vi vocês duas assim antes.

Olho para ele em silêncio, enquanto as respostas se amontoam na minha cabeça.

Ela acha que eu não vou conseguir dar uma festa para você. Ela acha que vai ser um fracasso. E, no fundo, estou morrendo de medo que ela tenha razão.

— Problemas de mãe e filha — digo, no fim das contas.

— Hum. — Ele levanta a sobrancelha, sem acreditar. — Bom, estou feliz por termos um tempo a sós. Quero falar com você sobre uma coisa.

Ele puxa uma cadeira e eu observo, um pouco apreensiva.

— Você tinha razão, Becky — diz ele com franqueza. — Eu estava escondendo algo de você. Sinto muito. Mas eu queria ter certeza, antes de dizer qualquer coisa.

Meu humor muda na hora. Ele vai me contar sobre Sage Seymour! Isso! Talvez a gente se encontre hoje! Talvez ele queira nos levar para jantar no Ivy ou em outro lugar! Sei que, no momento, ela está gravando no Pinewood Studios, porque procurei no Google. (Simplesmente porque eu me interesso pela carreira do meu marido, assim como qualquer esposa.)

Ah, isso compensaria *completamente* esta porcaria de dia. E eu posso usar aquele vestido Nanette Lepore, que nunca usei, com os sapatos cor-de-rosa Vivienne Westwood.

— Não se preocupe, Luke. — Sorrio para ele. — Sei que você precisa ser discreto.

Talvez ela me chame para ser sua personal shopper! Talvez o Luke tenha me recomendado! Eu poderia vesti-la para o Globo de Ouro. Eu poderia *ir* ao Globo de Ouro. Quer dizer, ela precisa de alguém para manter sua bainha reta...

— Falei recentemente com um contato que eu tenho. Um cara que representa... as celebridades — diz Luke devagar.

— Jura? — Tento parecer surpresa. — Que tipo de celebridade?

— Você por acaso já ouviu falar de alguém chamado...

Se eu *ouvi falar* dela? Ele pirou? Ela ganhou um Oscar, pelo amor de Deus! Ela é uma das mulheres mais famosas do mundo!

— É claro que já! — solto animada exatamente quando ele diz: "...uma mulher chamada Nanny Sue?"

Por um instante, nos encaramos confusos.

— Nanny *Sue*? — repito finalmente.

— Ela é uma especialista em crianças, parece. — Luke dá de ombros. — Tem um programa na TV. Eu não tinha ouvido falar dela.

Estou tão frustrada que quero bater nele. Primeiro, é *óbvio* que eu já ouvi falar da Nanny Sue, e ele só não conhece porque não vê TV o suficiente. Segundo, por que estamos falando sobre ela e não sobre a Sage Seymour?

— Já ouvi falar — digo com má vontade. — Tenho o livro dela. O que tem ela?

— Parece que ela está planejando começar um empreendimento particular. Um tipo de... — Ele hesita, sem olhar para mim. — Um campo de controle de comportamento infantil.

Ele não pode estar falando sério.

— Você quer mandar a Minnie para um *campo de treinamento*? — As palavras quase não saem da minha boca. — Mas... mas... isso é um absurdo! Ela só tem 2 anos! Ela nem poderia entrar!

— Parece que, em casos excepcionais, eles aceitam crianças nessa faixa etária.

Minha mente está girando, em choque. Lá estava eu, toda feliz, achando que ele me contaria que hoje nós íamos sair para beber com uma estrela de cinema. E, em vez disso, ele está dizendo que quer mandar a nossa filha embora.

— É... — engulo em seco — *residencial*?

Me sinto vazia só de pensar. Ele quer colocá-la num colégio interno para crianças levadas. De repente eu tenho uma visão de Minnie com um blazer de uniforme, a cabeça baixa, sentada num canto e segurando uma placa que diz: "Não devo encomendar 16 casacos pela internet."

— É claro que não! — Luke parece chocado. — É só um programa particular para crianças com problemas específicos de comportamento. E é só uma ideia. — Ele passa a mão na nuca, ainda sem olhar para mim. — Já falei com a Nanny Sue. Expliquei a situação para ela, e ela me pareceu muito compreensiva. Ela pode vir aqui para avaliar a Minnie, se a gente quiser, e dar algumas recomendações. Então, eu marquei uma hora.

— Você fez o quê? — Não estou acreditando. — Você já *falou* com ela?

— Eu estava apenas vendo que opções temos. — Finalmente, Luke olha nos meus olhos. — Becky, também não gosto dessa ideia. Mas nós precisamos fazer *alguma coisa.*

Não, nós não precisamos!, quero gritar. *E, principalmente, não temos que convidar desconhecidos para vir a nossa casa nos dizer o que fazer!*

Mas posso ver que ele já se decidiu. É como aquela vez, na lua de mel, em que ele resolveu que tínhamos que ir de trem para Lahore, e não de avião. Ele não vai ceder.

Bom, tudo bem. Ele pode contratar todos os gurus, todos os especialistas em crianças que quiser. Ninguém vai tirar a Minnie de mim. Nanny Sue pode vir e fazer o que bem entender. Eu vou me livrar dela. Ele vai ver.

DR. JAMES LINFOOT
36 HARLEY STREET
LONDRES W1

A Rebecca Brandon
The Pines
43 Elton Street
Oxshott
Surrey

3 de março de 2006

Prezada Rebecca,

Obrigado pela carta do dia 1º de março.

Eu nunca ouvi falar sobre "sonambulismo consumista". Portanto, não posso dar o nome correspondente em latim, nem escrever para o seu marido dizendo que ele precisa "respeitar sua condição médica".

Sugiro que procure o seu clínico geral, caso os sintomas persistam.

Atenciosamente,

James Linfoot

QUINZE

Então, agora eu não estou mais falando com a minha mãe e mal falo com Luke também.

Já se passou mais de uma semana. Nanny Sue virá aqui hoje, e estou totalmente preparada. Me sinto como um gladiador, pronta para entrar na arena, com uma bola cheia de pontas de metal e clavas. Mas ainda estou revoltada com Luke. Na verdade, quanto mais o tempo passa, mais eu fico com raiva. Como ele pode ter combinado isso tudo sem falar comigo? Nós estamos tomando o café da manhã e mal falamos um com o outro e nenhum dos dois menciona Nanny Sue.

— Quer um pouco mais de leite, Minnie? — digo, com um tom frio, e pego a caixinha, que está na frente de Luke.

Ele suspira.

— Becky, não podemos continuar assim. Precisamos conversar.

— Ótimo. Vamos conversar. — Dou de ombros. — Sobre o quê? O tempo?

— Bem... Como está o seu trabalho?

— Está tudo bem. — Mexo o café ruidosamente.

— Excelente! — Luke parece tão sincero que quero me encolher. — As coisas também estão bem para nós. Parece que vamos fechar uma reunião com o Christian Scott-Hughes, a qualquer momento. Os clientes querem fazer alguma coisa com ele há mais de um ano, então nós estamos muito animados.

Humpf. Como se eu me interessasse por uma reunião sem graça com Christian Scott-Hughes.

— Ótimo — digo educadamente.

— Infelizmente, vou ter que brigar com a minha secretária hoje. Isso não é bom. — Ele suspira. — Eu não esperava por essa.

O quê? Ele vai fazer *o quê?*

Levanto a cabeça, incapaz de manter meu comportamento distante. Ele vai brigar com a *Bonnie?* Como pode brigar com ela? Ela é perfeita! Ela é um amor!

— Mas... Pensei que você a adorasse — digo, tentando parecer apenas levemente interessada. — Achei que ela fosse a melhor secretária que você já teve.

— Eu também achei. Mas recentemente ela tem estado... — Luke hesita. — Só posso descrever isso como "inconveniente".

Não consigo imaginar Bonnie sendo inconveniente, nem por um segundo.

— Como assim? O que ela fez?

— É esquisito. — Luke passa a mão na testa, parecendo perplexo. — Na maior parte do tempo, ela se comporta com uma discrição e um tato impecáveis. E então, do nada, ela se mete em assuntos que, sinceramente, não têm nada a ver com ela. Como, por exemplo, comentar sobre o meu *sabonete líquido*. — Luke franze a testa. — Acho que é um comportamento pouco profissional, não acha?

Sinto meu rosto ficar vermelho.

— Hã... acho que sim...

— Outro dia fez uns comentários que eu não gostei. Sinceramente, eu não a contratei para dar opiniões sobre a minha família, nem a minha casa. Nem as gravatas que uso.

Droga. *Droga*. É tudo culpa minha. Só que não posso dizer isso, não é mesmo?

— Bom, eu acho que você deve dar mais uma chance para ela — digo rapidamente. — Você não quer deixá-la chateada, não é? Provavelmente ela só estava puxando conversa. Tenho certeza de que ela nunca mais vai se intrometer.

Porque eu vou ligar para ela agora mesmo e mandá-la parar com isso.

Luke olha para mim de uma maneira estranha.

— Que diferença isso faz para você? Você mal a conhece.

— Eu só acredito que as pessoas precisam de uma chance. E eu acho que você deve dar outra chance para a sua assistente. Qual é mesmo o nome dela? Bobbie? — acrescento, inocentemente.

— Bonnie — Luke me corrige.

— *Bonnie* — repito. — É claro. Eu só a vi uma vez — acrescento, para disfarçar. — Há milênios.

Olho discretamente para Luke, mas ele não parece suspeitar de nada. Graças a Deus.

— Preciso ir. — Ele levanta, limpando a boca. — Então... espero que dê tudo certo hoje. — Ele dá um beijo em Minnie. — Boa sorte, filhotinha.

— Ela não vai correr nas Olimpíadas — respondo bruscamente. — Não precisa de sorte.

— Bem, de qualquer forma, me dê notícias. — Ele hesita, constrangido. — Becky, sei como você se sente em relação a... hoje. Mas eu realmente acho que este é um importante passo para nós.

Nem me dou ao trabalho de responder. Não existe a menor possibilidade de uma especialista em capturar crianças para um campo de treinamento realizar um "progresso" na minha família.

Às 10 horas, já estou pronta para ela. A casa está preparada, eu estou preparada e Minnie está usando seu mais inocente vestidinho Marie Chantal.

Eu fiz a minha pesquisa. Primeiro, procurei o site da Nanny Sue e li todas as páginas. (Infelizmente, ainda não tem nada sobre o campo de treinamento, só uma mensagem dizendo: "Minha nova série sobre programas de controle de comportamento para crianças e adultos será lançada logo. Confiram os detalhes." Hum. Não me surpreende o fato de ela ser cautelosa.)

Depois, comprei todos os DVDs e vi tudo de cabo a rabo. E é sempre a mesma história. As crianças nunca param quietas, os pais sempre discutem e geralmente tem uma geladeira velha abandonada no quintal ou uma tomada perigosa ou algo do tipo. Então, Nanny Sue aparece e observa cuidadosamente, sem comentar, e diz: "Quero ver quem os Ellise realmente *são*." Isso quer dizer: "Vocês estão fazendo um monte de coisas erradas, mas não vou dizer ainda o que é."

Os pais sempre acabam gritando um com o outro e, depois, ficam chorando no ombro da Nanny Sue, contando a história da vida deles. E toda semana ela pega a caixinha de lenços e diz, séria: "Acho que temos outras coisas aqui além do comportamento infantil, não é?" E então eles concordam e contam tudo sobre a vida sexual deles ou sobre os problemas no trabalho ou sobre as tragédias da família. Depois, tocam uma música e você acaba chorando também.

Quer dizer, é claro que é uma fórmula, e só os idiotas caem nesses truques.

E agora, presumidamente, ela vai fazer drama e levar todas as crianças para um campo de treinamento, em algum lugar muito rígido, como Utah ou Arizona. E o programa vai fazer mais sucesso ainda quando todos se reencontrarem.

Bom, aqui não. De jeito nenhum.

Olho em volta da cozinha, só para ver se está tudo no lugar. Coloquei uma enorme tabela de estrelas douradas na geladeira e uma placa no primeiro degrau da escada na qual está escrito "Degrau do Castigo", e há também uma pilha de brinquedos educativos na mesa. Mas, com sorte, meu primeiro golpe vai dar certo e ela nem chegará tão longe.

O que você *não pode* fazer com a Nanny Sue é dizer: "Minha filha não tem problemas", porque senão ela pega você e acha os problemas. Então, eu serei mais esperta do que isso.

A campainha toca e eu fico dura.

— Vamos, Min — murmuro. — Vamos nos livrar dessa chata especialista em crianças.

Abro a porta e lá está ela. A própria Nanny Sue, com seu característico coque louro, suas feições certinhas e seu batom rosado. Ela parece menor pessoalmente e está usando calça jeans, uma camisa listrada e uma jaqueta acolchoada, daquelas para quem anda a cavalo. Achei que ela estaria com seu uniforme azul e o chapéu que ela usa no programa de TV. Na verdade, estou vendo a hora em que a música-tema vai começar a tocar e um narrador vai dizer: "Hoje Nanny Sue foi chamada à casa dos Brandon..."

— Rebecca? Sou Nanny Sue — diz ela com seu familiar sotaque do sudoeste da Inglaterra.

— Nanny Sue! Graças a Deus! Estou tão feliz em ver você! — digo dramaticamente. — Nós não sabemos mais o que fazer! Você precisa nos ajudar, aqui, agora!

— Sério? — Nanny Sue parece surpresa.

— Sério! Meu marido não explicou como nós estamos desesperados? Esta é a nossa filha de 2 anos, Minnie.

— Olá, Minnie. Tudo bem?

Nanny Sue se agacha para falar com Minnie, e eu espero, impaciente, até que ela se levante de novo.

— Você não vai acreditar nos problemas que tivemos com ela. É uma vergonha. É humilhante. Mal consigo admitir. — Faço minha voz tremer um pouco. — Ela não quer aprender a amarrar o sapato. Eu já tentei... meu marido já tentou... todo mundo já tentou ensinar. Mas ela não aprende!

Há uma pausa, durante a qual eu mantenho, perfeitamente, meu olhar de mãe ansiosa. Nanny Sue parece um pouco perplexa. Ha.

— Rebecca — diz ela. — A Minnie ainda é muito nova. Eu não espero que uma criança de 2 anos saiba amarrar o próprio sapato.

— Oh! — Fico feliz na hora. — Ah, *entendi*. Bom, tudo bem, então! Não temos mais nenhum problema com ela. Muito obrigada, Nanny Sue, por favor, fale com o meu marido, não quero mais prendê-la aqui, adeus.

E fecho a porta da frente antes que ela possa responder.

Consegui! Bato com a palma da mão na de Minnie e estou prestes a ir para a cozinha, comemorar comendo um KitKat quando a campainha toca de novo.

Ela não foi embora?

Olho pelo olho mágico e lá está ela esperando pacientemente, no degrau da porta.

O que ela quer? Ela já resolveu os nossos problemas. Pode ir embora.

— Rebecca? — Sua voz atravessa a porta. — Você está aí?

— Oi! — grita Minnie.

— Shhh! — sussurro. — Fica quieta!

— Rebecca, seu marido pediu para que eu avaliasse a sua filha e informasse as minhas observações para vocês dois. Não consigo fazer isso num encontro de um minuto.

— Ela não precisa ser avaliada! — grito.

Nanny Sue não reage, apenas espera com o mesmo sorriso paciente. Será que ela não *quer* um dia de folga?

Estou um pouco decepcionada, para ser sincera. Achei que ela simplesmente fosse ir embora. E se ela contar para o Luke que eu não a deixei entrar? E se nós acabarmos brigando de novo?

Oh, céus. Talvez seja melhor se eu a deixar entrar, permitir que ela faça a tal "avaliação" e me livrar dela.

— Está bem. — Abro a porta. — Pode entrar. Mas a minha filha *não* tem problemas. E eu sei exatamente o que você vai fazer e o que vai dizer. E nós já temos um Degrau do Castigo.

— Nossa! — Os olhos da Nanny Sue brilham um pouco. — Bom, você está um pouco adiantada, não? — Ela entra, sorri para Minnie e, depois, para mim. — Por favor, não fique apreensiva, nem preocupada. Tudo o que eu gostaria de observar e como é um dia normal para vocês duas. Apenas aja naturalmente e faça o que você normalmente faz. Quero ver quem os Brandon realmente *são*.

Eu sabia! Ela já lançou a primeira armadilha. No programa, ou a família não tem um plano para o dia ou a criança não quer desligar a TV e todos começam a brigar. Mas estou *muito* mais adiantada do que ela. Eu me preparei para este momento, só como prevenção, e, na verdade, até ensaiei com a Minnie.

— Nossa, não sei — digo, com um tom de reflexão. — O que você acha, Minnie? Quer cozinhar alguma coisa? Mas acabei de me lembrar que não temos mais farinha orgânica moída à pedra. Talvez a gente possa fazer casas de caixas de papelão e você pode pintá-las com sua tinta sem chumbo.

Olho séria para Minnie. É a vez dela. Ela precisa dizer: "Passeio! Natureza!" Eu a ensinei e tudo mais. Mas ela está olhando para a TV, na sala.

— Peppa Pig — começa ela. — *Meu* Peppa Pig...

— Não podemos ver um porco de verdade, querida! — eu a interrompo rapidamente. — Mas vamos dar um passeio pela natureza e falar sobre o meio ambiente!

Estou muito orgulhosa da minha ideia do passeio pela natureza. Conta como uma boa educação *e* é muito fácil. É só sair andando e dizer, de vez em quando: "Veja, uma bolota! Veja, um esquilo!" E Nanny Sue vai ter que admitir seu fracasso. Ela vai ter que nos dar nota máxima e dizer que não há como melhorar uma família perfeita, e assim Luke vai ficar tranquilo.

Quando calço as botas em Minnie (são cor-de-rosa e pequenas, da Uggs, *muito* fofas), pego a minha bolsa e tiro quatro lacinhos cinza-escuro de veludo, costurados, com velcro atrás. Fiz ontem à noite e ficaram mesmo muito bons.

— É melhor levar os Lacinhos do Castigo — digo ostentosamente.

— Lacinhos do Castigo? — pergunta Nanny Sue educadamente.

— Isso. Percebi no seu programa de TV que você não usa o Degrau do Castigo quando está passeando por aí. Então, eu criei o "Lacinho do Castigo". São muito simples, porém eficientes. É só colar com velcro no casaco da criança quando ela fizer malcriação.

— Entendi. — Nanny Sue nem tenta opinar, mas, obviamente, é porque ela está se roendo de inveja por não ter pensado nisso antes.

Sinceramente, eu acho que posso me tornar uma especialista em crianças. Tenho muito mais ideias do que a Nanny Sue *e* também posso dar conselho sobre moda.

Levo Minnie para fora de casa e começo a andar.

— Veja, Minnie, um passarinho! — Aponto para uma criatura que sai voando de uma árvore. — Talvez esteja em extinção — acrescento solenemente. — Temos que *proteger* os animais selvagens.

— Um pombo? — diz Nanny Sue tranquilamente. — É possível que eles entrem em extinção?

— Estou sendo *ecológica*. — Olho para ela com ar de reprovação. Ela não sabe nada sobre meio ambiente?

Andamos mais um pouco e então eu aponto para alguns esquilos. Agora estamos nos aproximando da fileira de lojas que há no final da rua da minha mãe, e eu não consigo deixar de olhar para a direita, só para ver o que há na loja de antiguidades.

— Loja! — diz Minnie, puxando minha mão.

— Não, nós não vamos fazer compras, Minnie. — Sorrio pacientemente para ela. — Vamos fazer um passeio pela natureza, lembra? Vamos olhar a *natureza*.

— Loja! Táxi! — Ela estica o bracinho confiante para a rua e grita mais alto: — TÁXI! TÁXIIIII! — Depois de um instante, o primeiro táxi da fila vem em nossa direção.

— Minnie! *Não* vamos pegar o táxi! Não sei por que ela fez isso — acrescento, rapidamente, para Nanny Sue. — Não que a gente pegue táxi o tempo todo...

— Minnie! — surge uma voz animada e estrondosa. — Como vai a minha melhor cliente mirim?

Droga. É Pete, o cara que geralmente nos leva para Kingston, quando vamos fazer compras.

Quer dizer, não que a gente vá *sempre*.

— O Pete às vezes nos leva para o... o... centro educacional infantil — digo, rapidamente, para Nanny Sue.

— *Táxiiii!*

Minnie está ficando com aquela carinha vermelha, parecendo um touro com raiva. Oh, céus. Não posso correr o risco de ela fazer uma birra na frente da Nanny Sue. Talvez a gente *possa* ir de táxi para algum lugar.

— Então. — Pete se apoia na janela. — Para onde vamos hoje, minhas lindas?

— Star-bucks — enuncia Minnie, com atenção, antes que eu possa falar. — Starbucks-lojas.

— O de sempre, então? — diz Pete, animado. — Podem entrar!

Sinto meu rosto ficar vermelho.

— Não vamos para o Starbucks, Minnie! — digo de maneira estridente. — Que... ideia louca! Será que você pode nos levar ao centro educacional infantil, por favor, Pete? Aquele em Leatherhead a que nós vamos sempre?

Meus olhos estão fixados, desesperadamente, nos dele, implorando para que ele não diga: "Do que está falando?"

— Muffin? — Minnie olha esperançosa para mim. — Muffin Starbucks?

— Não, Minnie! — Perco a paciência. — Agora, seja uma boa menina ou então vai ganhar um Lacinho do Castigo.

Pego o Lacinho do Castigo na minha bolsa e o balanço ameaçadoramente para ela. Automaticamente, Minnie estica as mãos.

— Meu! Meeeu!

Não era para ela *querer* o Lacinho do Castigo.

— Talvez mais tarde — digo, atrapalhada, e o enfio de volta na bolsa.

Isso é tudo culpa da Nanny Sue. Ela está me perturbando.

Entramos no táxi, eu coloco o cinto em Minnie e Pete sai com o carro.

— Rebecca — diz Nanny Sue agradavelmente. — Se você *tiver* coisas para resolver, por favor, não se prenda por mim. Fico feliz em fazer compras ou ir aonde você normalmente vai.

— É isto aqui! — Tento parecer natural. — Esta é a nossa rotina normal! Brincadeira educativa! Coma isto aqui, querida — acrescento para Minnie, e pego um biscoito de trigo que comprei na loja de produtos naturais. Ela o olha, em dúvida, lambe o biscoito, depois o joga no chão e grita:

— Muffin! Muffin STARBUCKS!

Meu rosto fica completamente vermelho.

— Starbucks é... o nome do gato da nossa amiga — improviso desesperadamente. — E Muffin é o outro gato. A Minnie adora animais, não é, minha querida?

— Já viram o grande elefante branco? — ecoa a animada voz de Pete, lá da frente. — Eles finalmente inauguraram!

Chegamos num cruzamento onde a rua se encontra com a rodovia de pista dupla, e há uma fila de carros parados. De repente, vejo para o que Pete está apontando. É um outdoor gigante, em preto e branco, que diz:

HEATHFIELD VILLAGE!
INAUGURAÇÃO DO NOVO SHOPPING
OUTLET DE LUXO. HOJE!

Nossa! Eles falam há anos que vão inaugurar esse lugar. Meus olhos deslizam para a parte de baixo do outdoor.

OFERTAS ESPECIAIS HOJE!
BRINDE PARA TODOS OS CLIENTES!
NA PRÓXIMA SAÍDA!

Um brinde para cada cliente?

Na verdade, não deve ser nada de mais. Deve ser uma vela perfumada minúscula, um chocolate ou algo do tipo. E o lugar não deve ser nada de mais também. De qualquer forma, eu nem sequer estou *interessada* num shopping novo, porque nós não saímos para fazer compras, não é mesmo? Nós saímos para fazer coisas educativas e que nos aproximam.

— Veja as nuvens — digo para Minnie, e aponto para a janela do lado oposto, de propósito. — Você sabe do que as nuvens são feitas, querida? É de... hã... água.

Será que é vapor d'água? Ou gases?

— Burberry — diz Pete, com interesse. — Isso sim é coisa de boa qualidade. Meu genro compra tudo falsificado de Hong Kong e diz...

Burberry? Minha cabeça vira para ver outro outdoor enorme, desta vez com a lista de todas as marcas do outlet.

Burberry. Matthew Williamson. Dolce & Gabbana. Ai, meu Deus.

Anya Hindmarch. Temperley. *Vivienne Westwood?* Tudo com desconto? A *metros* de distância?

O táxi vai para a frente de novo e eu sinto uma pontada de alarme. Vamos passar pela saída daqui a pouco. Será tarde demais.

Certo, vamos pensar direito sobre isso. Vamos ser racionais. Sei que deveríamos estar a caminho de Leatherhead para ficar pulando na piscina de bolinhas. Mas a questão é... Nanny Sue disse que não se importaria se nós fizéssemos compras. Ela *disse* mesmo isso.

Não que eu fosse comprar alguma coisa para mim. Óbvio que não. Estou cumprindo a minha promessa. Mas é um shopping novo em folha, top de linha, com descontos e brindes. Não podemos simplesmente *passar direto*. É... é... errado. É ingrato. É contra as leis da natureza. E eu posso comprar coisas para Minnie, não posso? Faz parte dos deveres de uma mãe manter a criança vestida.

Olho para a lista de novo. Petit Bateau. Ralph Lauren Girls and Boys. Funky Kid. Baby in Urbe. Fico quase sem ar. Não é nada complicado.

— Sabe, eu acabei de lembrar que preciso comprar meias novas para a Minnie. — Tento parecer casual. — Então, nós podemos entrar neste shopping novo em vez de ir ao centro recreativo. É só uma ideia. O que você acha?

— Você é quem sabe. — Nanny Sue levanta a mão. — De verdade.

— Então, hum, Pete, será que você pode nos levar para o shopping, agora? — Levanto a voz. — Muito obrigada!

— É melhor eu esvaziar a mala então, não é? — Ele se vira e sorri para mim. — Para me preparar para as sacolas.

Sorrio levemente de volta. Vou dizer depois para Nanny Sue que ele tem um senso de humor esquisito.

— Então você gosta de fazer compras, Rebecca? — pergunta Nanny Sue, de maneira casual.

Faço uma pausa, como se precisasse pensar no assunto.

— Não *gosto* — digo, casualmente. — Eu não diria que *gosto*. Quer dizer, precisa ser feito, não é mesmo? Preciso manter o armário cheio. — Dou de ombros, lamentando. — É uma tarefa inevitável para qualquer mãe responsável.

Paramos na entrada principal, que tem portas de vidro enormes que dão para um gigantesco pátio arejado. Há palmeiras e uma cachoeira caindo sobre uma parede de metal e, quando entramos, já consigo ver Valentino e Jimmy Choo piscando para mim, de longe. O ar está com o aroma de doces de canela e de máquinas de cappuccino a todo vapor, misturado com o cheirinho de couro caro, perfumes de marca e... *novidades.*

— Então, aonde você precisa ir? — pergunta Nanny Sue, olhando em volta. — Era meia, não era?

— Eu... hum...

Não consigo pensar direito. A Mulberry está logo na minha frente e eu acabei de ver uma bolsa incrível na vitrine.

— Hum... — Me obrigo a me concentrar. — Isso. Meia. Meias infantis. *Não* é Valentino. *Não* é Jimmy Choo. *Não* é Mulberry. Oh, céus, quanto será que custa aquela bolsa?

Pare. Não olhe. Não vou comprar nada para mim. Não estou nem pensando nisso.

— Meu! Meeeu boneca! — A voz de Minnie me traz de volta ao presente. Ela está em frente à Gucci, apontando para o manequim.

— Não é uma boneca, querida, é um manequim! Vamos. — Pego a mãozinha dela e a levo para consultar o mapa do shopping. — Nós vamos comprar meias para você.

Vamos em direção à Área Infantil, que é onde estão as lojas para crianças. Um palhaço cumprimenta os clientes, há estandes cheios de brinquedos e todo o local parece um parque de diversão.

— Livro! — Minnie sai correndo em direção a um dos estandes e pega um livro grande e cor-de-rosa, cheio de fadas na capa. — Meu livro.

Ha! Olho toda orgulhosa para Nanny Sue. Minha filha pegou um livro educativo e não as porcarias de plástico.

— É claro que pode comprar o livro, Minnie — digo em voz alta. — Vamos tirar da sua mesada. Estou ensinando a Minnie a fazer um planejamento financeiro — acrescento para Nanny Sue. — Anoto todos os gastos dela.

Pego o meu caderninho cor-de-rosa da Smythson, no qual está escrito "Mesada da Minnie", na frente. (Mandei fazer sob encomenda. Foi um pouco caro, mas é um investimento em prol da responsabilidade financeira da minha filha.)

— Homem! — Minnie pegou um fantoche além do livro. — Meu homem! Meeeu!

— Er... — Olho com dúvidas para o fantoche. Até que é bonitinho, e nós não temos nenhum fantoche. — Bom, tudo bem. Contanto que você pague com a sua mesada. Entendeu, querida? — falo, de uma forma muito clara. — Você precisa pagar com a sua *mesada*.

— Nossa! — diz Nanny Sue quando seguimos para o caixa. — Quanto a Minnie ganha de mesada?

— Cinquenta centavos por semana — respondo, pegando a minha bolsa. — Mas eu a deixo pegar um adiantamento e pagar depois. Assim ela aprende a fazer orçamentos.

— Não entendo — insiste Nanny Sue. — Como ela aprende a fazer orçamento?

Sinceramente. Ela é meio lerda para uma suposta especialista.

— Porque tudo fica anotado no *caderno*. — Escrevo o preço do livro e do fantoche, fecho o caderno e sorrio para Minnie. — Vamos achar as meias, querida.

Nossa, eu adoro a Funky Kid. Eles mudam a decoração a cada estação e hoje o lugar está parecendo um celeiro, com vigas de madeira e cubos de palha falsa. Tem roupas infantis fantásticas, como uns cardigãs de tricô bem diferentes, com capuz, e casacos acolchoados, com desenhos para serem colados. Encontro algumas meias lindas, com desenhos de cerejas e bananas, pela metade do preço, a 4,99 libras, então coloco dois pares de cada na cesta.

— Pronto — diz Nanny Sue rapidamente. — Muito bem. Vamos pagar?

Eu não respondo. Me distraí com uma arara de vestidos. Me lembro de tê-los visto no catálogo. São de veludo cotelê verde-menta e tem uma bainha branca com ponto cruz. São simplesmente lindos e estão com setenta por cento de desconto! Dou uma rápida olhada na arara, mas não tem no tamanho de 2-3 anos. É claro que não. Todos já foram vendidos. Droga.

— Com licença? — chamo uma vendedora que está passando. — Vocês têm este vestido aqui no tamanho 2-3?

Ela faz uma careta na hora.

— Sinto muito. Acho que não temos mais nenhum desse tamanho.

— A Minnie precisa de um vestido? — pergunta Nanny Sue atrás de mim.

Estou ficando cansada da Nanny Sue e de suas perguntas inúteis.

— Eles valem muito a pena — digo tranquilamente. — Sempre penso que uma mãe responsável deve procurar ofertas, você não concorda, Nanny Sue? Na verdade... — Fico inspirada, de repente. — Acho que vou estocar para o ano que vem.

Pego um vestido do tamanho 3-4. Perfeito! Por que não pensei nisso antes? Pego um vermelho também e vou até a arara de capas de chuva rosa-bebê, com capuz de flores. Eles não têm nenhum em tamanho 2-3, mas encontro um 7-8. A Minnie vai precisar de um casaco quando tiver 7 anos, não é mesmo?

E também encontro uma linda jaqueta de veludo, tamanho 12, por apenas 20 libras, que antes custava 120! Seria um erro *enorme* não comprar.

Enquanto encho a minha cesta com mais e mais roupas, custo a acreditar em como estou sendo esperta. Já comprei praticamente todas as peças-chave da Minnie para os próximos dez anos, e por preços baixíssimos! Não vou precisar comprar mais nada para ela!

Quando pago as roupas, me sinto muito satisfeita. Devo ter economizado *muito*!

— Bem! — Nanny Sue parece estar sem palavras quando a vendedora me entrega três sacolas enormes. — Você comprou muito mais do que um par de meias!

— Só estou pensando no futuro. — Uso um sábio tom materno. — As crianças crescem tão rápido que é melhor estar preparado. Vamos tomar um café?

— Starbucks? — pergunta Minnie na hora. — Ela insistiu em usar a capa de chuva rosa-bebê tamanho 7-8, por mais que esteja arrastando no chão, e está me observando, atenta. — Starbucks-muffin?

— Acho que teremos que ir a uma cafeteria de rede. — Tento parecer triste. — Não deve ter aqui um lugar com comida orgânica saudável.

Dou uma olhada no mapa. Para ir até a área de alimentação, nós teremos que passar por todas as lojas de marca. Isso é tranquilo. Vou ficar bem. É só não olhar para as vitrines.

Quando começamos a andar, meu olhar está focado na frente, naquela escultura moderna e pontuda de metal, pendurada no teto. Tudo bem, tudo ótimo. Na verdade, acho que eu me *acostumei* a não fazer compras. Quase não sinto falta...

Ai, meu Deus, é aquele casaco da Burberry, com as franjas, da última coleção. Está bem ali na vitrine. Quanto será que custa...

Não. Continue andando, Becky. *Não olhe.* Fecho os olhos até que fiquem como duas pequenas fendas. Isso. Assim está ótimo. Se eu não conseguir ver as lojas...

— Está tudo bem com você? — Nanny Sue repara em mim, de repente. — Rebecca, você está *doente*?

— Estou ótima!

Minha voz parece um pouco travada. Faz tanto tempo que eu não faço compras... Sinto uma pressão se acumulando dentro de mim, uma espécie de desespero em erupção.

Mas preciso ignorar. Eu prometi para o Luke. Eu prometi.

Pense em outra coisa. Isso. Como quando me preparei para o trabalho de parto e eles diziam que era preciso respirar para esquecer a dor. Vou respirar para esquecer a vontade de fazer compras.

Inspire... Expire... Inspire... Ai, meu Deus. É um vestido Temperley.

Minhas pernas simplesmente travaram. É um vestido de gala da Temperley, branco e dourado, e está numa loja chamada Vestidos a 50%. Tem um bordado maravilhoso no pescoço que vai até o chão. Parece que veio direto do tapete vermelho. E há uma placa ao lado que diz "Mais 20% de desconto hoje".

Meus dedos agarram as sacolas de compras enquanto olho fixamente para a vitrine.

Não posso comprar este vestido. Não posso nem olhar para ele.

Mas, de algum jeito... não consigo me mexer também. Meus pés estão enraizados no chão de mármore polido.

— Rebecca? — Nanny Sue para, de repente. Ela olha para o vestido e faz um barulho de reprovação com a boca. — Esses vestidos são muito caros, não é? Até mesmo quando estão em liquidação.

É só isso que ela vai dizer? É o vestido mais lindo do mundo e custa uma fração do preço original, e se eu não tivesse feito aquela promessa *idiota* para Luke...

Ai, meu Deus. Já sei qual é a solução. Na verdade, esta pode ser a solução de muitos casos.

— Minnie. — Viro-me abruptamente para ela. — Minha filha linda e preciosa. — Me agacho e seguro o rosto dela, carinhosamente, com as duas mãos. — Querida... você quer um vestido Temperley de presente de 21 anos?

Minnie não responde, simplesmente porque não entende o que eu estou oferecendo para ela. Quem não ia querer um vestido Temperley de presente de 21 anos? E quando ela tiver 21 anos, vai ser uma peça vintage rara! Todas as suas amigas vão morrer de inveja! Elas dirão: "Nossa, Minnie, eu queria que a minha mãe tivesse comprado um vestido para *mim* quando eu tinha 2 anos." As pessoas vão chamá-la de A Garota do Vestido Vintage Temperley.

E eu posso pegar emprestado para a festa do Luke. Só para experimentar, como um favor para minha filha.

— Muffin? — diz Minnie, esperançosa.

— Vestido — digo firmemente. — É para *você*, Minnie! É o seu presente de aniversário!

Sigo firme com ela para a loja, ignorando o olhar de choque da Nanny Sue. Levo dez segundos para analisar o lugar e perceber que o vestido Temperley é a melhor coisa que tem. Eu *sabia* que era um bom negócio.

— Oi! — digo, sem fôlego, para a vendedora. — Quero o vestido Temperley, por favor. Quer dizer... É para a minha filha. Vou comprar adiantado, obviamente — acrescento com uma risadinha. — Para o aniversário dela de 21 anos.

A vendedora olha para Minnie. Depois olha para mim. Então, olha para a colega de trabalho, como se pedisse ajuda.

— Tenho certeza de que vamos ter o mesmo tamanho quando ela crescer — acrescento. — Então, eu vou experimentar para ela. Gostou deste lindo vestido, Minnie?

— Vestido não. — Ela franze as sobrancelhas.

— Querida, é *Temperley*. — Levanto o tecido para ela ver. — Você vai ficar linda com ele! Um dia.

— Vestido não! — Ela corre para o outro lado da loja e começa a escalar uma gaveta do estoque que está aberta.

— Minnie! — exclamo. — Saia daí! Mil perdões... — acrescento para a vendedora, olhando para trás, por cima do ombro.

— Muffin! — grita ela, enquanto tento arrancá-la dali. — Quero muffin!

— Vamos comprar um muffin depois do *vestido* — digo, para tranquilizá-la. — Vai ser rapidinho...

— Vestido *não*! — De algum jeito, ela consegue se soltar de mim e sai correndo para a vitrine. — Boneca! Meu boneca!

Agora ela está agarrando um manequim nu.

— Minnie, por favor, pare com isso, querida. — Tento não parecer tão agitada. — Venha cá!

— Meu boneca! — Ela arrasta o manequim para fora do pódio, ele cai no chão e ela o abraça. — Meeeu!

— Saia daí, Minnie! — digo. — Não é uma boneca! Ela acha que é uma boneca — acrescento para a vendedora, dando uma risadinha. — As crianças não são engraçadas?

A vendedora não ri de volta, nem sequer sorri.

— Pode tirá-la daí, por favor? — diz ela.

— É claro! Desculpa...

Com o rosto vermelho, tento puxar Minnie com toda a minha força. Mas ela está agarrada ao manequim.

— Vamos, Minnie! — Tento parecer tranquila e persuasiva. — Vamos, querida. Vamos sair daí.

— Não! — grita ela. — Meu bonecaaa!

— O que está acontecendo? — Alguém perde a paciência atrás de mim. — O que essa criança está fazendo? Ninguém consegue controlá-la?

Meu estômago dá um nó. Conheço essa voz chata e venenosa. Viro-me para trás e, como era de se esperar, é a elfa que nos baniu da gruta do Papai Noel. Ela ainda está com as unhas roxas e o ridículo decote bronzeado, só que agora está usando um terninho preto com uma etiqueta que diz "Gerente".

— *Você*! — Ela aperta os olhos.

— Ah, oi — digo nervosa. — Que bom ver você de novo! Como está o Papai Noel?

— Pode tirar a sua filha daí, por favor? — diz ela num tom agressivo.

— Er... certo. Sem problemas.

Olho para Minnie, que ainda está agarrada ao manequim como se o mundo fosse acabar. A única maneira de tirá-la dali é soltando dedo por dedo. Vou precisar de dez mãos.

— Será que podemos... comprar o manequim?

Pela expressão da Elfa Bronzeada, eu gostaria de não ter feito essa pergunta.

— Vamos, Minnie. Saia daí. — Tento parecer animada e alegre, como uma mãe num comercial de sabão em pó. — Tchau, boneca!

— Nããããão! — Ela segura com mais força.

— Solta!

Com todas as minhas forças, eu consigo soltar uma das mãos, mas ela rapidamente segura o manequim de novo.

— Meeeeu!

— Tire a sua filha do manequim! — reclama a elfa. — Os clientes estão entrando! Tire-a daí!

— Estou tentando! — digo desesperadamente. — Minnie, eu vou comprar uma boneca para você. Eu vou comprar *duas* bonecas!

Um grupo de meninas segurando sacolas de compras parou para nos assistir, e uma delas começa a rir.

— Minnie, você vai ganhar um Lacinho do Castigo! — Estou completamente vermelha e afobada. — E depois vai ficar no Degrau do Castigo! E não vai ganhar nenhum doce, nunca mais! E o Papai Noel vai se mudar para Marte, e a Fada do Dente também... — Pego seus pés, mas ela chuta a minha canela. — Ai! Minnie!

— Bonecaaa! — grita ela.

— Quer saber? — a elfa explode de repente. — Leve o manequim! Pode levar a porcaria do manequim!

— Levar? — Olho para ela, desnorteada.

— Isso! Qualquer coisa! Vai logo! VAI! SAI!

Minnie ainda está deitada em cima do manequim, segurando-o de forma obstinada. Constrangida, pego o manequim com as duas mãos, passando-o entre as minhas pernas como se fosse um cadáver. Ofegante de tanto fazer força, eu consigo levá-lo, de algum jeito, para fora da loja. Depois, deixo-o cair e levanto o olhar.

Nanny Sue nos acompanhou para fora, segurando as minhas três sacolas de compras. Agora ela está apenas observando nós duas em silêncio, sem nenhuma expressão no rosto.

E, de repente, é como se eu saísse de um transe. Rapidamente, vejo tudo que acabou de acontecer através dos olhos de Nanny Sue. Engulo em seco várias vezes, tentando pensar num comentário engraçadinho como "Essas crianças...". Mas não consigo pensar em nada e minha boca está seca demais por causa do nervosismo. Como foi que eu deixei isso acontecer? Ninguém no programa da TV foi expulso de uma loja. Sou *pior* do que todas as famílias com geladeiras no quintal.

O que será que ela vai dizer na avaliação? O que ela vai contar para o Luke? O que será que vai recomendar?

— Terminou de fazer as compras? — pergunta ela com um tom normal e agradável, como se nenhum passante estivesse nos olhando.

Concordo com a cabeça, em silêncio, o rosto ardendo.

— Minnie — diz Nanny Sue. — Acho que está machucando a pobre da boneca. Vamos soltá-la agora e comprar um lanchinho gostoso para você? Podemos comprar um para a boneca também.

Minnie vira a cabeça e olha desconfiada para Nanny Sue por alguns instantes; e, em seguida, solta o manequim.

— Boa menina — diz Nanny Sue. — Vamos deixar a boneca aqui, na casa dela. — Ela levanta o manequim e o apoia na porta. — Agora, vamos comprar alguma coisa para você beber. Diga: "Sim, Nanny Sue."

— Sim, Nanny Sue — repete Minnie, obediente.

Hã? Como é que ela fez isso?

— Rebecca, você vem?

De algum jeito, consigo fazer as minhas pernas se mexerem e começo a andar junto delas. Nanny Sue começa a falar, mas não consigo ouvir nenhuma palavra. Estou doente de tanta preocupação. Ela vai fazer um relatório dizendo que a Minnie precisa de um tratamento especial num campo de treinamento. Tenho certeza. E o Luke vai dar ouvido a ela. O que eu vou fazer?

Às 9 horas daquela noite, estou completamente surtada, andando de um lado para o outro da casa, esperando Luke chegar.

É o pior momento do nosso casamento. Da minha vida. De longe. Porque, se for preciso, eu *serei* obrigada a levar Minnie para um lugar seguro, nunca mais ver o Luke, vou mudar o nosso nome legalmente e tentar esquecer tudo com a ajuda de álcool e drogas.

Sabe como é, na pior das hipóteses.

Quando ouço o barulho da chave na porta, eu congelo.

— Becky? — Ele aparece na porta da cozinha. — Achei que você fosse ligar! Como foi?

— Ótimo! Fomos ao shopping e... hã... tomamos café. — Pareço completamente falsa e travada, mas Luke não percebe, o que só demonstra como *ele* é observador.

— Então, o que ela disse sobre a Minnie?

— Nada de mais. Sabe como é. Acho que ela vai mandar o relatório mais tarde, quando tiver uma conclusão.

— Hum. — Luke concorda, soltando a gravata. Ele se direciona para a geladeira, mas para perto da mesa. — Seu BlackBerry está piscando.

— Ah, é? — digo, com uma surpresa encenada. — Nossa. Deve ser alguma mensagem! Será que você pode ouvir? Estou tããão cansada...

— Se você quiser.

Luke me olha de maneira estranha, pega o celular e liga para a caixa postal, enquanto pega uma garrafa de cerveja na geladeira.

— É ela. — Ele levanta o olhar, surpreso. — É a Nanny Sue.

— Jura? — Tento parecer chocada. — Bem... Coloque no viva-voz!

Enquanto aquele familiar sotaque do sudoeste da Inglaterra preenche a cozinha, nós dois ouvimos imóveis.

— ... ainda farei o relatório completo. Mas eu só queria dizer que a Minnie é uma criança encantadora. Foi um prazer passar um tempo com ela e com a sua esposa. As habilidades maternas da Becky são excelentes e eu não diagnostiquei nenhum problema com a sua família. Parabéns! Até mais.

— Nossa! — exclamo, quando o celular fica mudo. — Não é maravilhoso? Agora nós podemos esquecer esse episódio e seguir em frente.

Luke não mexeu nenhum músculo. Ele se vira para mim e me olha de um jeito sério.

— Becky.

— Sim? — Abro um sorriso nervoso para ele.

— Por acaso era a Janice fazendo um sotaque do sudoeste da Inglaterra?

O quê? Como ele pode *dizer* isso?

Quer dizer, tudo bem, *era* a Janice, mas ela disfarçou a voz perfeitamente. Eu fiquei muito impressionada.

— Não! — grito. — Era a Nanny Sue, e estou muito ofendida por você ter perguntado isso.

— Ótimo. Bom, vou ligar para ela para conversar então. — Ele pega o BlackBerry.

— Não! Pare! — falo alto.

Por que ele é tão *desconfiado*? É uma grande falha de caráter. Vou dizer isso a ele um dia desses.

— Você vai incomodá-la — improviso. — Está tarde, você não pode ligar a essa hora. É falta de educação.

— Essa é a sua única preocupação, então? — Ele levanta as sobrancelhas. — Falta de educação?

— É — digo, com despeito. — Claro.

— Bom, então vou mandar um e-mail.

Oh, céus. As coisas não estão saindo como eu tinha planejado. Achei que pelo menos eu teria um pouco mais de tempo.

— Está bem, está bem! Era a Janice — digo, desesperadamente, quando ele começa a digitar. — Mas eu não

tive escolha! Luke, foi horrível. Foi um desastre. A Minnie foi expulsa de uma loja, roubou um manequim e a Nanny Sue não disse nada, só deu aquela *olhada*. Eu sei o que ela vai recomendar, mas não posso mandar a Minnie para um campo de treinamento em Utah, simplesmente não posso. E se você me obrigar, vou atrás de uma liminar e nós vamos brigar no tribunal e vai ser como *Kramer vs. Kramer*. Ela vai ficar traumatizada pelo resto da vida e a culpa vai ser toda sua!

Do nada, as lágrimas começam a escorrer pelo meu rosto.

— O quê? — Luke me encara incrédulo. — *Utah*?

— Ou Arizona. Ou onde quer que seja. Eu não vou conseguir, Luke. — Enxugo os olhos, me sentindo exatamente como a Meryl Streep. — Não me peça isso.

— *Não* estou pedindo isso para você! Jesus! — Ele parece completamente atordoado. — Quem falou em Utah, pelo amor de Deus?

— Eu... er... — Não tenho certeza agora. Sei que *alguém* falou.

— Contratei essa mulher porque achei que ela poderia nos dar alguns conselhos. Se ela for útil, vamos aproveitar as dicas dela. Se não for, não aproveitamos nada.

Luke parece tão casual, que olho com surpresa para ele. Ele nunca viu os programas de TV. Me lembro disso, de repente. Ele não sabe que Nanny Sue entra na sua vida, muda tudo e você acaba chorando no ombro dela.

— Seria bom ouvir o conselho de um profissional — diz Luke, calmamente. — Agora que ela já viu a Minnie, seria bom se nós ouvíssemos suas recomendações. Mas é só isso. Concorda?

Como é que ele pega uma situação que parece uma teia de aranha toda enrolada e a reduz a um único fio? Como é que ele *faz* isso?

— Não posso mandar a Minnie embora. — Minha voz ainda está tremendo. — Você vai ter que nos separar à força.

— Becky, eu não vou fazer nada à força — diz Luke pacientemente. — Vamos perguntar para a Nanny Sue o que nós podemos fazer, sem que isso inclua a possibilidade de mandá-la embora. Pode ser? Acabou o drama?

Estou meio desorientada. Para ser sincera, eu estava preparada para um pouco *mais* de drama.

— Tudo bem — digo finalmente.

Luke abre a cerveja e sorri para mim. Depois ele franze a testa, confuso.

— O que é isto? — Ele pega um cartão que ficou grudado no fundo da garrafa e que diz "Feliz Aniversário, Mike". — Quem é Mike?

Droga. Como é que isso foi parar aí?

— Não faço ideia! — Tiro da mão dele e o amasso rápido. — Que esquisito... Deve ter grudado no mercado. Vamos... hã... ver TV?

A vantagem de ter a casa só para a gente é que não precisamos mais ver jogo de sinuca o tempo todo. Nem notícias sobre crimes. Nem documentários sobre a Guerra Fria. Estamos juntinhos no sofá, com a lareira a gás tremulando, e Luke está mudando os canais quando, de repente, ele para e se vira para mim.

— Becky... você não acha que eu *realmente* mandaria a Minnie embora, né? Esse é o tipo de pai que você acha que eu sou?

Ele parece estar muito incomodado e eu me sinto um pouco culpada. A verdade é que eu achava.

— Er... — Meu celular toca antes que eu possa responder.

— É a Suze — digo apreensiva. — É melhor eu atender... — Saio rapidamente da sala e respiro fundo. — Oi, Suze.

Eu mandei várias mensagens para Suze desde a nossa semibriga, mas nós ainda não nos falamos. Será que ela ainda está com raiva de mim? Será que eu devo comentar sobre o lance do biscoito especial?

— Você já viu a *Style Central*? — ela grita do outro lado da linha, me surpreendendo. — Você já *viu*? Acabei de receber um exemplar. Não acreditei no que eu *vi*.

— O quê? Você está falando da entrevista do Tarkie? Ficou legal? O Danny disse que o Tarkie estava aberto a experiências...

— Experiências? É *assim* que ele chama? Que palavra interessante ele escolheu! Eu teria usado outra.

Há um tom estranho e sarcástico na voz de Suze. O que aconteceu? Suze nunca é sarcástica.

— Suze... você está bem? — pergunto, nervosa.

— Não, não estou bem! Eu não deveria ter deixado o Tarkie ir à sessão de fotos sem mim! Eu não deveria ter confiado no Danny. No que eu estava *pensando*? Onde estavam os consultores do Tarkie? Quem editou a matéria? Porque não importa quem seja, eu vou processar...

— Suze! — tento interromper o fluxo de palavras. — Me conta. O que aconteceu?

— Eles vestiram o Tarkie com uma roupa de bondage de couro! — ela explode. — Foi isso o que aconteceu! Ele parece um modelo gay!

Oh, céus. O problema com o Tarkie é que ele parece um pouco... metrossexual. E é um assunto delicado para Suze.

— Vamos, Suze — digo, tranquilizando-a. — Tenho certeza de que ele não parece gay...

— Parece sim! E é de propósito! Eles nem *mencionaram* que ele é casado e tem filhos! É só sobre a sensualidade do lorde Tarquin, seu "peitoral definido" e "o que está embaixo do kilt?". E eles usaram todos os tipos de acessórios sugestivos... — Eu praticamente consigo ouvi-la tremendo. — Vou matar o Danny. Vou matá-lo!

Ela deve estar exagerando. Mas Suze pode ficar muito agressiva quando quer proteger alguém que ama.

— Tenho certeza de que não é tão ruim quanto você imagina... — começo a dizer.

— Ah, você acha? — diz ela, furiosa. — Bom, então espere para ver! E eu não sei por que você o está defendendo, Bex. Ele ferrou você também.

Acho que Suze está ficando meio maluca. Como é que o Danny pode ter me ferrado numa entrevista sobre sua nova coleção?

— Tudo bem, Suze — digo com paciência. — Como foi que o Danny me ferrou?

— A festa do Luke. Ele abriu o bico.

Nunca corri tão rápido quanto fiz agora. Em trinta segundos estou no andar de cima e na internet, clicando desesperadamente até chegar na página certa. E lá está, embaixo da foto em preto e branco de Tarkie cortando troncos de madeira, com uma camisa branca grudada e um kilt tão lá embaixo que é quase obsceno. (Eu nunca tinha reparado como o abdome do Tarkie era definido.)

"Kovitz pretende lançar uma linha de móveis e um site sobre estilo de vida", diz a entrevista. "Será que esse furacão da moda tem tempo para descansar? 'Claro.' Kovitz ri. 'Gosto de me divertir. Vou para Goa daqui a algumas semanas, depois volto para uma festa surpresa. Na verdade, é para o Luke Brandon, marido da Rebecca Brandon, que fez toda essa colaboração acontecer.' E assim o mundo da moda fecha um círculo."

Leio três vezes, respirando cada vez mais rápido.

Vou matar o Danny. Vou *matá-lo*.

De: Becky Brandon
Assunto: MENSAGEM URGENTE!!!!!
Data: 13 de março, 2006
Para: assinantes@revista-stylecentral.com

Prezado leitor da *Style Central*,

Ao ler a última edição da *Style Central*, você deve ter reparado numa pequena referência, feita por Danny Kovitz, a uma festa surpresa para o meu marido, Luke Brandon.

Quero pedir, sinceramente, que ESQUEÇA ISSO e ELIMINE DA SUA MENTE. Se, por acaso, você conhece o meu marido, por favor, não comente com ele. É para ser uma SURPRESA.

Se você puder arrancar a página da revista e destruí-la, vai ser melhor ainda.

Desde já agradeço,

Rebecca Brandon (ex-Bloomwood)

Pessoas Que Sabem Da Festa

Eu
Suze
Tarquin
Danny
Jess
Tom
Minha mãe
Meu pai
Janice
Martin
Bonnie
Aquelas três mulheres que estavam ouvindo na mesa ao
lado
Gary
O encanador da Janice
Rupert e Harry, da The Service
Erica
Os diretores de marketing da Bollinger, da Dom
Perignon, da Bacardi, da Veuve Clicquot, da Party
Time Beverages, da Jacob's Creek, da Kentish English
Sparkling Wine
Cliff
Manicure (eu estava tão estressada que precisava falar
com alguém, e ela prometeu não abrir o bico)
Os 165 convidados (sem contar com o pessoal da
Brandon C)
Os 500 leitores da Style Central

Total = 693

Ai, Deus.

DEZESSEIS

Por que ele mencionou isso? *Por quê?*

E a Suze tinha razão. Uma das fotos do Tarkie é *completamente* imprópria.

Já deixei uns vinte recados para o Danny. Ficava mais irritada cada vez que ligava, até que ele finalmente deu sinal de vida, quando eu estava dando banho na Minnie, e deixou um recado tentando se defender. Que ousadia!

"Becky, tudo bem, olha só. O cara perdeu a linha. Eu contei aquilo de forma extraoficial! Estávamos só conversando depois da entrevista! De qualquer maneira, que diferença faz? Ninguém lê a *Style Central*. Ninguém que o Luke conheça, pelo menos."

Para ser justa, é verdade. E a outra coisa que me deixa tranquila: a *Style Central* só tem uns quinhentos leitores. São todos muito descolados, importantes e têm influência na moda e no design, mas a questão é que não conhecem o Luke.

A primeira coisa que eu fiz na manhã seguinte foi recorrer ao editor e implorar para que ele me deixasse falar com todos os assinantes. No fim das contas, ele concordou em enviar um e-mail pedindo para que não divulguem nada. Duas semanas se passaram e nada parece ter vazado, ainda. Acho que impedi a tragédia. Mas, mesmo assim, não consigo relaxar.

Na verdade, estou meio surtada em todos os âmbitos. Não consigo dormir bem e o meu cabelo está horrível. Por um lado, a festa está mais sob controle do que antes, porque eu já fiz a reserva das coisas em que não havia pensado, como aquecedores, banheiros e pisos. Mas tudo custa tanto *dinheiro*! Todos os meus cartões de crédito estão começando a ser recusados e isso está ficando meio assustador. Tive uma conversa horrível ontem com a moça do Portaloo (tenho que tomar mais cuidado ao atender o telefone), que queria saber por que o meu depósito estava atrasado e não foi nem um pouco compreensiva com a minha recente e imprevista operação de canal.

Eu não tinha percebido... Quer dizer, eu não tinha planejado...

Enfim. Hoje é o grande dia. Vou chegar desfilando, usando meu terninho mais alinhado, de próximo membro da diretoria, e sapatos de salto alto para matar. Trevor voltou das férias, e eu tenho uma reunião marcada com ele às 11 horas. Vou pedir o adiantamento pelo posto de Funcionária do Ano e um aumento. A serem pagos na hora.

Quando chego no trabalho, estou um pouco nervosa. Nunca pedi um aumento antes. Mas Luke sempre diz que é perfeitamente normal e adequado. Ele diz que respeita pessoas que se valorizam corretamente. Bem, eu acho que valho exatamente 7.200 libras a mais do que recebo no momento. (Esse é o valor de que, segundo meus cálculos, preciso para a festa. Talvez eu peça 8 mil libras, só para garantir.)

Não vou fazer birra. Vou ser firme e direta. Vou dizer: "Trevor, eu avaliei o mercado e cheguei à conclusão de que uma personal shopper do meu calibre vale 8 mil libras a mais. Quantia que eu gostaria de receber adiantada; hoje, se possível."

Na verdade... acho que vou pedir 10 mil libras. É um bom número redondo.

E o que são 10 mil libras para eles? A The Look é uma loja de departamento enorme, com um grande movimento de vendas, e eles podem facilmente pagar 10 mil libras para uma funcionária valiosa e membro, em potencial, da diretoria. A Elinor gastou bem mais que isso no meu departamento em cerca de cinco minutos. É algo que eu posso citar caso as coisas fiquem um pouco complicadas.

Ao subir a escada rolante, meu BlackBerry apita: dois novos e-mails. A empresa de luz e a firma de segurança estão, finalmente, me retornando. Leio as duas respostas, uma atrás da outra, e, quando termino, me sinto tão tonta que quase tropeço no final da escada. Ambas querem cobrar somas de quatro dígitos, começando com "4", com um depósito de cinquenta por cento feito imediatamente, pelo fato de estar em cima da hora.

Então, vamos calcular isso. No total, agora eu preciso de...

Tudo bem. Não entre em pânico. É muito simples. Para dar essa festa direito, eu preciso de... 15 mil libras.

Quinze mil libras? Eu realmente vou pedir 15 mil libras para o meu chefe? Sem rir?

Fico com vontade de gargalhar histericamente ou, talvez, sair correndo. Mas não posso. Esta é a minha única opção, preciso me manter firme. Preciso *acreditar* que eu mereço 15 mil libras a mais. Isso. Mereço mesmo.

Ao chegar ao departamento, entro em um dos provadores, tranco a porta, respiro fundo três vezes e me encaro no espelho.

— Trevor — digo, da maneira mais confiante possível —, eu avaliei o mercado e cheguei à conclusão de que uma personal shopper do meu calibre vale 15 mil libras a mais. Quantia que eu gostaria de receber adiantada; hoje, se possível. Pode ser em cheque ou em dinheiro.

Até que me saí bem. Tirando a voz trêmula. E o fato de ter engolido muito quando cheguei na parte das 15 mil libras.

Talvez eu deva começar pedindo 10 mil. E, depois, dizer "Na verdade, quis dizer 15 mil" assim que ele estiver prestes a preencher o cheque.

Não. Péssima ideia.

Meu estômago está se revirando. É num momento como este que eu queria ter "contatos", como os do Danny. Ele nunca precisa pedir dinheiro para ninguém. Na verdade, ele se comporta como se o dinheiro não existisse.

— Becky. — Jasmine bate na porta. — Sua cliente chegou.

Certo. Eu terei que encontrar um jeito de conseguir. Ou esperar que alguém me dê uma gorjeta muito, *muito* grande.

* * *

Olhando pelo lado bom, a manhã está bem agradável. Quando pego café, às 10h30, o lugar está lotado. Jasmine e eu estamos atendendo clientes já agendados e também há algumas que apareceram do nada. Sempre deixamos nossas clientes regulares usarem os provadores mais bonitos, mesmo que não tenham marcado horário. Há uma máquina de cappuccino, sofás e uma cesta de balas e a atmosfera é super agradável. Tenho até algumas clientes que se encontram aqui para bater papo, em vez de irem a uma cafeteria.

Ao olhar em volta, ouvindo o barulho familiar de cabides, zíperes, conversas e risadas, não consigo deixar de me sentir orgulhosa. O resto da loja pode estar passando por dificuldades, mas o nosso departamento é aconchegante, feliz e agitado.

Jasmine está embrulhando uma pilha de camisas Paul Smith e, ao registrá-las no caixa, ela arqueia as sobrancelhas para mim.

— Veja só o que eu comprei pela internet. — Ela pega um casaco de plástico que diz "PRODUTOSPARAESCRITÓRIO.COM". — Uso quando vou entregar roupas. Ninguém me enche o saco assim.

— Nossa — digo, impressionada. — Isso é perfeito...

— Meu nome de entregadora é Gwen. Tenho toda uma segunda personalidade elaborada. A Gwen não fuma. E ela é de Peixes.

— Hm... ótimo! — Às vezes acho que Jasmine está indo longe demais com essa coisa clandestina. — Oi, Louise!

A cliente de Jasmine chega na hora. É Louise Sullivan, que tem três filhos, sua própria empresa de venda de alimentos pela internet e está sempre em dúvida se faz uma lipo na barriga ou não, o que é um absurdo. Ela está ótima. A culpa não é *dela* se o marido não tem tato e gosta de fazer piadas de mau gosto.

— Você quer levar as roupas agora ou prefere que sejam entregues discretamente? — pergunta Jasmine ao passar o cartão dela.

— Acho que posso levar numa sacola agora — diz Louise, mordendo o lábio. — Mas não pode ser mais de uma.

— Sem problemas — concorda Jasmine, de maneira profissional. — Então... vamos entregar o resto numa caixa de papelão, daquelas para computador?

— Na verdade... — Louise pega algo da bolsa. — Eu trouxe isto. — É uma caixa dobrada que diz "Azeite Lingurian".

— *Gostei.* — Percebo que Jasmine está olhando para Louise com mais respeito. — É azeite, então. — Ela pega a caixa. — Amanhã à noite?

— Qual de vocês é a Becky? — surge a voz de um homem, e todas olham.

Não é sempre que homens aparecem neste andar, mas tem um cara com uma jaqueta de couro e de rosto gordo vindo na nossa direção. Ele está segurando uma caixa escrita "Papel para Impressoras" e parece estar com muita raiva.

Começo a passar mal de repente. Espero mesmo que seja só uma caixa de papel.

— Eu! — digo feliz, enquanto Jasmine enfia a caixa de azeite embaixo do balcão e Louise desaparece. — Posso ajudar?

— Que diabos está acontecendo? — Ele sacode a caixa na minha cara. — O que é isto?

— Hum... uma caixa? O senhor quer fazer uma consulta com um personal shopper? — acrescento rapidamente. — O setor de roupas masculinas fica no segundo andar, na verdade...

— Não quero roupas masculinas — diz ele de um jeito ameaçador. — Quero *respostas*.

Ele joga a caixa no balcão e levanta a tampa. Jasmine e eu trocamos olhares. É o vestido Preen que vendi para Ariane Raynor na semana passada. Ai, meu Deus, ele deve ser o marido da Ariane. Aquele que supostamente é um astro do rock, mas que não faz sucesso há anos. O que tentou cantar a babá e que apara os pelos pubianos assistindo a *Desperate Housewives*. (Eu e Ariane conversamos muito.)

— "Compre Com Privacidade." — Ele tira um papel do bolso e começa a ler alto, num tom sarcástico: — "As roupas podem ser entregues numa caixa de papelão escrito 'Papel para Impressora' ou 'Produtos Sanitários'".

Droga.

— Ela tem feito compras, não tem? — Ele bate no papel. — Quanto ela já gastou?

Meu celular apita com uma mensagem, e percebo que Jasmine está apontando para ele com a cabeça. Discretamente aperto o botão e vejo uma mensagem dela:

A Ariane está aqui experimentando uma roupa!!!! Eu a coloquei no provador 3, enquanto você falava com a Victoria. Aviso a ela?

Faço que sim com a cabeça, discretamente, para Jasmine e volto minha atenção para o marido da Ariane.

— Sr...

— Raynor.

— Sr. Raynor, infelizmente eu não posso comentar — digo tranquilamente. — Preciso respeitar a privacidade das minhas clientes. Talvez o senhor possa voltar aqui uma outra hora.

— Jasmine? — A voz característica de Ariane ecoa dos provadores. — Você pode dar uma olhada nessa bainha? Porque eu não acho que... — Ela para bruscamente, como se alguém tivesse tapado sua boca, mas é tarde demais. O marido fica chocado ao reconhecer sua voz.

— É a Ariane? — Ele está com uma expressão de incredulidade. — Ela está fazendo compras *de novo*?

Não está nada, seu imbecil, quero responder, *ela está ajustando um vestido que comprou há dois anos. Por falar nisso, e aquele aparelho de som Bang & Olufsen que você insistiu em trocar, aquele da casa de campo? Custa trilhões a mais que um vestido.*

Mas, em vez disso, eu sorrio e digo:

— As consultas com as clientes são confidenciais. Agora, se for só isso...

— Não é! — Ele levanta a voz e quase rosna. — Ariane, venha aqui agora!

— Senhor, por favor, pode controlar seu tom de voz? — digo, calmamente, enquanto pego meu celular e envio uma mensagem para Jasmine:

O marido da Ariane tá mt puto. Sai com ela pelos fundos.

— Ariane, sei que você está aqui! — grita ele de forma ameaçadora. — Sei que você tem mentido para mim! — Ele tenta entrar, mas eu bloqueio sua passagem.

— Infelizmente, não posso deixá-lo entrar. — Sorrio.
— Somente as clientes podem transitar na área de personal
shopping. Tenho certeza de que o senhor entende.

— *Entendo*? — Ele direciona sua ira para mim. — Vou
dizer o que eu entendo. Vocês estão nessa juntas, suas bru-
xas. Papel para impressora uma ova. — Ele soca a caixa. —
Você deveria estar na *cadeia*.

Não consigo deixar de me encolher. Seus olhos azuis estão vermelhos, e eu me pergunto se ele andou bebendo.

— É só uma opção discreta de embrulho. — Mantenho
a voz calma. — Nem todas querem exibir marcas famosas,
no momento em que estamos.

— Aposto que não. — Ele me olha com raiva. — Não
para os maridos otários, não é mesmo? O que é isso? "Quem
consegue roubar mais do marido"?

Estou tão chocada que dou um suspiro de susto.

— A maioria das minhas clientes ganha o próprio dinheiro, na verdade — respondo, me obrigando a ser educada. — E acho que cabe a elas decidir como gastá-lo, não
concorda? Acredito que o negócio de móveis da Ariane esteja indo muito bem no momento.

Não consigo deixar de implicar um pouco. Sei que ele
se sente ameaçado pelo sucesso dela. Ela diz isso toda vez
que vem à loja. E depois fala que vai deixá-lo. E até o fim da
consulta ela está chorando e dizendo que na verdade o ama.

Sinceramente, fazer compras é muito melhor do que terapia. Custa a mesma coisa e você ainda leva um vestido.

— Ariane! — Ele tenta, a todo custo, passar por mim.

— Pare! — Pego o braço dele, completamente furiosa.
— Eu disse que apenas as clientes podem entrar na...

— Saia da minha frente! — Ele joga o meu braço para o lado, como se eu fosse uma boneca.

Certo, agora virou uma questão de honra. Ninguém vai me empurrar para entrar no *meu* departamento.

— Não! Você não vai entrar! — Agarro os ombros dele, mas ele é forte demais. — Jasmine! — grito, enquanto tento segurá-lo. — Leve todas as clientes para um lugar seguro!

— É melhor você me deixar entrar!

— Isto aqui é uma área de compras *particular*. — Estou ofegante de tanto esforço para segurá-lo.

— Que *diabos* está acontecendo?

Uma voz grossa surge atrás de mim e eu solto o marido de Ariane. Me viro, já sabendo que é Trevor. Gavin está logo atrás dele, achando graça como se assistisse a uma espécie de espetáculo. Trevor olha para mim com uma expressão horrível, como se estivesse dizendo "acho melhor haver um bom motivo para isso", e eu me encolho, tentando transmitir um "tem sim".

Quando Trevor olha para o Sr. Raynor, sua expressão passa a ser, de repente, de admiração.

— Minha nossa! É o... *Doug Raynor?*

É a cara dele conhecer um roqueiro velho, do qual ninguém nunca mais ouviu falar.

— Isso. — Doug Raynor se ajeita. — Sou eu mesmo.

— Sr. Raynor, nós nos sentimos muito honrados ao vê-lo aqui na loja. — Trevor entra no seu estilo de gerente totalmente subserviente. — Todos nós somos grandes fãs. Se eu puder fazer alguma coisa para ajudá-lo...

— Na verdade, pode sim — Doug Raynor o interrompe. — Você pode me dizer do que se trata tudo *isso*. Você pode chamar isso de fazer compras com discrição, mas eu considero uma completa mentira. — Ele joga o folheto no balcão da recepção. — E eu vou ligar amanhã para o *Daily World*. Vou denunciar todos vocês.

— O que é isso? — pergunta Trevor, com uma expressão confusa. — "Compre Com Privacidade"? Estou sabendo disso?

— É... hum... — Minha boca fica seca de repente. — Eu ia comentar sobre isso...

Sinto o sangue subindo para o meu rosto, enquanto Trevor lê o folheto em silêncio. Quando ele finalmente levanta o rosto, seus olhos são como dois buracos negros de censura.

Não. Pior do que censura. Ele está com cara de que quer me matar. Gavin, agora, está lendo por cima do seu ombro.

— Vocês fingem ser *faxineiras*? — Ele dá uma risada que parece um ronco. — Santa mãe, Becky!

— Você acha que isso é certo? — acrescenta Doug Raynor, furioso. — Você acha que é dessa maneira que uma loja de departamento top de linha deveria agir? Isso é uma fraude, isso sim!

— Gavin. — Trevor entra no seu estilo mais formal. — Faça o favor de levar o Sr. Raynor para o setor de roupas masculinas e ofereça a ele um terno novo, por nossa conta. Sr. Raynor, eu gostaria de oferecer uma taça de champanhe, no bar, quando terminar de fazer as compras, e assim o senhor poderá me contar suas preocupações.

— Tá. E se prepara porque vai ouvir muito, pode esperar.

Doug Raynor está obviamente dividido entre ficar e gritar mais ou ganhar um terno novo, mas no fim ele se permite ir com Gavin. Jasmine também sumiu no meio dos provadores.

Somos apenas eu, Trevor e um clima tenso.

— Você... você disse que queria saber o segredo do nosso sucesso... — digo com hesitação. — Bom, é isso.

Trevor não diz nada, mas lê o folheto de novo. Seus dedos agarram o papel com força. Quanto mais tempo em silêncio ele fica, menos segura eu fico. É óbvio que ele está *com raiva*... mas será que também não está um pouco impressionado? Será que ele não diria que esse é o tipo de risco que nós precisamos correr? Será que não diria que esse tipo de coisa o lembra as loucuras que fazia quando *ele* estava começando e que eu teria tudo para ser sua protegida?

— Becky. — Ele finalmente levanta a cabeça, e meu coração se enche de esperança. Os olhos dele não são mais dois buracos negros. Ele parece bem calmo. Acho que tudo vai ficar bem! — Você queria falar sobre isso comigo hoje? Foi por isso que marcou a reunião às 11 horas?

Ele parece tão sensato que eu relaxo.

— Na verdade, não. Eu queria falar sobre outra coisa.

Há mais um silêncio entre nós. Será que este é um bom momento para falar sobre o aumento?, eu me pergunto de repente. Quer dizer, é claro que ele está irritado com o folheto, mas isso não afeta as minhas perspectivas a longo prazo, não é mesmo? Principalmente se eu for sua protegida especial.

Certo. Vou falar.

Mas não vou pedir 15 mil libras. Vou pedir 10 mil.

Não, 12 mil.

Respiro fundo e aperto as mãos.

— Trevor, avaliei o mercado e cheguei à conclusão de que uma personal shopper do meu calibre...

— Becky — ele me interrompe, como se nem tivesse me ouvido. — Essa sua suposta iniciativa foi reprovável, inadequada e desonesta.

Ele parece tão frio e distante que sinto um temor súbito. Tudo bem, vou esquecer o aumento por enquanto. Só vou pedir o dinheiro de Funcionária do Ano. Quer dizer, ele não pode tirar *isso* de mim, por mais que esteja com raiva, não é mesmo?

— Hum, Trevor, lembra que você disse que eu seria a Funcionária do Ano? — tento de novo, com pressa. — Bom, eu estava só querendo saber...

— Funcionária do Ano? Você está brincando? — Sua voz tem um tom tão duro que dou um passo para trás, nervosa.

De repente, percebo como sua boca está comprimida. Ai, meu Deus, eu estava errada. Ele *está* com raiva. Daquele jeito silencioso, terrível e assustador. Minhas mãos começam a suar de repente.

— Seu comportamento pode trazer consequências à The Look. — Sua voz está inexorável. — Você enganou a mim e aos outros gerentes. Você violou todos os bons costumes e o protocolo desta organização, além de causar uma briga na frente dos clientes. É uma falha séria de conduta profissional. Sem contar que constrangeu toda a loja na frente de Doug Raynor, uma grande celebridade. Você acha que ele vai fazer compras aqui de novo?

— Eu sei que deveria ter pedido autorização antes — digo rapidamente. — Sinto muito. Mas é por isso que as minhas vendas aumentaram! Graças ao Compre Com Privacidade! Todas as minhas clientes adoram. Nosso setor é um sucesso, todo mundo está feliz, comprando coisas...

Trevor não está ouvindo nenhuma palavra.

— Becky, sinto dizer que, a partir deste momento, você está suspensa até segunda ordem. — Ele me olha como se eu fosse um verme repugnante. — Por favor, pegue as suas coisas e vá embora.

DEZESSETE

Quando sento no metrô, estou entorpecida pelo choque Há duas semanas eu era a estrela. Eu ia ser convidada para fazer parte da diretoria. Eu estava ganhando flores.

E agora estou suspensa, desonrada.

Eles vão fazer uma investigação interna. Vão analisar a questão de forma "muito séria". Jasmine ficou completamente chocada enquanto eu juntava as minhas coisas, mas Trevor também estava lá e, por isso, ela não pôde dizer nada além de sussurrar um "Me liga!" quando eu estava saindo.

E, então, Trevor me levou direto para a entrada de serviço como se eu fosse tentar roubar alguma coisa ou algo do tipo. Nunca me senti tão humilhada em toda a minha vida.

Na verdade, pensando bem, acho que já. Mas é *definitivamente* igual às outras vezes.

Nada de dinheiro de Funcionária do Ano. Nade de aumento. Talvez nada de emprego. O que eu vou fazer? Como é que eu vou pagar pela festa? Estou tentando pensar em tudo com calma, mas estou tendo espasmos de medo.

Será que eu posso cancelar os banheiros e pedir para todos fazerem suas necessidades antes de irem à festa? Será que posso pedir para papai e Martin serem os seguranças? Eu não me incomodo de estacionar uns carros, se for preciso. Ai, meu Deus...

Quando reparo no meu reflexo na janela do metrô, percebo que meus olhos estão arregalados e assustadores. Pareço uma pessoa demente, maluca. Talvez seja isso o que acontece. As pessoas resolvem fazer festas surpresas, acabam surtando com o estresse, e a vida delas vira um caos. Talvez as festas surpresas sejam a maior causa das doenças mentais. Eu não me surpreenderia se isso fosse verdade.

Combinei de encontrar com Janice e Minnie em Waterloo, e quando chego perto delas me sinto pior. Elas parecem tão felizes e despreocupadas!

— Nós tivemos uma ótima manhã! — Janice diz, com entusiasmo, assim que a alcanço. — Não foi, Minnie? Fizemos todos os meus bolos de Páscoa e os colocamos no freezer.

— Muito obrigada, Janice. — Dou um sorriso fraco. — Fico muito agradecida.

Janice tem sido ótima. Assim que ela soube que os meus pais iam para o West Place, se ofereceu para cuidar da Minnie enquanto eu trabalho. Ela comprou milhares de brinquedos, apesar de eu ter implorado para ela não fazer isso, e ensinou várias canções infantis para Minnie. A única desvantagem é que, aparentemente, ela faz ainda mais comentários para Jess sobre netos e suspira alto quando pendura os desenhos da Minnie na parede.

— O prazer foi meu! Quando quiser. Então... Teve notícias da sua mãe? — acrescenta ela, hesitante.

— Não. E você?

Janice faz que sim com a cabeça.

— Eles estão se divertindo muito! Parece que o apartamento é ótimo. Eles já foram ao teatro duas vezes *e* tomaram banho de lama. Os dois juntos, ao mesmo tempo!

— Ótimo. — Olho para baixo. — Bem... Que bom que estão aproveitando...

— Vocês ainda não estão se falando, querida? — Janice parece ansiosa.

— Acho que não.

Minha mãe e eu nunca ficamos sem nos falar antes. Não sei como isso funciona, mas, se ela não me contou sobre o banho de lama, acho que ainda não estamos nos falando.

— Bom, é melhor eu deixar você ir... — Janice me entrega as luvas de Minnie. — Vou a uma feira de artesanato agora, para começar a fazer as compras de Natal. Aonde você e a Minnie vão?

— Ao Green Park — digo, depois de uma pausa. O que não deixa de ser verdade. O Ritz *fica* ao lado do Green Park.

Quando saímos do metrô, em Piccadilly, nuvens negras se formam no céu como se estivessem esperando uma oportunidade, e logo começa a chuviscar. Levanto o capuz de Minnie e sigo aos trancos e barrancos. De todas as coisas que me deixariam mais animada, a ideia de tomar chá com a Elinor *não* é uma delas.

Ela está nos esperando no mesmo quarto luxuoso da outra vez, usando um vestido de dia azul-gelo, e na mesa há três novos quebra-cabeças.

— Moçaaaa!

O rosto de Minnie se ilumina na hora, e ela corre para dar um abraço em Elinor. Uma expressão de choque e embaraço toma conta do rosto de Elinor e, apesar do meu humor, quase tenho vontade de rir.

— Bom, Minnie — diz ela sem jeito, quase grosseiramente. — É melhor você se sentar.

Minnie ainda está agarrada à avó e, de maneira bem formal, Elinor dá um tapinha no ombro dela. Me pergunto se alguma criança pequena já a abraçou antes.

Bom, Luke, eu acho. Antes de ela o abandonar. Só de pensar nisso fico com dor no estômago.

A mesa está posta com um lanche suntuoso, como da última vez, mas estou agitada demais para comer. Tudo o que eu quero é acabar logo com isso e ir embora.

— Espere aqui, Minnie — diz Elinor quando Minnie senta ao meu lado, no sofá. — Comprei um bolo especial para você.

Ela vai até uma cômoda próxima, encostada na parede. Ao se virar, segurando uma bandeja de prata com uma tampa em cima, suas bochechas estão rosadinhas e... isso é um semissorriso minúsculo? Elinor está *emocionada*?

Ela coloca o prato na mesa e tira a tampa de prata.

Ai, meu Deus! Quanto será que *isso* custou?

É um bolo em forma de coração. Tem uma cobertura de fondant cor-de-rosa que é perfeita, além de trufinhas cor-de-rosa e cerejas com açúcar cristalizado arrumadas simetricamente na borda. E há um nome escrito impecavelmente com glacê, no centro: *Minnie*.

— Está vendo? — Elinor está olhando para Minnie, esperando uma reação dela. — Você gostou?

— Bolo! — diz Minnie, seus olhos brilhando de gula. — Meeeu bolo!

— Não é só um bolo — diz Elinor, rigidamente. — É um bolo com o seu *nome* em cima. Não está vendo?

— Elinor, ela não sabe ler — explico gentilmente. — Não tem idade suficiente.

— Ah. — Elinor parece desanimada. — Entendi.

Ela está ali em pé, ainda segurando a tampa de prata, e posso ver que está decepcionada.

— Mas é lindo — digo rapidamente. — Foi muito carinhoso da sua parte.

Estou realmente emocionada com o trabalho que ela teve. Na verdade, eu queria poder tirar uma foto do bolo com o celular. Mas como eu explicaria para Luke?

Elinor corta uma fatia e a entrega para Minnie, que enfia tudo na boca e joga recheio e farelo para todos os lados. Agilmente, eu pego uns guardanapos para tentar conter a bagunça, mas, para minha surpresa, Elinor não parece estar tão incomodada quanto eu esperava. Ela nem pisca quando uma cereja coberta de açúcar cristalizado rola pelo tapete imaculado do Ritz.

— Comprei alguns quebra-cabeças novos — diz ela, dando um gole no chá. — Este aqui é da Notre-Dame e é muito interessante.

Notre-Dame? Para uma criança de 2 anos? Ela pirou? Qual é o problema com o Mickey Mouse?

Mas, surpreendentemente, Minnie está prestando atenção, hipnotizada, enquanto Elinor fala sobre os diferentes tons de cinza e da necessidade de começar pelas beiradas. Enquanto Elinor separa as peças do quebra-cabeça, ela observa, com os olhos arregalados, e apenas pega as peças, timidamente, quando Elinor manda. Ela fica me olhando como se me convidasse para participar, mas eu não consigo me envolver com um quebra-cabeça idiota. Há uma linha de tensão passando por mim, como um fio de aço ficando cada vez mais esticado. O que vou fazer? *O que vou fazer?*

Meu celular toca, de repente, e eu praticamente pulo do sofá, de tão nervosa que estou. E se for da loja, para me dizer que a investigação acabou e que eu fui demitida? E se for Luke e ele ouvir a voz de Elinor?

Mas quando pego o celular vejo que é Bonnie.

— Elinor, com licença, um segundo — digo, rapidamente, e vou até o outro lado da gigantesca sala de estar. — Oi, Bonnie, e aí?

— Querida, não posso falar por muito tempo. — Bonnie parece muito afobada. — Mas tivemos um pequeno problema.

— Problema? — Levo um susto. — O que você quer dizer?

Por favor, que seja alguma coisa simples. Por favor, que seja mais uma pessoa alérgica a nozes. Não consigo lidar com mais nada complicado...

— Não sei se você está sabendo que o Luke está tentando fechar uma reunião com o Christian Scott-Hughes. Ele é o braço direito do...

— ... Sir Bernard Cross — falo junto. — Sei, ele não para de falar sobre isso.

— Bom, eles marcaram uma data. É a única data que o Christian pode. E é no dia 7 de abril.

Sinto uma leve pontada de dor.

— Que horas?

— Na hora do almoço.

Suspiro aliviada.

— Bom, não deve ser problema...

— Em Paris.

— *Paris*? — Encaro o telefone horrorizada.

— Eles pretendem passar a noite lá. O Luke já pediu para comprar a passagem e reservar o hotel.

Não. Não. Não pode ser verdade.

— Ele não pode ir a *Paris*! Diga que a agenda dele está cheia! Ou ligue para o escritório do Christian Scott-Hughes e diga que...

— Becky, você não está entendendo. — Bonnie está tão perturbada quanto eu. — O Christian Scott-Hughes é um homem muito ocupado. Deu muito trabalho para conseguir agendar a reunião nesta data. Se nós remarcarmos, será só para daqui a vários meses. Eu simplesmente não posso fazer isso.

— Mas e a conferência falsa que você organizou?

— O Luke não vai. Ele diz que não é tão importante.

Fico olhando, cegamente, para um quadro com moldura dourada de uma garota de chapéu vermelho. Minha cabeça está girando. O Luke não pode ir para Paris no dia da festa. Isso simplesmente não pode acontecer.

— Você vai ter que dar um jeito de convencê-lo a remarcar — digo desesperadamente. — Invente um motivo. Qualquer coisa!

— Já tentei! — Bonnie parece estar quase sem forças. — Acredite em mim, eu já tentei! Já sugeri que ele realmente deveria comparecer à conferência, já inventei um almoço com os financiadores... Eu até o lembrei que este é o dia do aniversário dele. Ele simplesmente riu. Ele não presta atenção em nada do que eu digo. Becky... — Ela suspira. — Sei que você queria surpreendê-lo. Mas acho que vai ter que contar a verdade.

— Não! — Fico horrorizada.

— Mas é o único jeito...

— Não é!

— Querida, a surpresa é realmente *tão* importante assim?

— É — grito, quase chorando. — É *sim!* — Sei que ela acha que sou louca e irracional. E talvez eu seja. Mas não vou desistir agora.

Quando desligo o celular, estou tremendo. É como se a linha de tensão tivesse sido esticada mais cinquenta por cento, até que eu mal consigo respirar. Quase sem saber o que estou fazendo, volto para o sofá, pego um pãozinho doce e o enfio na boca. Depois, enfio outro. Talvez o açúcar me ajude a pensar.

Como é que eu posso impedir que Luke vá a Paris? Escondo o passaporte? Vou sequestrá-lo? Arranjo uma desculpa brilhante e perfeita que o impeça de ir?

De repente, percebo que Elinor parou de montar o quebra-cabeça e que seu olhar gelado está parado, na minha direção. Se ela disser que o meu sapato está desgastado, juro que vou jogar o pãozinho nela.

— Rebecca, você está passando bem? Você levou um choque?

Automaticamente, abro a boca para dizer: "Não se preocupe, estou bem." Mas, de repente... não consigo. Não sou forte o suficiente para manter essa fachada de felicidade. Não para alguém que nem faz diferença.

— Para ser sincera, já estive melhor.

Com a mão tremendo, coloco chá numa xícara e jogo três cubos de açúcar dentro, derramando um pouco.

— Você gostaria de um conhaque? Ou um drinque mais forte?

Eu a encaro de maneira suspeita. Elinor está me oferecendo um *drinque*? Será que é uma piada?

Não. Seu rosto não demonstra nenhum senso de humor. Acho que ela está falando sério. E, que saber? Foi a melhor sugestão que alguém já me fez nos últimos dias.

— Quero, por favor — digo, depois de uma pausa. — Eu adoraria um drinque bem forte.

Elinor me passa a lista do serviço de quarto e eu peço um martíni de maçã, que chega depois de meio segundo. Dou um belo gole, e o álcool penetra na minha corrente sanguínea, me fazendo sentir um pouco melhor imediatamente. Quando chego na metade, já parei de tremer. Nossa, eu poderia beber uns três desses.

Elinor ainda está calmamente montando o quebra-cabeça, como se nada tivesse acontecido. Mas, depois de um tempo, ela levanta o olhar, sem nenhuma emoção, e diz:

— Você recebeu uma notícia ruim?

— Mais ou menos.

Dou mais um gole no martíni de maçã. Estar neste quarto é meio hipnotizante. Me sinto totalmente afastada do mundo real, como se nós estivéssemos numa bolha. Ninguém sabe que eu estou aqui. É como se nada disso existisse de fato.

E, de repente, sinto uma urgência de contar tudo. Afinal, se eu falar para a Elinor, ela vai contar para quem? Ninguém.

— Estou organizando uma festa de aniversário para o Luke. — Mexo o meu martíni de maçã. — É uma grande festa surpresa, daqui a duas semanas.

Elinor nem pisca, apesar de não ser fácil ouvir que seu único filho vai ganhar uma festa surpresa e que você não sabe nada sobre isso, muito menos recebeu um convite.

— Eu não podia convidar você — acrescento com franqueza. — Você sabe que eu não podia. — *Mesmo que eu quisesse*, penso.

Elinor mexe um milímetro da cabeça, sem dizer nada, e eu continuo:

— Passei por vários obstáculos. — Passo a mão no rosto. — Quer dizer, eu já estava muito estressada. Mas, agora, acabei de saber que o Luke tem uma reunião com um tal de Christian Scott-Hughes em Paris no mesmo dia. E não conseguiremos fazer com que ele remarque. Ele vem tentando encontrar o Christian Scott-Hughes há séculos. A assistente do Luke não sabe o que fazer, nem eu. Ou eu vou esconder o passaporte dele e ele ficará furioso, ou vou ter que dar essa festa em Paris de algum jeito, ou vou desistir e contar a verdade...

Paro de falar, deprimida. Eu não, não, *não* quero contar para o Luke. Mas tenho um pressentimento horrível de que é isso que vai acabar acontecendo.

— Eu consegui manter tudo em segredo esse tempo todo. — Mordo um pedaço da maçã embebida em martíni. — O Luke não faz ideia do que estou tramando. Não posso estragar tudo. Mas o que mais eu posso fazer?

O garçom bate na porta e, silenciosamente, entra com outro martíni de maçã. Ele retira a minha taça vazia, coloca a cheia e sai de novo.

Fico, idiotamente, boquiaberta. Isso sempre acontece aqui ou é só por causa da Elinor?

— Você está falando do Christian Scott-Hughes, que trabalha para Sir Bernard Cross? — pergunta Elinor, sem fazer nenhum comentário sobre o segundo martíni de maçã.

— Exatamente. Luke está desesperado para fazer contato com Sir Bernard Cross, por causa de um cliente ecológico.

Dou um gole na minha segunda bebida, que está tão deliciosa quanto a anterior, e levanto o olhar para ver se Elinor demonstra alguma compaixão por mim. Se ela fosse uma pessoa normal, já estaria dizendo "Coitadinha!" ou até me dando um abraço. Mas sua expressão é séria e distante, como sempre.

— Conheço o Bernard — diz ela, finalmente. — Nos conhecemos em St. Tropez, no iate dele. É um homem encantador.

Ótimo. É típico dela. Aqui estou eu, compartilhando os meus problemas, e tudo o que ela faz é se gabar de seus excelentes contatos sociais. E, a propósito, será que Elinor sabe o que a palavra "encantador" quer dizer? Talvez ela tenha confundido com "rico". Isso explicaria muita coisa.

— Tenho certeza de que o conhece — digo bruscamente. — Parabéns.

Sei que estou sendo grosseira, mas não estou nem aí. Será que ela acha que eu me *importo* com o iate em que ela esteve? Pego a fatia de maçã do segundo martíni e a enfio na boca, mas Minnie viu.

— Maçã! Meeeeu maçã! — Ela tenta enfiar a mão na minha boca para pegá-la.

— Não, Minnie — consigo dizer, tirando os dedinhos dela da minha boca. — A maçã não é sua. Era uma maçã de adulto e já acabou.

— Meu suco! — Agora ela está focada no drinque. — Meeeu suco...

— Posso falar com o Bernard. — A voz calma de Elinor chega aos meus ouvidos. — Posso explicar a situação para ele e mudar o dia da reunião. O Luke nunca saberia quem teria arranjado tudo.

Chocada, olho nos olhos de Elinor. Ela parece estar tão pouco envolvida que quase não acredito no que acabo de ouvir. Ela está se oferecendo para *me* ajudar? Será que ela pode resolver o meu problema assim tão facilmente?

Algo começa a formigar no meu estômago. Parece um pouco com esperança.

Mas eu já sei que preciso descartar essa oferta de algum jeito. Não posso me permitir nem pensar sobre isso. Que dirá ter esperança, que dirá... Caramba, é a Elinor. *Elinor*. O Luke me mataria se soubesse que Minnie e eu estamos aqui, que dirá falando sobre a empresa dele, que dirá aceitando ofertas de ajuda...

— Não. Você não pode ajudar. Sinto muito, mas simplesmente não pode. Se o Luke descobrisse que estou falando com você... — Uma ansiedade familiar toma conta de mim e eu me levanto, largando o drinque na mesa. — Já fiquei muito tempo aqui. Precisamos ir. Minnie, diga "Tchau, Moça".

— Moçaaaa! — Minnie se agarra às pernas de Elinor.

— E o que você vai fazer, então?

Ela franze a testa com um interesse frio, como se eu fosse um dos seus quebra-cabeças e ela quisesse ver como ia ficar.

— Não sei — digo, sem esperanças. — Vou ter que pensar em alguma coisa.

* * *

Quando chego em casa, está tudo vazio e silencioso, e há um bilhete na mesa com a letra da Janice. *A assistente da Nanny Sue ligou. Por favor, ligue para marcar um encontro para falar a respeito da Minnie.*

Como reflexo, amasso o bilhete e o jogo no lixo. Depois preparo uma xícara de chá, tentando me manter animada. Vamos lá, Becky. Pensamento positivo. Não posso deixar meus problemas me deprimirem. Eu só tenho que encontrar uma solução.

Mas, apesar de ter enchido a xícara com açúcar e estar com lápis e papel na mão, nenhuma solução me vem à cabeça. Me deu um branco e me sinto derrotada. Estou pensando se faço outro drinque reconfortante quando a campainha toca. Surpresa, vou até o corredor e, ao abrir a porta, vejo um senhor grisalho, de macacão, parado à minha entrada. As mãos dele estão imundas, ele só tem uns três dentes e há uma van parada em frente à casa.

— Tenda? — diz ele, sem preâmbulos.

Por um instante, eu o encaro com dúvida.

— Querida? — Ele balança a mão na minha cara. — Você quer uma tenda?

— Quero! — Me recomponho. — Por favor!

Finalmente, uma boa notícia. Isto é um sinal! Tudo vai dar certo no final. Só de pensar na tenda montada no quintal da Janice eu já fico animada.

— Então, você é da empresa do Cliff? — pergunto, enquanto ele abre a mala da van.

— Ele pediu desculpa. A maioria dos rapazes está num trabalho de emergência, em Somerset. Está uma loucura.

— Achei que as coisas não estivessem muito agitadas — digo, surpresa.

— Tivemos alguns cancelamentos — concorda ele. — Mas as pessoas mudam de ideia, né? Isso acontece muito. A maioria das tendas foi para o sudoeste, mas o Cliff disse que você pode usar esta.

Ele bruscamente joga um monte de lona branca na entrada da casa e eu dou uma olhada, meio incerta. Não é tão *grande* quanto eu imaginava.

— É uma tenda?

— É um gazebo, né? Está meio mofado de um lado, mas é só passar um alvejante que sai. — Ele já voltou para a van e está ligando o motor. — Tchau, querida.

— Espere! — grito. — Para onde mando de volta?

O cara me olha, achando graça.

— Pode ficar. Não precisamos disso.

A van desaparece e eu vou, desconfiada, até o monte de lona branca. Talvez seja maior do que parece.

— Cobertor!

Minnie sai correndo da casa, passa por mim, se joga na lona e fica pulando em cima.

— Não é um cobertor! É uma... tenda. Saia de cima, querida. Vamos dar uma olhada.

Levanto uma das camadas cuidadosamente e sinto uma pontada de desespero. Por baixo, está com limo verde. Levanto outra parte e há um rasgo gigantesco.

Fico meio tonta. Esta era a única parte da festa que deveria estar *resolvida*. Vou demorar horas para limpar tudo e costurar o rasgo.

E nem é uma tenda direito. É mínima. Como é que eu vou dar uma festa para duzentas pessoas dentro disso?

Meu corpo todo está tremendo, com um pânico comprimido. Mas eu não tenho outra opção. É isso ou nada.

— Certo! — digo, da maneira mais animada que consigo, para Minnie. — Bom... A mamãe precisa limpar isso, né? Não *mexa!* — Tiro a mão dela de perto do limo verde.

— Geleeeeia! — grita ela, irritada. — Meeeu!

— Não é geleia! É nojento!

Pego luvas de borracha, alvejante e uma escova embaixo da pia. E, depois de deixar Minnie segura em frente à TV, começo a esfregar. Achei que o alvejante fosse destruir a camada verde como nos comerciais de TV. Mas não destrói. O limo está preso no tecido e coberto com lama em alguns lugares. Deve estar ali há anos. Demoro dez minutos, esfregando sem parar, para tirar 1 centímetro do mofo. Depois, sento nos calcanhares, exausta.

Não vou conseguir limpar tudo.

Mas é necessário. Não tenho como bancar outra coisa.

Esfrego por mais dez minutos e, depois, mergulho a escova no balde com água e alvejante. A água agora está preta de tanta sujeira. Minhas costas estão doendo. Minha cabeça está latejando. Ao afastar o cabelo do meu rosto quente, me sinto vazia de medo. Pela primeira vez, a pior das hipóteses, a realidade sem ilusões, está me dominando. Por que eu achei que conseguiria dar uma festa enorme, de adulto, sozinha? É grande demais.

Quero chorar.

Não. Não vou chorar.

Quase sem querer, me vejo enfiando a mão no bolso, pegando o celular e ligando para Suze.

Não vou pedir ajuda. Não vou conseguir fazer isso. Mas, se ela *oferecer* de novo... então eu aceito.

— Bex! Oi! — Ela atende na hora.

— Suze? — digo tremendo. — Como estão as coisas?

Não quero mencionar o assunto logo de cara. Vou esperar ela falar da festa e seguir a partir daí.

— Ainda estou furiosa! — responde Suze com raiva. — Sabe o que eu fiz hoje? Fiz uma reunião com toda a equipe do Tarkie e disse: "Por que vocês não estavam *presentes*? Por que ninguém foi à sessão de fotos?" E sabe o que é pior? Um deles *estava* lá! — Sua voz aumenta, indignada. — Ele disse que achou tudo muito esquisito, mas pensou que devia ser a última tendência da moda e não quis se intrometer. Vou dizer uma coisa, Bex, eu vou virar agente do Tarkie. Já falou com o Danny? Porque eu ligo e ele não me retorna.

— Não, ele também não me atende. — Ouço uma gritaria no fundo e um barulho de pancadaria.

— Wilfie! Pare com isso! Bex, preciso ir. Como você está, hein?

Ela nem mencionou nada.

De repente, sinto uma pontada de humilhação. Não posso contar para ela. Não posso admitir que estou toda atrapalhada arrumando uma tenda capenga, sem dinheiro, sem trabalho e sem a menor ideia de como vou fazer essa festa dar certo.

— Estou... estou bem! Falo com você depois, Suze...

Desligo o celular e fico completamente imóvel por uns instantes. A entrada da casa está ficando fria e escura. Vejo uma luz vindo da casa de Janice e me ocorre um pensamento. Faço uma busca nos meus contatos e ligo para Jess.

Vou chamá-la para vir aqui tomar um chá, ela vai ver a tenda e vai se oferecer para me ajudar a limpar. Sei que ela fará isso. Eu deveria ter chamado Jess há milênios. Ela é minha irmã, afinal!

— Oi, Jess! — digo animada, assim que ela atende. — Você está por aqui? Quer tomar um chá ou alguma coisa assim?

— Tom e eu estamos em Staffordshire — diz ela, e sua voz parece distante. — Vim fazer uma pesquisa no museu daqui. Eu não aguentava mais a Janice. Você não vai *acreditar* na última que ela aprontou.

— O quê?

— Ela roubou os nossos preservativos! Ela nega, mas eu sei que foi ela. De que outra maneira as *nossas* camisinhas iriam parar na gaveta do quarto *dela*? Eu falei: "Não diga que são suas, Janice, porque não vou acreditar." Quer dizer, ela nunca deve ter *ouvido falar* de camisinhas, muito menos comprado. Nós tivemos uma grande discussão. O Martin acabou se escondendo na casa da árvore, de tanta vergonha.

Apesar de tudo, não consigo deixar de rir quando tento imaginar Jess e Janice brigando por causa de camisinhas.

— Então nós tivemos que sair daí por alguns dias — continua ela. — Becky, eu não a suporto. O que vou fazer? — Sua voz some.

— Jess? Você está aí?

— Desculpa! Olha só, meu celular está ficando sem sinal. Posso ligar de volta depois?

— Claro! — Tento parecer tranquila. — Mande um beijo para o Tom.

Quando a luz do meu celular se apaga, a entrada da casa parece mais escura do que nunca.

Minha cabeça cai sobre os joelhos. Estou exausta. Aquele restinho de energia que eu tinha foi sugado nas últimas duas ligações. Não tenho mais nada. Não tenho esperança, não tenho planos, nem respostas. Não sei por que achei que eu conseguiria dar uma festa. Acho que eu estava louca.

De repente uma lágrima escorre pela lateral do meu nariz, sendo seguida por outra. Vou ter que me dar por vencida. Vou ter que cancelar a festa. Não existe outra alternativa. É, simplesmente, uma coisa gigante e esmagadora. Não tem como eu fazer com que dê certo.

Dou um grande soluço e levo as mãos ao rosto. Não acredito que estou desistindo. Mas o que mais eu posso fazer?

Vou ligar para Bonnie e pedir para ela mandar um e-mail para todos os convidados. Vamos inventar uma desculpa. Luke pode ir a Paris. Ele nunca saberá o que eu tinha planejado. A vida seguirá em frente. É a solução mais fácil. É a *única* solução.

— Rebecca? — Levanto a cabeça e pisco para a figura alta e sombria que está na minha frente.

— *Elinor*? — Sinto um pânico sufocante. — O que você está fazendo aqui? Não pode vir aqui! Eu moro aqui! E se o Luke tivesse visto você? Ou os meus pais...

— O Luke não está aqui — responde Elinor calmamente. Ela está usando o casaco Chanel cinza que vendi para ela na loja, com um cinto. — Não tem ninguém aqui além de você e da Minnie. Meu motorista me garantiu antes que eu chegasse perto.

O motorista? De onde ela o tirou, do MI5?

— Serei breve. — Seus olhos estão focados ao longe, distantes de mim. — Quero oferecer a minha ajuda novamente. Acho que você foi precipitada ao rejeitá-la, por motivos que posso apenas suspeitar. No entanto, parece que você precisa de uma ponte com Sir Bernard Cross. Posso pedir para ele remarcar a reunião com o Luke e tenho certeza de que ele aceitaria. — Ela hesita. — Se quiser que eu faça isso, por favor, me avise.

— Obrigada — agradeço de qualquer jeito. — Mas não vai adiantar. Vou cancelar a festa.

Pela primeira vez Elinor olha diretamente para mim, e eu vejo uma faísca de surpresa nos seus olhos.

— *Cancelar*? Por quê?

— Porque não vou conseguir fazer. — Uma nova lágrima escorre pelo meu nariz. — Tudo está um desastre. Fiz uma troca por esta tenda, mas ela está toda mofada e eu nunca vou conseguir limpá-la a tempo, além de não ser suficientemente grande. Depois, eu fiquei sem dinheiro, e eu ia pedir um aumento, mas fui suspensa do trabalho. E o Luke vai para Paris mesmo... — Enxugo os olhos. — De que adianta? De que adianta tentar agora?

Elinor analisa friamente a tenda.

— Você não tem ninguém para ajudá-la com esse empreendimento? Sua amiga Susan, talvez?

Nossa, eu não fazia ideia de que ela sabia o nome da Suze.

— Eu meio que... — Paro de falar e fico envergonhada.

— Eu disse para os meus amigos que não queria ajuda.

Está muito escuro agora e eu mal consigo ver Elinor. Estou me preparando para perguntar se ela quer uma xícara de chá, torcendo para que ela diga "não", quando ela fala de novo, parecendo mais rígida e sem jeito do que o normal:

— Pensei muito sobre a conversa que nós tivemos. Você é uma jovem perceptiva, Rebecca. Eu nunca dei nada para o Luke sem nenhum interesse. Sempre havia... expectativas envolvidas. Agora, eu gostaria de dar alguma coisa para ele. Incondicionalmente. E é por isso que eu gostaria de ajudar você.

— Elinor... — Hesito. — É muita gentileza sua. Mesmo. Só que, como eu disse, não adianta. Mesmo que o Luke não vá para Paris, eu não terei tempo de organizar toda a festa. — Levanto uma parte mofada da tenda e a deixo cair. — Você acha que consigo entreter duzentas pessoas com *isto*?

— Então você vai simplesmente desistir?

Me sinto afetada pelo seu tom. Por que ela se importa? A festa não é dela. Ela nem foi convidada.

— Acho que sim. — Dou de ombros. — Isso. Vou desistir.

— Isso me perturba. — Ela me olha de maneira rígida. — Nunca vi você desistir de nenhum projeto antes. Você já se equivocou, sim. Já foi rude, sim. Já foi impulsiva, sim. Já foi tola, sim.

Ela está tentando fazer com que eu me sinta melhor?

— Ah, valeu — interrompo. — Já entendi o recado.

— Mas você sempre foi persistente — Elinor continua, como se eu não tivesse dito nada. — Você sempre se recusou a ceder, independentemente do que estivesse contra você. É uma das coisas que eu sempre admirei em você.

Ela *sempre me admirou*? Agora já ouvi demais.

— Bom, talvez isso seja demais para mim, está bem? — digo, cansada. — Talvez eu não seja a SuperMulher.

— Se tiver força de vontade, poderá conseguir o que quiser.

— Sim, essa é a grande *questão*! — explodo, frustrada. — Não está entendendo? Fui suspensa do trabalho! Meus cartões de crédito estão no limite! Eu não *tenho* nenhuma porcaria de...

— Eu tenho meios — Elinor me interrompe.

Eu a encaro incerta por alguns instantes. Ela está dizendo... Não pode ser...

— Eu tenho meios — repete ela. — Podemos... fazer juntas.

Ai, meu Deus.

Juntas? Ela está querendo participar disso como anfitriã?

— Elinor... — A ideia é tão absurda que tenho vontade de rir. — Você não pode estar falando sério. O Luke iria... Ele ficaria...

— O Luke não vai saber. Nunca vai saber.

Ela parece tão decidida que eu a encaro com surpresa. Ela realmente está falando sério?

— Mamãe! — Minnie sai como um foguete de casa e depois para, espantada. — Moçaaa! — Ela se joga, toda feliz, sobre Elinor.

— Elinor... — Passo a mão na testa. — Você não pode simplesmente... Você tem noção de como as coisas estão ruins? Sabe como o Luke reagiria se...

— Eu sei sim. E é por isso que estou lhe pedindo uma chance.

Seu rosto está sério como sempre, mas de repente percebo um leve estremecimento perto do seu olho, algo em que eu já havia reparado antes.

A não ser que seja apenas a luz.

— Para mim, é impossível dar alguma coisa para o Luke. — Sua voz está completamente livre de autocompaixão. — Ele me excluiu da vida dele. Não confia em mim. Qualquer presente que eu tentasse dar seria mal recebido. Se você aceitar a minha ajuda, estará me dando a oportunidade de dar um presente para o Luke. Talvez eu consiga até compensar tudo. — Elinor faz uma pausa. — O tipo de presente... que a mãe de verdade dele teria dado.

O quê? Ela chamou Annabel de *mãe de verdade?*

Engulo em seco várias vezes. Está ficando pesado demais. Não sei se consigo lidar com isso. Era mais fácil quando a Elinor era a bruxa má que nunca víamos.

— Se você recusar a minha oferta — acrescenta ela, da maneira casual de sempre —, estará me negando esse privilégio.

— Quebra-cabeça? — Minnie está puxando a bolsa de Elinor, com esperança. — Quebra-cabeça?

— Aqui está, Minnie. — Elinor pega um dos quebra-cabeças que estavam no Ritz mais cedo e o entrega a Minnie. Depois olha diretamente para mim. — Por favor.

Minha mente vai de um lado para o outro, como um pinball. Eu não posso... Não devo... Talvez....

Luke nunca saberia...

Não, *não posso*...

Mas aí não teríamos que cancelar... Luke teria uma festa...

— Talvez você precise de um tempo para pensar — diz Elinor, e eu olho para cima, focando nela, como se fosse a primeira vez que a visse. Parada ali, segurando sua bolsa cara, com luvas nas mãos e o cabelo balançando um pouco com o vento, ela parece pálida, velha e sombria. E quase... humilde.

Acho que essa é a coisa mais absurda do mundo. Elinor Sherman, a mulher mais majestosa e arrogante do planeta, pela primeira vez não brigou comigo, nem me deu ordens, nem me passou um sermão. Ela pediu. E agora está esperando, humildemente, uma resposta.

Ou, pelo menos, o mais humilde possível quando se está vestida de Chanel dos pés a cabeça e seu motorista está esperando.

— Tudo bem — falo devagar, e sorrio para ela. — Tudo bem, Elinor. Conto com você.

— Obrigada. — Ela hesita. — Rebecca, quero dizer mais uma coisa. Sei que você estava determinada a dar essa festa sozinha. Sei que você se orgulha de ser independente. Mas não subestime o prazer que os outros terão em dar alguma coisa para o Luke, do jeito que for possível.

— Minha amiga Suze me disse algo parecido — falo devagar. — Ela queria ajudar, mas eu não deixei.

Me sinto mal ao me lembrar da voz magoada de Suze dizendo: "Não é sempre sobre *você*, sabia? Não é porque nós achamos que você não consegue. É porque o Luke não é só o seu marido, ele também é nosso amigo e nós queríamos fazer uma coisa legal para ele."

Ela realmente queria participar. E eu fui orgulhosa demais para deixar. Até mesmo agora, eu não pedi ajuda, não é mesmo? Esperei que ela oferecesse. Bom, não é à toa que não tenha oferecido.

De repente, me sinto a pessoa mais mesquinha do mundo.

— Elinor, com licença um minuto... — Me afasto um pouco, pego meu celular e ligo para Suze de novo.

— Bex? — Ela parece surpresa. — Está tudo bem?

— Ouça, Suze — digo, tremendo de afobação. — Eu sinto muito. Eu queria ter pedido para você me ajudar com a festa, desde o começo. Adorei a sua ideia do biscoito especial. O Luke ficaria muito emocionado. E eu só queria dizer... — Engulo em seco. — É tarde demais? Você pode ajudar?

Ficamos em silêncio por um instante, e então Suze diz:

— Seja sincera, Bex. Você se meteu numa grande confusão, não foi?

— Sim! — Dou um soluço misturado com risada. — Me meti.

— Então, o Tarkie me deve 5 libras — diz ela com satisfação. — Muito bem. Quando, onde e o que preciso fazer?

KENTISH ENGLISH SPARKLING WINE
Spandings House
Mallenbury
Kent

À Sra. Rebecca Brandon
The Pines
43 Elton Road
Oxshott
Surrey

3 de abril de 2006

Prezada Sra. Brandon,

Muito obrigado pela sua carta do dia 27 de março.

Fico feliz que nosso engradado com cinquenta garrafas de vinho espumante tenha chegado em segurança até você e que, ao provar, você tenha ficado "encantada" com o sabor impactante e inconfundível. Temos muito orgulho deste vinho!

No entanto, compreendo totalmente que tenha descoberto o Movimento da Abstinência e resolvido aplicá-lo na sua festa. Podemos marcar a coleta das garrafas, sem demora, e eu espero que a sua festa seja de muita diversão (seca)!

Atenciosamente,

Paul Spry
Diretor de Marketing

OBS: Nós lançaremos, em breve, um vinho espumante sem álcool, e eu ficarei feliz em enviar dez garrafas de cortesia para você.

DEZOITO

Tanta coisa já aconteceu! Só faltam três dias. Não estou acreditando. E finalmente, *finalmente*, tudo está indo bem.

Elinor tem os contatos mais sensacionais do mundo. Ela simplesmente *faz as coisas acontecerem*. Ela aponta aquele dedo fino e tudo se resolve. Quer dizer, ela aponta o dedo fino para um assistente e ele resolve tudo.

Ela não é exatamente divertida. Não rola um "toca aqui" quando conseguimos alguma coisa. E ela não parece entender a função do chocolate, nem sequer tem vontade de compartilhar um Kit Kat comigo de vez em quando. Mas as vantagens são:

1. Ela quer que a festa do Luke seja maravilhosa.

2. Ela já deu várias festas chiques antes.

3. Ela tem muito, muito, *muito* dinheiro.

O dinheiro simplesmente não é mais uma questão. Até a Suze está impressionada com a maneira como Elinor gasta sem pestanejar. Jess, é claro, não suporta. Ela tapa os ouvidos com as mãos e diz: "Não quero saber." Depois ela tira as mãos e fez um sermão para Elinor sobre sustentabilidade e negociação responsável. Para a minha surpresa, Elinor sempre ouve com muita atenção e até já concordou com algumas sugestões. (Mas *não* com aquela sobre tricotar gorros com lã reciclada e distribuí-los aos convidados, para que não precisássemos usar aquecedores. Graças a Deus.)

Sinceramente, a festa será simplesmente...

Quer dizer, vai ser a maior...

Não. Não vou dizer mais nada para não dar azar.

Até que esses encontros supersecretos, em que nos reunimos só nós cinco (eu, Suze, Jess, Bonnie e Elinor), têm sido bem divertidos. Elinor sempre vai embora antes, e nós quatro esperamos ansiosas até que ela esteja longe para termos uma crise histérica sobre alguma coisa que ela disse ou fez. Quer dizer, ela continua sendo totalmente fria na maior parte do tempo. Mas, mesmo assim, há algo — de um jeito estranho — que a faz parecer uma integrante da gangue.

Luke não faz a menor ideia. A menor. Ele ainda acha que eu trabalho dois dias e meio por semana, e eu não o corrigi.

A única coisa que ainda não foi resolvida é a reunião com Christian Scott-Hughes. Bernard Cross estava na Suécia, e foi impossível contatá-lo. Mas ele volta hoje. Elinor afirmou que vai ligar para ele logo de manhã e não aceitará "não" como resposta. E eu acredito nela.

Então, o maior desafio que nos resta é manter, até sexta, a festa em segredo. Mas nós já chegamos tão longe que com certeza conseguiremos. Hoje Bonnie vai revelar aos funcionários do Luke que não haverá nenhuma conferência, que na verdade será uma festa surpresa. É provável que haja uma comoção. Por isso decidimos que eu inventaria uma desculpa para manter Luke longe do escritório. Então, nós vamos ver uma escola para Minnie agora de manhã. (Eu disse a Luke que já estava muito em cima e que, por isso, ele tinha que ir comigo, senão pensariam que não éramos pais dedicados e eu *não podia* simplesmente contar tudo para ele depois.)

— Está pronta?

Luke desce a escada apressado e impecável, com um terno azul-marinho e um casaco de cashmere muito caro, de Milão.

— Estou sim.

Termino de passar o batom e me olho no espelho. A escola que nós vamos ver hoje tem um uniforme vermelho e azul-marinho, então estou usando as mesmas cores, para mostrar o nosso entusiasmo. (Quase comprei o boné pela internet, mas achei que seria um pouco demais.)

— A Nanny Sue acabou de ligar — acrescenta Luke. — Ela vem às 6.

— Tudo bem — digo, depois de uma pausa. Não adianta tentar argumentar com Luke sobre a Nanny Sue. Eu já tentei.

— Boa sorte na escola! — diz Janice, que veio para cuidar da Minnie. — Não se preocupem com a gente. Vamos ficar bem, só nós duas! — Ela pisca sutilmente para mim quando olho para ela.

Já troquei umas dez mensagens escondidas com a Janice desde o café da manhã. Os caras da tenda vão arrumar o quintal dela hoje cedo, mas nenhuma das duas comenta sobre isso, obviamente.

Quando estou saindo de casa, ela me puxa de volta, sussurrando de um jeito urgente:

— Querida, falei com a sua mãe ontem.

— Ah, é?

Os corretores da imobiliária estão tendo muita dificuldade para encontrar um lugar para nós, e meus pais ainda estão no West Place, tomando banho de lama e bebendo muitos drinques e champanhe, acredito eu.

— Ela disse que não foi convidada para a festa. — Janice olha ansiosa para mim. — Não pode ser verdade, não é, Becky?

Isso é *tão* a cara da minha mãe. Ela está sempre tentando fazer todo mundo ficar do seu lado. E, de qualquer maneira, não é verdade. Ela foi convidada sim.

— Por que ela quer ir, afinal? — Sei que pareço amarga, mas não consigo evitar. — Ela disse que seria um fiasco.

— Mas, Becky, a festa será maravilhosa. — Janice parece agitada. — Você não pode deixar que ela perca isso.

— Ela pode ir, se quiser. Ela sabe onde estou.

Meu celular apita com uma mensagem e eu dou uma olhada.

Tenho um rápido encontro com o Bernard hoje. Manterei você informada. Atenciosamente. Elinor.

Elinor deve ser a única pessoa no mundo que escreve "atenciosamente" numa mensagem de texto. Mas, só para você saber, "atenciosamente" é muito melhor do que "com desaprovação", que é como ela terminou uma carta para mim uma vez.

Obrigada, escrevo de volta. Estou ansiosa pra saber!

Saio de casa e demoro um instante para perceber o que Luke está fazendo. Ele está abrindo a garagem. Droga. Droga! Onde ele pegou a chave? Eu a *escondi*, justamente para que ele *não pudesse* abri-la e ver a tenda fajuta e mais 132 pompons de saco plástico. (Dos quais *não* vou me desfazer, não importa o que a Elinor diz. Eu fiz para a festa, demorei horas e eles vão fazer parte da decoração sim.)

— Nãããão! — De algum jeito, consigo chegar a tempo de pular entre ele e a porta da garagem. — Não! Quer dizer... O que você quer? Eu pego. Pode ligar o carro para ele ir esquentando.

— Becky! — Luke parece chocado. — O que houve?

— Você... não vai querer sujar esse casaco lindo!

— Bom, você não vai querer sujar o *seu* casaco — ele afirma, de maneira sensata. — Só quero o mapa. A porcaria do meu GPS não funciona. — Ele estica a mão para abrir a porta, mas eu me meto na frente de novo.

— Podemos comprar um no caminho.

— *Comprar?* — Ele me analisa. — Por que faríamos isso?

— É sempre bom ter um mapa a mais. — Estou segurando a maçaneta da porta da garagem. — Vai ser divertido. Nós podemos escolher juntos!

— Mas nós já *temos* um mapa — diz ele, pacientemente. — Se você me deixar entrar na garagem...

Tudo bem, preciso tomar medidas extremas.

— *Você tem noção de como estou desesperada para comprar alguma coisa?* — grito dramaticamente, com uma voz emocionada, como a de uma atriz shakespeariana. — Você não me deixa comprar roupas. Agora também não quer me deixar comprar um mapa! Preciso gastar dinheiro, senão vou ficar maluca!

Quando paro de falar, estou ofegante. Luke parece tão assustado que eu quase sinto pena dele.

— Tudo bem, Becky. Está bem. — Ele se afasta, me olhando com preocupação. — Podemos parar num posto de gasolina. Sem problema.

— Ótimo. — Me abano, como se tivesse sido tomada pela emoção. — Obrigada por entender. Aliás, onde você pegou a chave da garagem? — acrescento, casualmente. — Achei que estivesse perdida.

— Foi a coisa mais esquisita. — Luke balança a cabeça. — Eu estava procurando e falei alto: "Mas cadê essa chave?" Aí a Minnie me mostrou onde estava, na hora. Ela mesma deve ter escondido!

Francamente. É a *última* vez que incluo a Minnie nos meus planos. Ela é muito dedo-duro.

— Você nunca vai adivinhar onde estava — acrescenta Luke, ao ligar o carro. — Estava dentro da sua bolsa de maquiagem. Acredita?

— Inacreditável! — Tento parecer chocada. — Que pestinha!

— A propósito, você quer ir a Paris comigo, na sexta? — pergunta Luke casualmente, enquanto dá ré.

Fico tão atordoada que não consigo responder. Eu o encaro, minha cabeça dando voltas. O que vou dizer? Como seria minha reação natural?

— Paris? — consigo dizer, finalmente. — Como assim?

— Vou a Paris para a reunião, lembra? Só pensei que você e a Minnie gostariam de ir também. Podemos aproveitar o final de semana. Você sabia que é meu aniversário?

A palavra "aniversário" soa como uma granada explodindo no carro. O que eu digo? Finjo que esqueci? Finjo que não ouvi?

Não. Aja normalmente, Becky. *Aja normalmente.*

— Hm... Ah, é? — Engulo. — Nossa, é claro que é o seu aniversário! Bom, a ideia parece ótima.

— Infelizmente, nós teremos que passar a noite de sexta-feira com os meus clientes, mas pelo menos vamos comemorar. Quer dizer, depois da reunião com o Christian, estaremos próximos de conseguir agendar uma reunião com o próprio Sir Bernard! — Luke parece animado. — Vou pedir para a Bonnie reservar tudo. Então está combinado?

— Maravilha! — Sorrio, sem forças. — Só preciso mandar uma mensagem para a Suze...

Pego o celular e mando uma mensagem correndo para Bonnie:

O Luke quer nos levar a Paris na sexta! NÃO compre as passagens!

Sinceramente, estou quase surtando.

Não, não estou. Está tudo bem. A Elinor dará um jeito nisso. Respire fundo. Só faltam três dias.

A Hardy House School é uma escola muito melhor do que a St. Cuthbert's. Chego rapidamente a essa conclusão. Para começar, a secretária que nos recebe está com um colar Pippa Small que é muito legal. E não há nenhuma aluna chamada Eloise. (Eu perguntei.) *E* eles fazem os próprios biscoitos.

Enquanto tomamos café e comemos biscoitos, podemos observar o pátio, que é cercado por castanheiros-da-índia. Vejo as menininhas correndo e pulando corda, e sinto uma pontada de desejo. Já consigo imaginar Minnie brincando com todas elas. Seria perfeito.

— Você acha que a Minnie vai conseguir entrar? — Viro-me, ansiosa, para Luke.

— Tenho certeza que sim. — Ele levanta os olhos do BlackBerry. — Por que não entraria?

— Porque há muita procura!

Dou outra olhada no papel que me deram, intitulado "Nosso Procedimento de Inscrição". São seis estágios, começando com o preenchimento de um formulário e terminando com um "Lanchinho de Avaliação Final". De repente, percebo por que todo mundo fica estressado com essa coisa de escola. Eu já estou horrorizada. E se Minnie pegar todos os bolos e gritar "Meeeeu"? Ela nunca conseguirá entrar.

— Luke, pare de olhar o BlackBerry! — reclamo. — Precisamos passar uma boa impressão!

Pego um folheto sobre notas a serem atingidas e começo a dar uma olhada, mas a porta se abre e a secretária aparece de novo.

— Sr. e Sra. Brandon? Venham comigo, por favor. — Ela nos conduz por um corredor pequeno, com cheiro de cera de abelha. — A sala da diretora é aqui — diz, nos levando direto para uma sala com painéis, uma mesa de mogno e cadeiras estofadas verdes. — Nossa atual diretora, a Sra. Bell, vai sair no final do semestre, mas a futura diretora está vindo uns dias aqui na escola. Então, achamos que faria mais sentido vocês já falarem com ela. Ela já vai chegar.

— Obrigado — Luke diz, de forma encantadora. — Posso elogiar a escola pelos deliciosos biscoitos?

— Obrigada! — Ela sorri. — Voltarei logo com a nova diretora. É a Sra. Grayson — acrescenta ela ao sair. — Harriet Grayson.

— Pronto — murmura Luke. — Estamos causando uma ótima impressão.

Não consigo responder. Na verdade, estou travada. Eu já ouvi esse nome antes?

Certo. Isso pode ser muito ruim. Preciso sair daqui ou avisar o Luke ou...

Mas a porta já está se abrindo de novo e é ela. É Harriet Grayson, mestra em belas-artes, usando o mesmo terno de tricô. Ela chega perto, com um sorriso profissional, e sua expressão muda quando me reconhece.

— Professora Bloomwood! — diz ela, surpresa. — *É* a professora Bloomwood, não é?

Não tenho como sair dessa. Não tenho.

— Hum... Isso! — digo finalmente, sentindo meu rosto ficar vermelho. — Oi!

— Nossa, que surpresa! — Ela sorri para Luke. — A professora Bloomwood e eu já nos conhecemos. Brandon deve ser o seu nome de casada, não é?

— Isso... isso mesmo. — Engulo em seco.

Tento olhar rapidamente para Luke, mas imediatamente me arrependo. Sua expressão me faz querer começar a rir ou sair correndo.

— O senhor também é das artes, Sr. Brandon? — pergunta ela gentilmente ao cumprimentar Luke.

— Das *artes*? — pergunta Luke, depois de uma pausa relativamente longa.

— Não, ele não é — acrescento, rapidamente. — Nem um pouco. Enfim... Vamos seguir adiante com o assunto que realmente importa: nós queremos colocar a nossa filha Minnie nesta escola. Adorei o pátio. As árvores são lindas! — Eu esperava que pudéssemos seguir em frente, mas Harriet Grayson, mestra em belas-artes, parece confusa.

— Então vocês vão deixar Nova York?

— Hum... Isso mesmo — digo, depois de uma pausa. — Não é mesmo, querido? — Olho de forma rápida e desesperada para Luke.

— Minha nossa! Mas e o seu trabalho no Guggenheim, professora Bloomwood?

— O Guggenheim? — repete Luke, com uma voz levemente abafada.

— Isso, o Guggenheim. Com certeza. — Faço que sim várias vezes com a cabeça, para ganhar tempo. — É óbvio que vou sentir muita falta do Guggenheim. Mas vou... me concentrar na minha própria arte.

— A senhora é artista? — Harriet Grayson parece impressionada. — Que maravilha! A senhora pinta?

— Na verdade, não. — Tusso. — Meu trabalho é... muito difícil de descrever...

— O tipo de arte da Becky é único — Luke se manifesta, de repente. — Ela cria... mundos irreais. Mundos fantasiosos, podemos dizer.

Olho irritada para ele e alguém bate à porta.

— Sr. Brandon? — A secretária olha, um pouco hesitante. — Deixaram um recado pedindo para o senhor ligar, com urgência, para o trabalho.

— Sinto muito. — Luke parece surpreso. — Para terem me interrompido, deve ser muito importante. Com licença.

— Assim que ele sai da sala, pego o prospecto e o folheio aleatoriamente até parar numa página.

— Então! — falo rapidamente. — Quando você diz que as crianças leem todo dia, o que isso *significa*, exatamente?

Graças a Deus. Durante uns cinco minutos a Sra. Grayson fala sobre esquemas de leitura e eu concordo, parecendo interessada. Depois, pergunto alguma coisa sobre o prédio de ciências e ganho mais três minutos. Estou prestes a falar sobre netball quando a porta se abre.

Olho para Luke e fico admirada. Seu rosto está iluminado. Parece que ele ganhou na loteria. Que diabos...

Ai, meu Deus. Elinor conseguiu!

Muito bem, agora estou *morrendo* de vontade de ver as minhas mensagens.

— Sinto muito — diz Luke à Sra. Grayson. — Tenho que voltar ao escritório para tratar de um assunto urgente. Mas a Becky pode ficar e fazer o tour.

— Não! — Me levanto tão depressa que parece que fui escaldada. — Quer dizer... Prefiro ver a escola com *você*, querido. Sinto muito, Sra. Grayson...

— Não tem problema — diz ela, sorridente. — Foi um prazer revê-la, professora. Sabe, o seu conselho em relação ao pequeno Ernest Cleath-Stuart foi inestimável.

Ao meu lado, sinto que Luke aguça os ouvidos.

— Como assim? — pergunta ele educadamente.

— Só fiz o meu dever — digo, rapidamente. — Não foi nada de mais...

— Eu discordo! A professora Bloomwood naturalmente percebeu o potencial de um dos meus alunos da St. Cuthbert's — conta Harriet Grayson. — É um menino que estava tendo... dificuldades, digamos assim. Mas ele realmente floresceu desde que recebeu o prêmio de artes. É outra criança!

— *Ah*. — Luke finalmente compreende. — Entendi. — Seu olhar fica mais tranquilo ao se voltar para mim. — Bom, a professora Bloomwood é muito boa com esse tipo de coisa.

Atravessamos os corredores e saímos da escola sem nos falar. Entramos no carro e nos olhamos por um tempo, em silêncio.

— Então. — Luke levanta a sobrancelha, de maneira irônica. — Professora.

— Luke...

— Não conte para a Suze. — Ele concorda com a cabeça.

— Já entendi. E, Becky... que bom para você! Só que não podemos mais colocar a Minnie nessa escola, você sabe, não é?

— Eu sei — digo, meio triste. — E eu realmente tinha gostado.

— Vamos encontrar outra. — Ele aperta o meu joelho, depois pega o celular e liga. — Oi, Gary. Estou indo agora. Sim, é uma notícia incrível!

Discretamente, ligo meu BlackBerry, que apita com novas mensagens, sendo que a primeira é de Elinor.

Já falei com Bernard. Atenciosamente, Elinor.

Assim. Resolvido, sem alardes. Quanto mais eu conheço Elinor, mais percebo que ela é uma mulher incrível. Acho que Luke puxou algumas coisas dela. Sua determinação, de aço, que destrói todos os obstáculos. Não que eu vá dizer isso a ele.

— Então, o que foi que aconteceu? — pergunto, inocentemente, quando ele liga o carro. — O que há de tão emocionante no trabalho?

— Você se lembra da viagem para Paris? — Luke olha para trás, para dar ré. — Não vai rolar, sinto muito. A reunião não vai ser mais com o Christian Scott-Hughes, e sim com o próprio cara, esta tarde. Sir Bernard resolveu nos dedicar meia hora, do nada! O próprio Sir Bernard Cross!

— Nossa! — O bom é que sou uma ótima atriz. — Que *maravilha*!

— É inacreditável — concorda Luke, mantendo os olhos na rua. — Todo mundo está em choque.

— Bom, parabéns! Você merece!

Obrigada, Elinor, escrevo de volta. Você é MARAVI-LHOSA!!!!!

— O que eu *realmente* acho... — Luke para um pouco, enquanto faz uma manobra complicada. — ... é que alguém conseguiu isso para a gente. Esse tipo de coisa simplesmente não acontece do nada. — Ele olha para mim.
— Alguém, em algum lugar, está por trás disso. Alguém bastante influente.

Meu coração parece subir para a boca. Por um instante minha garganta fecha, de tanto pânico, e eu não consigo responder.

— Jura? — digo, finalmente. — Quem faria isso?

— Não sei. É difícil dizer. — Ele franze a testa, pensando por um instante, e depois sorri rapidamente para mim. — Mas, seja quem for, eu amo essa pessoa.

Durante todo o resto da tarde eu fico tensa. Tudo está acontecendo de acordo com os planos, contanto que cada parte do plano dê certo. Contanto que a reunião dê certo, contanto que Luke não resolva ir a Paris de qualquer jeito, contanto que ninguém no trabalho dele abra o bico...

Estou tentando pensar em onde cada pessoa vai sentar, mas, sinceramente, é pior do que Sudoku. E estou preocupada demais para me concentrar. Janice está inquieta e ansiosa para saber onde vai ficar a entrada da tenda, e Minnie enfiou um lápis no aparelho de DVD no meio de *Procurando Nemo*. Então, são, basicamente, 5 da tarde e eu ainda não passei da mesa três quando ouço o barulho de uma chave na porta. Rapidamente, pego os diagramas dos assentos e enfio tudo no armário, atrás da coleção de CDs *Sons dos anos 1970*, do meu pai. Quando Luke entra, estou sentada no sofá lendo um livro que acabei de pegar do chão.

— E aí, como foi? — Levanto o olhar.

— Ótimo. Muito bom. — Luke está mais feliz e triunfante do que de manhã. — Sir Bernard é um cara ótimo. Ele ficou do nosso lado, atento e interessado. Nós levantamos várias outras questões a serem consideradas...

— Fantástico! — Sorrio, mas ainda não consigo relaxar completamente. Preciso ter certeza. — Então... você, definitivamente, não vai precisar ir a Paris na sexta?

— Infelizmente, não. Mas podemos ir, se você quiser — ele acrescenta.

— Não! — A sensação de alívio faz minha voz ficar altíssima. — Nem pensar! Vamos apenas... ficar aqui. Relaxando. Sem fazer nada. — Estou enrolando, mas não consigo evitar. — Então, foi um dia bom para todos. — Sorrio para ele. — Vamos abrir um champanhe.

— Pois é. Só teve uma coisa ruim. — Luke franze a testa rapidamente. — Tive que fazer uma advertência verbal para a minha secretária. Não gostaria de ter terminado a tarde assim. Talvez eu precise dispensá-la.

O quê? Meu sorriso some.

— Está falando da Bonnie? Mas... por quê? Você disse que não ia comentar nada. O que foi que ela fez?

— Ah, foi muito decepcionante. — Luke suspira. — Durante meses, ela parecia ser a secretária perfeita. Não tinha nenhuma falha. Mas depois ela começou a fazer aqueles comentários impróprios, que eu já contei para você, e recentemente percebi que ela parece estar muito distraída. Tenho certeza de que ela está ligando para alguém escondido.

Meu Deus, meu Deus. Isso é *tudo* culpa minha e da festa.

— Todo mundo tem direito de dar um telefonema particular — digo rapidamente, mas Luke balança a cabeça.

— É mais do que isso. Tenho as minhas suspeitas. Na melhor das hipóteses, ela tem mais de um emprego; na pior, está roubando informações da empresa.

— Ela não faria nada disso! — digo, horrorizada. — Eu a conheci. Ela é, obviamente, muito honesta.

— Querida, você é muito ingênua. — Luke sorri para mim com carinho. — Mas, infelizmente, você está enganada. *Alguma coisa* está acontecendo. Eu vi que a Bonnie estava mexendo em uns papéis que não tinham nada a ver com a Brandon Communications. Além disso, ela me pareceu muito culpada quando eu apareci e acabou escondendo os papéis embaixo da mesa. Ela obviamente não estava esperando que eu chegasse naquela hora. Então, tive que falar de um jeito severo com ela. — Ele dá de ombros. — Não foi agradável para nenhum dos dois, mas é isso aí.

— Você foi *severo*? — pergunto, horrorizada.

Consigo imaginar exatamente o que aconteceu. Bonnie estava verificando a lista de convidados comigo, hoje à tarde. Deve ter sido isso que ela escondeu embaixo da mesa. Eu bem que achei que ela tinha desligado o telefone muito depressa.

— O que você disse exatamente? — exijo. — Ela ficou chateada?

— Faz diferença?

— Faz!

Sinto uma pontada de frustração. *Seu idiota!*, tenho vontade de gritar. *Você não pensou que ela poderia estar me ajudando a organizar a sua festa surpresa de aniversário?*

Quer dizer, obviamente eu fico *feliz* por ele não ter pensado isso. Mas mesmo assim. Espero que a Bonnie esteja bem. Ela é tão fofa e gentil que eu não suportaria a ideia de Luke tê-la deixado chateada.

— Becky... — Luke parece perplexo. — Qual é o problema?

Não posso dizer mais nada, senão vou me entregar.

— Nada. — Balanço a cabeça. — Não tem problema nenhum. Tenho certeza de que você estava com a razão. É só... uma pena.

— Está bem — Luke diz devagar, me olhando de uma maneira um pouquinho estranha. — Bom, vou trocar de roupa. A Nanny Sue deve chegar logo.

Assim que ele sai, eu entro correndo na chapelaria do andar de baixo e ligo para Bonnie, mas cai na caixa postal.

— Bonnie! — exclamo. — O Luke acabou de me dizer que te deu uma espécie de advertência verbal. Eu sinto *muito*. Você sabe que ele não entende. Ele vai se sentir muito mal quando descobrir. Enfim, a boa notícia é que Paris está definitivamente descartada! Então, tudo está começando a dar certo. Já falou com todas as pessoas da Brandon C? Me liga assim que puder.

Assim que eu desligo, ouço a campainha.

Ótimo. Deve ser a Nazi Sue.

Hoje Nanny Sue está com seu uniforme azul oficial. Sentada no sofá com uma xícara de chá nas mãos e um laptop aberto ao lado, ela parece uma policial que veio nos prender.

— Então — começa ela, olhando para mim e depois para Luke e, em seguida, sorrindo para Minnie, que está sentada no chão com um quebra-cabeça. — Foi um prazer ter passado um tempo com a Becky e a Minnie.

Não respondo. Não vou cair nessas falsas gentilezas. É assim que ela sempre começa seu programa na TV. Ela é super legal, depois dá o bote e, no fim, todo mundo está chorando no ombro dela, dizendo: "Nanny Sue, como podemos ser pessoas melhores?"

— Agora. — Ela mexe no laptop e abre um vídeo no qual aparece "Minnie Brandon" escrito com letras pretas. —

Como vocês sabem, eu filmei a nossa manhã juntas, como é de prática. Só para o meu registro, vocês sabem.

— *O quê?* — Olho surpresa para ela. — Está falando sério? Onde estava a câmera?

— Na minha lapela. — Nanny Sue parece igualmente surpresa e se vira para Luke. — Achei que você tinha informado a Becky.

— Você *sabia?* Não me disse nada! — Me volto para Luke. — Eu estava sendo filmada o tempo todo e você não me *contou?*

— Achei melhor não dizer. Achei que, caso soubesse, você talvez... — Ele hesita. — Não agisse naturalmente e encenasse alguma coisa.

— Eu nunca *encenaria alguma coisa* — respondo revoltada.

Nanny Sue está selecionando as imagens, pausando de vez em quando, e eu me vejo falando, de maneira forçada, sobre massinha orgânica.

— Essa parte não é relevante — digo rapidamente. — É melhor adiantar um pouco.

— Então, o que achou, Nanny Sue? — Luke está inclinado para a frente na cadeira, as mãos entrelaçadas, de maneira ansiosa, e apoiando-se nos joelhos. — Viu algum problema grave?

— Infelizmente, eu *realmente* reparei numa coisa que me deixou preocupada — diz Nanny Sue seriamente. — Vou mostrar para vocês... Estão vendo a tela?

Em que será que ela reparou? O que quer que seja, ela está *enganada*. Estou muito indignada. Que direito ela tem de vir até a nossa casa, nos filmar e dizer o que há de errado com a nossa filha? Quem disse que ela era especialista, hein?

— Espere! — exclamo, e Nanny Sue para o vídeo surpresa. — Muitas crianças são enérgicas, Nanny Sue. Mas isso não quer dizer que sejam mimadas. Não quer dizer que tenham *problemas*. A natureza humana é algo variado e lindo. Algumas pessoas são tímidas e outras são extrovertidas! A nossa filha é um ser humano maravilhoso, e eu não vou deixá-la sofrer num... campo de treinamento opressivo! E Luke concorda!

— Eu também concordo. — A voz da Nanny Sue me pega de surpresa.

— O quê? — digo baixo.

— Acho que a Minnie não tem nenhum problema. Ela poderia ter um pouco mais de disciplina, mas, fora isso, ela é uma criança animada e normal.

— Normal? — Encaro Nanny Sue sem entender.

— Normal? — exclama Luke. — É *normal* jogar ketchup nas pessoas?

— Para uma criança de 2 anos, sim. — Nanny Sue parece achar graça. — Completamente normal. Ela só está testando os limites. Só para saber, qual foi a última vez que ela jogou ketchup em alguém?

— Bem... — Luke olha para mim, um pouco incerto. — Na verdade... Não me lembro agora. Já tem um tempo.

— Ela é cheia de vontades. E, em alguns momentos, parece estar no comando. A minha sugestão é que eu passe um dia com vocês e dê conselhos sobre como controlar o comportamento mais selvagem dela. No entanto, eu realmente não quero que vocês achem que têm uma filha problemática. A Minnie é uma criança *normal*. Uma criança ótima, por sinal.

Estou tão surpresa que não sei o que dizer.

— Ela é muito inteligente — acrescenta Nanny Sue —, o que poderá ser um desafio quando ela ficar mais velha. As crianças inteligentes são as que mais testam os pais...

Ela começa a falar novamente sobre limites, mas estou feliz demais para prestar atenção. Minnie é inteligente! Nanny Sue disse que a minha filha é inteligente! Uma verdadeira especialista da TV!

— Então você não vai recomendar nenhum campo de treinamento? — interrompo o discurso dela, entusiasmada.

— Ah, bem, eu não falei isso. — A expressão de Nanny Sue fica mais séria. — Como disse, eu percebi uma coisa durante as minhas observações. E fiquei preocupada. Vejam.

Ela aperta o play e o vídeo começa, mas, para a minha surpresa, Minnie não está na tela. Sou eu. Estou no táxi, a caminho do shopping com descontos, e a câmera dá um zoom nas minhas mãos.

— Onde você está? — Luke analisa a tela. — Num táxi?

— Nós... saímos. Precisamos mesmo ver isso? — Tento bloquear a imagem, mas Nanny Sue afasta, tranquilamente, o laptop.

"Podemos entrar no shopping novo em vez de ir ao centro recreativo", consigo me ouvir falando.

— Becky, quero que você olhe para as suas mãos. — Nanny Sue aponta com um lápis. — Estão tremendo. Veja como os seus dedos se mexem. Começaram a se mexer quando vimos a placa do shopping, e acho que não pararam até você comprar alguma coisa.

— Eu tenho dedos nervosos. — Dou uma risadinha casual, mas Nanny Sue está balançando a cabeça.

— Não quero alarmar você, Becky... mas já considerou a hipótese de ser viciada em compras?

Luke dá uma risada de deboche, que eu ignoro.

— Viciada em compras? — digo, finalmente, como se não tivesse certeza do que isso significa. — Er... eu *acho* que não...

— Veja como a sua boca está tensa. — Ela aponta para a tela. — Veja como está batendo no assento.

Francamente. As pessoas não podem mais bater nos assentos?

— Você está com um semblante de desespero — insiste Nanny Sue. — Na minha opinião, essa reação não é normal.

— É sim! — Percebo que pareço estar muito na defensiva e, imediatamente, mudo o tom. — Olha, eu não fazia compras há um bom tempo, é um shopping novo, sou apenas um ser humano! Eles estavam dando brindes! Eles tinham Jimmy Choo com cinquenta por cento de desconto! E Burberry! *Qualquer pessoa* ficaria agitada!

Nanny Sue olha para mim por um instante como se eu estivesse falando besteira, e depois se vira para Luke.

— Vou começar uma nova série de programas para adultos. Vamos lidar com vários tipos de distúrbios, do vício à raiva...

— Espere um pouco — eu a interrompo, descrente. — Está dizendo que quer que *eu* vá para um campo de treinamento? Luke, você está acreditando nisso?

Viro-me para ele, esperando que ria e diga: "Que ideia absurda!". Mas ele está ansioso, com a testa franzida.

— Becky, achei que você tivesse dito que não ia fazer compras durante um tempo. Pensei que nós tivéssemos um acordo.

— Eu *não fiz* compras para mim — digo, impaciente. — Só comprei algumas roupas essenciais para a Minnie. E todas estavam em promoção!

— A sua vida é problema seu, é claro — diz Nanny Sue. — No entanto, a minha preocupação é de que a Minnie siga o seu caminho. Ela já tem um conhecimento avançado sobre nomes de marcas e parece ter uma quantidade ilimitada de dinheiro...

É a gota d'água.

— Isso *não é verdade*! — exclamo, indignada. — Ela só gasta a *mesada*. Está tudo anotado num caderno especial, que eu mostrei para você. — Mexo na minha bolsa e pego o caderno da mesada. — Lembra? — Empurro o caderno para Nanny Sue. — Quer dizer, tudo bem, ela tem adiantamentos de vez em quando, mas já expliquei que ela precisa pagar.

Nanny Sue folheia o caderno por um tempo, depois me olha de maneira estranha.

— Quanto ela ganha de mesada?

— Cinquenta centavos por semana — diz Luke. — Por enquanto.

Nanny Sue pega da bolsa uma calculadora e começa a apertar as teclas.

— Então, de acordo com os meus cálculos... — Ela levanta o olhar calmamente. — A Minnie gastou a "mesada" dela até 2103.

— O quê? — Eu a encaro perplexa.

— *O quê?* — Luke pega o caderno com Nanny Sue e começa a folheá-lo. — Que diabos ela comprou?

— Nada de mais...

Até o ano *2103*? Será que isso está certo? Estou, freneticamente, tentando fazer contas na minha cabeça, enquanto Luke analisa os lançamentos no caderno da Minnie como se fosse a Gestapo.

— Seis bonecas? — Ele bate na página. — Em um dia?

— Era um conjunto — digo, defensivamente. — E elas tinham nomes franceses! Vai ajudar a Minnie a aprender outras línguas!

— O que é isso? — Ele já está em outra página. — Botas Dolce Junior?

— Ela usou outro dia! São aquelas de camurça. Você disse que ela estava linda!

— Eu não sabia que tinham custado 200 *libras*! — ele explode. — Becky, ela é uma criança! Por que precisa de botas de marca?

Ele parece muito chocado. Para ser sincera, até eu estou um pouco chocada. Talvez eu devesse ter somado melhor os gastos dela.

— Olha, tudo bem, eu vou parar de dar mesada para ela por enquanto..

Luke não está nem mais me ouvindo. Ele se virou para Nanny Sue.

— Você está dizendo que, se nós não curarmos a Becky, a Minnie poderá se tornar uma viciada em compras também?

Eu nunca o vi tão tenso.

— Bom, sabe-se que o vício é um comportamento genético. — Eles estão conversando como se eu não estivesse ali.

— Não sou *viciada* — digo, furiosamente. — Nem a Minnie! — Tiro o caderno das mãos do Luke. A Nanny Sue deve ter somado errado. Nós *não podemos* ter gastado tanto.

Minnie estava comendo biscoitos, avidamente, mas agora percebeu o caderno da mesada.

— Mesada? — Seus olhos se iluminam. — Loja? — Ela começa a puxar a minha mão. — Starbucks-lojas?

— Agora não — digo rapidamente.

— Lojas! *Lojas*!

Minnie está puxando a minha mão de um jeito frustrado, como se só faltasse eu entender para que fosse feito o que ela quer. Ela está com a mesma cara que o meu pai fez na França quando quis comprar um ventilador elétrico e todos os vendedores franceses ficaram olhando enquanto ele gritava "Ventilador! *Ventilador*! Electrique!" e ficava imitando um ventilador com as mãos.

— *Lojas*.

— Não, Minnie! — Perco a paciência. — Fique quieta agora!

Minnie parece estar pensando muito, buscando uma forma de se expressar melhor, então seu rosto se ilumina.

— *Visa*?

Luke interrompe a conversa e encara Minnie, chocado.

— Ela acabou de dizer "Visa"?

— Ela não é inteligente? — Dou uma risada superanimada. — As coisas que as crianças dizem...

— Becky, isso é ruim. Muito ruim.

Ele parece estar tão chateado que sinto uma dor no peito.

— Não é ruim! — digo, desesperada. — Ela não é... Eu não sou...

Perco a fala, sentindo-me desamparada. Por um instante, ninguém diz nada, a não ser Minnie, que ainda está puxando meu braço e falando: "Visa!"

Finalmente tomo coragem.

— Você realmente acha que eu tenho um problema, não é? Bom, tudo bem. Se você acha que preciso ir para um campo de treinamento, eu vou.

— Não se preocupe, Becky. — Nanny Sue ri. — Não será tão ruim assim. É apenas um programa de discussão para ajudar você a mudar seu comportamento, com base nas nossas sedes londrinas e uma opção residencial para quem morar longe. Nós teremos workshops, discussões individuais, interpretações... Acho que você vai gostar.

Gostar?

Ela me entrega um folheto, mas eu não consigo nem olhar. Não acredito que concordei em ir para um campo de treinamento. Eu *sabia* que não deveríamos ter deixado Nanny Sue entrar na nossa casa.

— O mais importante é que a Minnie está bem. — Luke suspira. — Nós estávamos muito preocupados.

Nanny Sue dá um gole no chá, olha para Luke e depois para mim.

— Só por curiosidade... o que fez você achar que ela tinha problemas?

— Eu nunca achei — explico de uma vez. — Foi o Luke. Ele disse que nós não podíamos ter outro filho porque não conseguíamos controlar a Minnie. Ele disse que ela era selvagem demais.

Enquanto falo, percebo tudo. Ele não tem mais desculpas! Consegui! Viro-me para Luke.

— Então vai mudar de ideia sobre ter outro filho? Você *precisa* mudar de ideia.

— Eu... não sei. — Luke parece preocupado. — Não podemos apressar essas coisas, Becky. É um grande passo...

— Tudo na vida é um grande passo! — digo, de forma desdenhosa. — Deixa de ser medroso. *Você* acha que a Minnie deveria ter um irmão, não acha? — apelo para Nanny Sue. — *Você* acha que seria bom para ela?

Ha. O Luke vai ver só. Eu também consigo fazer Nanny Sue ficar do meu lado.

— É uma decisão muito pessoal. — Ela parece pensativa. — No entanto, às vezes é bom discutir essas coisas. Luke, existe algum motivo específico para você não querer ter outro filho?

— Não — responde ele depois de uma longa pausa. — Na verdade, não. — Percebo que ele está pouco à vontade.

Por que isso é um assunto delicado para ele?

— É claro que bebês são criaturas muito difíceis... — começa Nanny Sue.

— A Minnie não foi! — eu a defendo, imediatamente. — Quer dizer, só um pouquinho... — Paro de falar, sentindo-me desanimada de repente. — Foi por causa daquela vez que ela mastigou aqueles papéis? Os dentes dela estavam *nascendo*, Luke, e você não deveria ter deixado tudo na cama, deveria ter feito cópias...

— Não é isso! — Luke me interrompe, nervoso, de repente. — Deixa de ser ridícula. Isso não seria um motivo. Isso não seria... — Ele para abruptamente, com um tom estranho e abalado. Seu rosto não está virado para mim, mas eu consigo ver a tensão no seu pescoço.

O que está *acontecendo*?

— Acho que existe algo além do comportamento infantil, não é mesmo, Luke? — diz Nanny Sue, baixo, e eu a encaro, boquiaberta. É igual ao programa de TV! — Vá com calma — acrescenta ela, quando Luke respira fundo. — Não temos pressa.

Há um silêncio, fora o barulho da Minnie comendo biscoito. Eu não ouso mexer nenhum músculo. O clima mudou e está muito pesado. O que ele vai dizer?

— Ter a Minnie tem sido maravilhoso — fala Luke finalmente, com um tom de voz um pouco áspero. — Mas simplesmente não sinto que consigo ter um sentimento tão intenso por outra criança. E eu não quero arriscar. Sei como é se sentir abandonado e mal-amado por um dos pais e não farei isso com um filho meu.

Estou tão chocada que não consigo falar. Eu não fazia a menor ideia de que Luke se sentia assim. A menor. *A menor.*

— Por que você se sente abandonado, Luke? — Nanny Sue está falando com o tom calmo e compreensivo que sempre usa no final do programa.

— Minha mãe me abandonou quando eu era pequeno — diz Luke casualmente. — Nós até nos encontramos algumas vezes, mas nunca... tivemos uma ligação, digamos assim. Recentemente, tivemos uma grande briga e tenho quase certeza de que nunca mais nos falaremos.

— Entendi. — Nanny Sue não parece ter ficado comovida. — Houve alguma tentativa de reconciliação da sua parte? Ou da parte dela?

— Minha mãe nem sequer lembra que eu existo. — Ele dá um sorrisinho irônico. — Acredite em mim.

— Becky, você tem conhecimento dessa situação? — Nanny Sue se vira para mim. — Você acha que a mãe do Luke nem sequer lembra que ele existe?

Meu rosto fica vermelho e eu faço um barulhinho inarticulado, que não significa nada.

— A Becky odeia a minha mãe mais do que eu — acrescenta Luke, com uma risadinha. — Não é verdade, querida? Tenho certeza de que você ficou aliviada com o fato de nunca mais precisarmos vê-la.

Dou um gole no chá, meu rosto está vermelho. Isso é insuportável. Tenho umas duzentas mensagens da Elinor no meu celular, todas sobre Luke. Ela não fez nada nesta semana além de se dedicar inteiramente a dar a ele a melhor festa do mundo.

Mas não posso contar nada. O que eu posso dizer?

— Fui criado por uma madrasta maravilhosa — Luke está falando de novo. — Ela realmente *era* a minha mãe. Mas, mesmo assim, acho que nunca vou me livrar daquela sensação de abandono. Se eu tivesse outro filho e ele se sentisse abandonado... — Ele faz uma cara de sofrimento. — Eu não poderia fazer isso.

— Mas por que ele se sentiria abandonado? — pergunta Nanny Sue gentilmente. — O filho seria seu. Você o amaria.

Há um longo silêncio e, então, Luke balança a cabeça.

— Esse é o problema. Meu medo, se preferir dizer assim. — Sua voz fica muito baixa e grave. — Não sei como posso ter carinho suficiente para dividir. Eu amo a Becky. Eu amo a Minnie. *Acabou.* — Ele se vira para mim, de repente. — *Você* não se sente assim? Nunca teve medo de não ter capacidade de amar outra criança?

— Bem, não — digo, um pouco confusa. — Só sinto que... quanto mais, melhor.

— Luke, o seu medo é muito comum — diz Nanny Sue. — Conheço muitos, muitos pais que expressam essa preocupação antes de terem o segundo filho. Eles olham para a primeira e amada criança e tudo o que sentem é culpa, por acharem que não haverá amor suficiente para todos.

— Exatamente. — Sua testa se franze muito. — É exatamente isso. É a *culpa*.

— Mas cada um desses pais, sem exceção, me disse depois que *há* amor suficiente. Há muito. — Sua voz fica mais calma. — Há muito amor.

Sinto os meus olhos se encherem de água, de repente.

Ah, de jeito nenhum. *Não* vou deixar a Nanny Sue me fazer chorar.

— Você não sabia o quanto amaria a Minnie, não é mesmo? — pergunta Nanny Sue, baixinho, para o Luke. — Mas isso não impediu você.

Uma longa pausa.

Percebo, de repente, que estou cruzando os dedos com força. Das duas mãos. E dos pés.

— Eu... acho que não — diz Luke devagar, finalmente. — Acho que, no fim das contas, precisamos ter fé. — Ele olha para mim e dá um sorriso hesitante, e eu sorrio de volta, triunfante.

Nanny Sue é a especialista mais brilhante do mundo e eu a *amo*.

Demoramos uma hora para nos despedir de Nanny Sue, prometendo que vamos manter contato para sempre, e finalmente levamos Minnie para a cama. Luke e eu saímos, na ponta dos pés, do quarto de Minnie, nos encostamos na parede e nos olhamos, em silêncio, por um tempo.

— Então — diz Luke finalmente.

— Então.

— Você acha que nós vamos ter um menino ou uma menina? — Ele me puxa e eu me solto nos braços dele. — Você acha que a Minnie quer mandar num irmão ou numa irmã?

Não acredito que ele esteja falando assim. Não acredito que ele esteja tão *tranquilo* com isso. Nanny Sue é um gênio. (A não ser pela parte do campo de concentração para compras, que me parece horrível, e eu já decidi que vou me livrar disso de algum jeito.)

Fecho os olhos e me apoio no peito de Luke, me sentindo segura e feliz. Está tudo certo para a festa. Luke quer ter outro filho, Minnie é uma criança linda e inteligente. *Finalmente* eu posso relaxar.

— Temos tanta coisa para aproveitar — digo, com felicidade.

— Concordo. — Ele sorri de volta, e meu celular toca na hora. Vejo que é Bonnie e me solto para atender.

— Ah, oi! — digo, de um jeito simpático porém reservado. — Estou com o Luke...

— Ele está com o BlackBerry? — Bonnie me interrompe de um jeito que não é nada típico dela.

— Er... Ele está ligando agora, na verdade — digo, me virando para olhá-lo. (Ele o havia desligado enquanto Nanny Sue estava aqui, o que só mostra o quanto ele respeita a opinião dela.)

— Tire o celular dele. Arranje uma desculpa! Não deixe que ele veja!

Ela parece atordoada, e eu reajo imediatamente.

— Me dá isso aqui! — Arranco o BlackBerry da mão do Luke, assim que o aparelho começa a apitar e piscar. — Desculpa! — Disfarço, rapidamente, com uma risada. — É que... a minha amiga do trabalho quer conversar sobre modelos diferentes de BlackBerry. Você não se importa, não é?

— Não deixe que ele mexa no computador também! — A voz da Bonnie está no meu ouvido. — Nada que tenha e-mail!

— Luke, você pode fazer um chá para mim? — digo, quase gritando. — Agora? Na verdade... estou me sentindo meio mal. Pode levar para mim na cama? E umas torradas também?

— Bom... tudo bem. — Luke me olha de um jeito levemente estranho. — O que houve?

— Banheiro! — digo ofegante, e saio andando. — Faz só o chá! Obrigada!

Entro correndo em nosso quarto, tiro o laptop dele da mesa, o escondo no meu armário e, depois, volto arfando para o celular.

— O que houve, Bonnie?

— Becky, sinto dizer que, um tempinho atrás... — Ela está ofegante. — Eu cometi um erro muito grave.

Um erro? *Bonnie*?

Ai, meu Deus. Ela foi dominada pelo estresse. Deve ter feito besteira com alguma coisa do trabalho e quer que eu a ajude a ocultar. Talvez ela me peça para criar provas ou mentir para o Luke ou apagar e-mails no computador dele. Sinto, ao mesmo tempo, emoção por ela confiar suficientemente em mim, para me pedir isso... e remorso por tê-la feito chegar a esse ponto.

— Ficou chateada por que o Luke brigou com você? — pergunto. — Foi por isso que cometeu um erro?

— Fiquei um pouco atordoada à tarde — diz ela, de maneira hesitante. — É.

— Eu sabia! — Boto a mão na cabeça. — Bonnie, me sinto tão mal pelo que aconteceu. O Luke ficou muito bravo com você?

— Ele não foi injusto, dadas as circunstâncias, mas eu fiquei abalada, devo confessar...

— Bonnie, pode parar. — Minha voz está tremendo de tanta determinação. — O que quer que você tenha feito, qualquer erro que tenha cometido, qualquer perda que a Brandon Communications sofra com isso... não tem *como* ter sido culpa sua. Não vou deixar o Luke demitir você. Vou defender você até o fim!

De repente, me imagino enquadrando o Luke em seu escritório, segurando Bonnie pelo braço e dizendo: "Você tem *noção* de que essa mulher é um tesouro? Você tem *noção* do valor dela?"

— Becky, querida, não se preocupe! Não cometi nenhum erro em relação à Brandon Communications. — A voz de Bonnie interrompe os meus pensamentos. — Infelizmente, tem a ver com a festa.

— A *festa*? — Começo a tremer de repente. — O que aconteceu?

— Como você sabe, hoje eu informei à empresa sobre a surpresa para o Luke. Enviei um e-mail para todos e foi bem tranquilo. As pessoas ficaram muito animadas e satisfeitas.

— Certo. — Estou tentando conter o meu pânico crescente. — Então...

— Depois, percebi que não tinha falado sobre o cartão de aniversário em grupo. Então, escrevi um segundo e-mail, informando que o cartão estava na recepção e que seria entregue para o Luke na festa. Eu estava passando o corretor ortográfico quando pensei ter ouvido a voz do Luke. Na minha confusão, enviei o e-mail correndo e fechei a tela. — Ela faz uma pausa. — Só reparei no meu erro depois.

— Seu erro? — Meu coração está a mil. — Ai, céus. Você não enviou para o Luke, enviou?

— Sim, infelizmente foi para ele — diz Bonnie depois de uma pausa muito curta.

Sinto umas pontadas de choque, como se fossem faíscas, na cabeça. Inspire... expire...

— Tudo bem. — Estou impressionada com a minha calma, pareço até uma paramédica treinada. — Não se preocupe, Bonnie. Vou apagar o e-mail do computador e do Black-Berry dele. Sem problemas. Que bom que você percebeu...

— Becky, você não está entendendo. O Luke recebeu, porque está na nossa lista de Contatos Gerais. Foi para *essa* lista que eu enviei, por engano.

— Contatos Gerais? — repito, com dúvida. — Bom... quem é? Quem está na lista?

— Cerca de 10 mil pessoas, como analistas, autoridades e a imprensa nacional. Infelizmente, foi para todos eles.

Sinto mais uma pontada, mas desta vez não são faíscas. São tsunamis de horror gigantes, esmagadores, arrasadores.

— *Dez mil pessoas?*

— É claro que enviei, imediatamente, uma retratação e pedi que fossem discretos. Mas, infelizmente, não é tão fácil assim. As pessoas já começaram a responder. Começaram a chegar mensagens de aniversário para o Luke. A caixa de entrada dele está cheia. Ele já recebeu 56 e-mails.

Com o dedo tremendo, eu acesso o e-mail do Luke, no BlackBerry dele. Ao abrir, uma lista de e-mails não lidos preenche a tela.

Tudo de bom, parceiro!

Desejamos um ótimo aniversário

Feliz aniversário e tudo de melhor, da equipe de marketing do HSBC

Posso ouvir os passos de Luke subindo a escada. Estou quase gaguejando de pânico. Preciso esconder o BlackBerry. Preciso esconder tudo, fazer tudo sumir.

— Ele vai descobrir! — sussurro horrorizada, me abaixando no banheiro. — Temos que apagar os e-mails! Temos que impedi-los!

— Eu sei. — Bonnie parece levemente desesperada também. — Mas parece que as pessoas estão encaminhando o e-mail. Ele está recebendo mensagens de todos os lugares. Eu não sei como vamos conseguir contê-los.

— Mas é surpresa! — Estou quase chorando. — Eles não percebem?

— Becky — Bonnie suspira. — Talvez você já tenha mantido isso em segredo por tempo suficiente. Só faltam dois dias para a festa. Não está na hora de contar para o Luke?

Encaro o telefone completamente chocada. Ela acha que eu devo simplesmente *desistir*? Depois de tudo isso?

— De jeito nenhum! — respondo, com um sussurro feroz. — Nem pensar! Vou dar uma festa surpresa para ele, está bem? *Surpresa*. Vou ter que distrair o Luke para que ele não veja os e-mails nem nada.

— Querida, não existe a menor possibilidade de você conseguir distraí-lo dos e-mails durante dois dias *inteiros*...

— Existe sim! Vou perder o BlackBerry dele e dar um jeito no laptop... Peça para alguém do departamento técnico apagar todos os e-mails, se puder. Me mantenha informada. Bonnie, eu preciso ir...

— Becky? — Luke está chamando do quarto. — Querida, você está bem?

Desligo o celular, olho para o BlackBerry de Luke durante um segundo tenso, e rapidamente piso nele, esmagando-o no chão de azulejo. Pronto. Tomem *isso*, 10 mil pessoas que estão tentando estragar a minha festa surpresa.

— Becky?

Abro a porta e vejo Luke segurando uma caneca e um prato com duas torradas.

— Você está bem? — Ele me analisa, preocupado, e depois estica a mão. — Pode me devolver o BlackBerry?

— Eu... quebrei. Desculpa.

— O que houve? — Ele olha chocado para os destroços que restaram. — Como é que você fez isso? — Ele olha em volta do quarto. — Onde foi parar o meu laptop? Preciso mandar um e-mail para a Bonnie...

— Não! — Meu grito é tão penetrante que ele leva um susto e derrama um pouco de chá. — Esquece o seu laptop! Esquece tudo! Luke... — Olho em volta, desesperada. — Estou... ovulando!

Isso!

— *O quê?* — Ele me encara, sem reação.

— Neste instante! — Confirmo com a cabeça firmemente. — Neste minuto! Acabei de fazer um teste. Esses dias são muito específicos. Então, nós precisamos aproveitar! Rápido! A Minnie está dormindo e estamos sozinhos em casa... — Chego mais perto dele sugestivamente, tiro a caneca e o prato de suas mãos e os coloco na prateleira. — Vamos, querido. — Faço uma voz mais sensual. — Vamos fazer um bebê.

— É, é uma boa ideia. — Seus olhos brilham quando eu começo a desabotoar sua camisa e a tirar sua calça. — Nada melhor que o presente.

— Com certeza. — Fecho os olhos e passo a mão no peito dele, do jeito mais sedutor possível. — Eu estou *tão* a fim...

E é verdade. Toda essa adrenalina no meu corpo me deixa muito excitada. Tiro a camisa dele e chego mais perto, sentindo o cheiro do seu suor e da loção pós-barba. Humm. Essa ideia foi *muito* boa.

— Digo o mesmo — sussurra Luke no meu pescoço. É óbvio que ele também está muito a fim. Excelente. Vou garantir algumas horas. Ele não vai nem pensar em laptops e BlackBerries. Aliás, se eu fizer tudo certo, vou segurá-lo até de manhã. E, depois...

Ai, Deus. Não faço a menor ideia. Vou ter que pensar em alguma coisa. Tenho muito tempo para elaborar um plano.

Só sei de uma coisa: ele vai ter uma festa surpresa na sexta à noite, mesmo que isso me mate.

DEZENOVE

Certo, *está* praticamente me matando. Já são 7h30 da manhã e eu não dormi nada, porque toda vez que estava prestes a cair no sono Luke murmurava algo como: "Só vou ver os meus e-mails", e eu dava uma de ninfomaníaca sedutora de novo.

Coisa que, por sinal, tem as suas vantagens. Mas agora estamos realmente exaustos, nós dois. É sério. Acabou. (Pelo menos, por enquanto.) E eu sei a que a cabeça do Luke vai começar a vagar. Até agora, consegui mantê-lo confinado no quarto. Trouxe o café da manhã para nós três na cama e ele está tomando a segunda xícara de café, enquanto Minnie come uma torrada. Mas a qualquer minuto ele vai começar a olhar para o relógio e dizer...

— Viu meu laptop? — Ele levanta o olhar.

Sabia.

— Hum... Você perdeu? — Me finjo de desentendida.

— Deve estar por aqui... — Ele empurra a camisa que jogou no chão ontem à noite.

— Imagino que sim — concordo, sabiamente.

Eu tirei o laptop do quarto mais cedo e o coloquei atrás das garrafas, no fundo do armário de detergente, na lavanderia. Depois, coloquei uma tábua de passar e uma cesta cheia de roupa suja na frente da porta do armário. Ele nunca vai achar.

— Preciso falar com a Bonnie e explicar a situação...
— Ele está procurando com mais empenho pelo quarto. — Onde diabos pode *estar*? Estava aqui ontem à noite! Devo estar ficando *maluco*. Posso usar o seu BlackBerry?

— Acabou a bateria — minto, tranquilamente. — Esqueci de carregar.

— Vou usar o computador dos seus pais, então...

— Eles mudaram a senha — digo rapidamente. — Você não vai conseguir entrar. Mais café, querido?

O telefone da mesinha de cabeceira toca e eu atendo, da maneira mais natural possível:

— Alô. Ah, é para você, Luke! — Finjo surpresa. — É o Gary!

— Oi, Gary. — Luke pega o telefone. — Desculpa, o meu BlackBerry quebrou...— Ele para de falar e fica embasbacado. — *O quê*? — exclama, finalmente. — Mas, Gary...

Bebo o meu café timidamente, observando Luke e tentando não sorrir. Finalmente ele desliga o telefone, parecendo abalado.

— Minha nossa. — Ele senta na cama. — Era o Gary. Acho que ele está tendo um colapso nervoso.

— *Mentira*! — exclamo, teatralmente.

O bom e velho Gary. Eu sabia que ele não me decepcionaria.

— Ele disse que precisa me ver com urgência, para falar da empresa, da vida, fugir da pressão. Ele me parecia estar quase surtando. Logo o *Gary!* — Luke parece chocado. — Quer dizer, ele é a última pessoa que eu imaginaria surtando. Sempre foi tão calmo. Ele disse que não consegue enfrentar Londres, que quer me encontrar num lugar remoto, em New Forest. Pelo amor de Deus.

É um chalé aonde Gary sempre vai com a família, nas férias. Lá não pega celular e não tem internet nem TV. Gary e eu conversamos de manhã cedo. Ele disse que imaginava que conseguiria manter esse suposto colapso nervoso durante a parte da manhã que, enquanto isso, nós pensaríamos em outra coisa.

— Você *precisa* cuidar do Gary — digo, séria. — Afinal, ele é o seu braço direito. Acho que você deve ir encontrá-lo. Ele pode fazer alguma besteira — acrescento rapidamente quando vejo que Luke parece hesitar. — Você não quer arriscar, não é? Ligue para a Bonnie e veja se ela pode remarcar os seus compromissos.

Luke bota a mão no bolso automaticamente, atrás do BlackBerry, e então se lembra.

— Ah, isso só pode ser piada. — Xingando baixinho, ele pega o telefone fixo. — Eu nem sei o número dela de cor.

— É... — Fecho a boca a tempo. Droga. Estou ficando descuidada. — É mais sensato usar a mesa telefônica — contorno a situação, rapidamente. — Veja! — Pego um bloco de anotações antigo da Brandon Communications e Luke disca o número arduamente, com uma cara séria.

Preciso morder os lábios com força para não rir. Ele é tão *mal-humorado!*

— Oi, Maureen. É o Luke. Pode me passar para a Bonnie? — Ele dá um gole no café. — Bonnie. Graças a

Deus. Você não vai *acreditar* no que aconteceu comigo. Não estou com o meu BlackBerry nem com o meu laptop, acabei de receber uma ligação esquisita do Gary, não tenho *a menor* ideia do que estou fazendo... — Ele para de falar e eu consigo ver sua expressão ficando, gradualmente, mais calma. — Bem, obrigado, Bonnie — diz ele, finalmente. — Seria ótimo. Falo com você depois. Você tem este telefone? Está bem. E... obrigado. — Ele desliga o telefone e olha para mim. — A Bonnie vai mandar outro laptop para cá, enquanto eu vou encontrar o Gary. Se você puder receber, eu venho buscá-lo no caminho para o escritório.

— Que ótima ideia! — exclamo, como se isso fosse novidade para mim e eu não tivesse trocado uns cinquenta e-mails sobre o assunto. — Que bom que a Bonnie é eficiente, não é mesmo? — não resisto em acrescentar.

Bonnie vai mandar um laptop especialmente programado para não acessar a internet por causa de um "erro no servidor". O departamento técnico também desativou a conta de e-mail do Luke e criou uma falsa. Bonnie vai entupi-lo com mensagens suficientes para mantê-lo ocupado, sem suspeitar de nada, mas é só isso. Basicamente, nós vamos arrancá-lo da civilização virtual.

— E ela está providenciando um carro para me levar aonde quer que o Gary esteja. Deve chegar daqui a uns vinte minutos. — Luke dá uma olhada no quarto mais uma vez, e sua testa está franzida. — Tenho *certeza* de que eu trouxe o meu laptop ontem. Tenho *certeza*.

— Não se preocupe com o seu laptop — digo, tentando tranquilizá-lo, como se ele fosse um paciente psicótico. — Olha só, por que você não veste a Minnie?

Meu BlackBerry está vibrando com ligações e, assim que Luke fica longe o suficiente para não me ouvir, eu atendo, sem nem olhar para a tela.

— Oi, Bonnie?

— Não, é a Davina.

Estou tão concentrada nos acontecimentos desta manhã que demoro meio segundo para perceber quem é.

— Davina? — Não consigo esconder minha surpresa. — Oi! Tudo bem?

— Becky! Coitada de você! Isso é *horrível*!

Por um instante louco, acho que ela está se referindo ao fato de a surpresa quase ter sido estragada. Depois, entendo do que ela está falando.

— Ah, isso. — Faço uma careta. — É, pois é.

— O que *aconteceu*?

Eu realmente não queria falar sobre isso de novo. Eu tinha meio que conseguido esquecer, por enquanto.

— Bem, o meu chefe descobriu o serviço Compre Com Privacidade. — Mantenho a voz baixa. — E ele não gostou. Então, eu fui suspensa e eles vão fazer uma investigação interna. — Para ser sincera, tenho estado tão atordoada nos últimos dias que mal me lembrei dessa tal investigação.

— Mas você salvou a nossa vida! — Davina parece emocionada. — Todas nós concordamos que não vamos ficar quietas. Fizemos um encontro ontem, somente com algumas das suas clientes. Foi a Jasmine que contou para todo mundo e, então, nós criamos um grupo de debates na internet...

— A *Jasmine*? — Fico chocada com a ideia da Jasmine reunindo tropas.

— Não vamos deixar isso ficar assim. Vamos fazer alguma coisa. E esse seu chefe vai desejar nunca ter mexido com você.

Ela está tão decidida que eu fico emocionada. Com Jasmine também. Apesar de que, para ser sincera, que diabos elas podem fazer? Talvez escrevam uma carta de reclamação em conjunto.

— Bom... obrigada, Davina. Eu agradeço muito.

— Vou mantê-la informada. Mas o que eu queria saber é se você está bem, Becky. Tem alguma coisa que eu possa fazer? Qualquer coisa? Tenho o dia todo de folga, então, se quiser conversar, se quiser se distrair um pouco...

Sinto uma onda de gratidão. Davina é uma pessoa querida mesmo.

— Obrigada, mas não precisa.

A não ser que você consiga distrair o meu marido de algum jeito...

Ooh. Meus pensamentos são interrompidos no meio. Davina é médica, não é? Então, talvez ela possa...

Não. Não posso pedir isso. É um favor muito grande.

Mas salvaria a minha vida e ela, *de fato,* ofereceu...

— Na verdade, tem uma coisa que me ajudaria muito — digo, cautelosamente. — Mas é muito grande...

— Qualquer coisa! Pode pedir!

Davina é *sensacional.* Quando Luke volta para o quarto com Minnie, o plano já foi acionado. Tanto Davina quanto eu enviamos uma mensagem para Bonnie e está tudo certo. Enfio o meu BlackBerry rapidamente embaixo do edredom, sorrio para Luke e o telefone toca na hora.

— Ah, oi, Bonnie! — digo, inocentemente. — Sim, o Luke está aqui. Você quer falar com ele?

Entrego o telefone para Luke e, desta vez, preciso morder os lábios com mais força ainda, já que, pelo rosto dele, Luke está cada vez mais horrorizado.

— Um *exame médico* de emergência? — reclama ele, finalmente.

Ai, meu Deus, não posso rir. Não posso.

— Você só pode estar brincando! — ele está gritando. — Como pode ser uma *emergência*, pelo amor de Deus? Bom, diga que eu não posso. — Percebo que ele está ficando frustrado. — Ah, que se dane a empresa de seguro. Bom...

É isso aí, Bonnie. Ela deve estar sendo implacável do outro lado da linha.

— Jesus Cristo. — Ele finalmente desliga o telefone. — Acho que preciso fazer um exame médico completo esta tarde. A seguradora fez uma confusão que até agora não entendi.

— Que saco! — digo, demonstrando solidariedade.

Davina prometeu fazer o exame médico mais completo que existe. Vai levar pelo menos seis horas, ele vai estar com o roupão hospitalar, sem poder usar o laptop nem o celular, e ninguém vai conseguir falar com ele.

— Este é o dia mais *ridículo*... — Ele passa as mãos pelo cabelo, totalmente atordoado.

Luke *realmente* não está acostumado com as coisas fora do seu controle. Eu até sentiria pena dele se não quisesse rir.

— Fique tranquilo. — Aperto a mão dele com carinho. — Deixe as coisas acontecerem. — Olho para o relógio. — Seu carro já deve estar quase chegando, não? Não é melhor se arrumar?

Enquanto ele veste o casaco, uma mensagem vibra no meu BlackBerry e eu clico nela, discretamente. É da Bonnie, e é muito curta e sem rodeios.

Becky. Já entrou no YouTube hoje?

Muito bem. Quando você acha que já aconteceu tudo o que poderia acontecer, eis que surge mais uma coisa.

O departamento de marketing da Foreland Investments gravou um vídeo, no qual todos dizem "Feliz Aniversário, Luke!" para a câmera, e eles o postaram no YouTube, com o título "Feliz Aniversário, Luke Brandon!".

Estou dividida entre me sentir muito, muito emocionada e muito, *muito* desesperada, subindo pelas paredes. Está no YouTube, pelo amor de Deus! Eles não poderiam ter feito uma coisa mais discreta? Não poderiam ter esperado até amanhã para postar isso? Toda vez que eu assisto, preciso tomar umas gotas de floral depois.

Às 10 da manhã já tinha 145 exibições, sendo que só dez eram minhas. Às 11, quando Janice e Suze chegam, já está com 1.678 e, para a minha surpresa, *mais* dois vídeos foram postados. Um é da Sacrum Asset Management, mostrando a frase "Feliz Aniversário, Luke Brandon" escrita com clipes na mesa de alguém. E o outro é da Wetherby's, no qual todo o departamento de marketing canta "Parabéns pra Você" olhando para a câmera.

— Que *legal*! — Suze encara o laptop boquiaberta.

— Eu sei. — Não consigo deixar de sentir orgulho. Quer dizer, todas essas pessoas devem gostar muito do Luke para fazerem um vídeo assim. Mas também não consigo deixar de ficar agitada. — Mas e se ele vir?

— Ele não vai ver — diz Suze, confiante. — Por que ele procuraria isso no YouTube? Aposto que ele nunca entra no YouTube. Ele é ocupado demais. Só os casos perdidos é que estão sempre conectados.

Estou prestes a contestar que eu não sou um caso perdido quando a campainha toca e nós levamos um susto.

— Não é ele, é? — pergunta Janice, surpresa, sussurrando com a mão no coração.

Francamente. Janice é muito exagerada. Eu quase derramei o café.

— É claro que não. Devem ser os caras da tenda.

Mas não são eles, é o Danny. Ele está na porta, usando um casaco de couro puído, uma calça jeans rasgada e um All Star prata e segurando um monte de sacolas de roupas.

— Fantasias, alguém? — diz ele, na cara de pau.

— Danny, você é sensacional! — Pego as roupas. — Não acredito que você fez isso!

Dou uma olhada em uma das sacolas e vejo um bordado dourado, com viés de renda brilhosa. Ai, meu Deus. Vão ficar perfeitas.

— Bom, eu tive que fazer isso. Nossa! Aquela sua sogra parece o Stálin. Ela é a pior chefe que eu já tive. — Ele olha em volta, assustado. — Ela não está aqui, né?

— Não agora — digo, tranquilizando-o. — Mas a Suze está. Então, tome cuidado. Ela ainda está muito brava com você por causa da sessão de fotos.

— Ah. — Danny parece desconfortável e dá um passo para trás. — O problema é que a Suze simplesmente não entendeu a ideia. Você precisa lembrar que ela não é uma pessoa criativa.

— É sim! Ela é artista! Veja só as molduras dela!

— Certo. — Danny tenta outra tática: — Bom, tudo bem, ela *é* uma pessoa criativa, mas ela não entendeu *nada* do visual que eu quis criar...

— Entendi sim! — A voz de Suze surge, desdenhosa, atrás de mim. — Eu entendi muito bem "o visual"! Você manipulou o Tarkie, Danny! Admita!

Danny a encara em silêncio por um instante. Ele parece estar pensando em sua próxima colocação.

— Se eu admitir que fiz isso — diz ele, finalmente —, você vai me perdoar na hora, sem perguntar nada, e esquecer isso?

— Eu... — Suze hesita. — Bem... Eu acho que sim.

— Beleza, eu o manipulei. Também amo você. — Danny dá um beijo no rosto dela e passa por mim ao entrar na casa. — Você tem café? Janice! — ele a cumprimenta, de maneira exagerada. — Meu ícone de estilo! Minha musa! Que tom bárbaro de batom é *esse*?

— Ele... é impossível!

Suze parece estar tão furiosa que quase ofereço um pouco de floral para ela. Mas um barulho lá fora atrai a minha atenção. Um grande caminhão está estacionando na casa da Janice. Um motorista engata a ré e um cara de calça jeans está gesticulando. Deve ser a tenda!

Muito bem. A festa está mesmo começando.

* * *

Às 4 da tarde a tenda já está montada no jardim da Janice. Ainda não está decorada, mas está maravilhosa, enorme e espalhafatosa. (O meu gazebo também foi montado, ao lado da tenda grande. Os caras que a Elinor contratou não paravam de rir.) Vou ter que garantir que o Luke não veja, mas, até ele chegar em casa hoje, já será noite. Janice queria que eu costurasse as cortinas, mas acho que isso seria *esquisito*.

Gary conseguiu prendê-lo por três horas com o suposto colapso nervoso e agora Luke está com Davina, fazendo o exame médico num quarto de uma ala renegada do hospital. Ela acabou de ligar para me atualizar.

— Ele vai correr na esteira durante uma hora para que eu possa avaliar os batimentos cardíacos dele. Ele *realmente* não está gostando — acrescenta, animada. — Então, para onde ele vai depois daqui?

— Eu... ainda não sei — admito. — Te ligo de volta.

Ainda não pensei na etapa seguinte do plano de contenção do Luke e estou começando a ficar preocupada, principalmente porque agora há 13 vídeos de "Feliz Aniversário, Luke Brandon" no YouTube. Martin ficou na internet o dia todo gritando: "Tem mais um!" E, agora, alguém criou uma página chamada felizaniversariolukebrandon.com, que tem links para todos os vídeos e convida as pessoas a postarem suas histórias engraçadas/carinhosas/grosseiras sobre o "O Rei das Comunicações", que é como estão chamando o Luke.

A história toda me deixa perplexa. Quem foi que *fez* isso? A teoria do Danny é que, no momento, ninguém está trabalhando e estão todos muito entediados, então transformaram isso em diversão.

— Acabaram de postar o 14º vídeo — grita Martin do laptop no momento em que coloco o celular na mesa. — Umas meninas da Prestwick RP estão cantando "Parabéns pra Você" como a Marilyn Monroe. Nuas — acrescenta ele.

— *Nuas*? — Saio correndo para ver, seguida por Suze.

Tudo bem, elas não estão completamente nuas. As partes principais estão cobertas por plantas de escritório, arquivos e cantos de copiadoras. Mas, sinceramente. Elas não sabem que Luke é casado? Principalmente aquela com o cabelo escuro e encaracolado, que está mexendo o quadril. Espero que *ela* não venha para a festa.

— O que você vai fazer com o Luke agora? — pergunta Suze depois de ouvir minha conversa com Davina. — Afinal, ele não pode passar o dia todo fazendo exame, não é? Deve estar bufando agora.

— Eu sei. — Mordo o lábio. — Pensei em pedir para a Bonnie mandar vários e-mails, com, tipo, milhões de documentos chatos, dizendo que é urgente e que ele precisa ler tudo o mais rápido possível.

— E amanhã? — insiste Suze.

— Não sei. Mais papelada, eu acho.

Suze está balançando a cabeça.

— Você precisa de alguma coisa mais séria. Qual é a única coisa que você pode garantir que vai prender a atenção dele? Por exemplo, eu sei exatamente o que poderia dizer para o Tarkie. Eu diria que a Sociedade Histórica ligou, dizendo que tinha provas de que não foi o tio-tataravô Albert quem detonou o canhão. Ele largaria tudo na hora.

— Nossa. — Olho para Suze, admirada. — Isso é muito específico. Quem era o tio-tataravô Albert?

Suze faz uma careta.

— É uma história muito chata. Você quer mesmo saber? Hum. Talvez não.

— A questão é que eu sei o que chamaria a atenção do Tarkie — Suze está dizendo. — E você conhece o Luke. Então, o que vai prender a atenção dele?

— Uma crise no trabalho — digo, depois de pensar um pouco. — Isso é tudo em que eu consigo pensar. Ele sempre se envolve quando um cliente importante está com problemas.

— Você consegue inventar uma crise no trabalho?

— Talvez. — De impulso, pego meu celular e ligo para Bonnie.

— Oi, Bonnie. Viu o último vídeo do YouTube?

— Ai, Becky — Bonnie começa, deprimida. — Me sinto tão mal. Se eu não tivesse enviado aquele e-mail...

— Não se preocupe com isso agora — digo rapidamente. — Mas talvez nós possamos aproveitar o fato de que todo mundo sabe. Será que você poderia mandar um e-mail para os clientes dizendo que estamos tentando distrair o Luke até amanhã à noite e pedir para que inventem uma crise que o mantenha ocupado?

— Que tipo de crise? — pergunta Bonnie, em dúvida.

— Sei lá! Eles podem fingir que estão falindo ou podem inventar um escândalo sexual... qualquer coisa! É só para mantê-lo ocupado por algumas horas. Avise que, se alguma pessoa tiver uma ideia, deve ligar para você, e assim você pode coordená-la.

Alguém vai inventar alguma coisa inteligente. Quer dizer, se podem gravar vídeos, também podem inventar uma crise, não é mesmo?

Meu celular já está tocando de novo; olho para o visor para ver quem é, mas não reconheço o número.

— Alô.

— Rebecca? — ecoa uma voz animada.

— Sim — digo, hesitante. — Quem é?

— Eric Foreman, do *Daily World*. Você se lembra de mim?

— Eric! — exclamo com alegria. — Tudo bem com você?

Eric é jornalista do *Daily World* e eu o conheci quando era jornalista financeira. Eu, aliás, escrevia artigos para ele, mas acabei desistindo de trabalhar com isso e nós perdemos o contato. Por que ele está atrás de mim?

— Eu estou bem, minha querida. Estou escrevendo um artigo sobre o aniversário do seu marido, para o diário financeiro, e queria uma declaração sua. Ou melhor, dele. Ele está por aí?

— O quê? — Olho para o celular, boquiaberta. — Por que você está fazendo um artigo sobre o aniversário dele?

— Está brincando? Uma fofoca de primeira como essa? Você já viu o YouTube? Já viu quantas exibições aqueles vídeos tiveram?

— Eu sei — digo, desesperada. — Mas isso não era para ter acontecido. Era para ser segredo!

A gargalhada de Eric quase me ensurdece.

— Essa é a sua citação? — ele diz. — "Era para ser segredo?" Já recebi uns oito e-mails sobre isso hoje. Achei que essa campanha viral era iniciativa sua, minha querida.

— Não! Eu quero que isso tudo pare agora!

Ele rola de rir de novo.

— Já não dá para controlar. Está em todos os lugares. Até as pessoas que não o conhecem estão passando adiante. Você sabia que a equipe de marketing da Atlas Fund Management está num retiro, em Kent? Eles escreveram "Feliz Aniversário, Luke" com os carros, no estacionamento. Acabaram de me enviar a foto. Vai sair no jornal amanhã, a não ser que eu encontre uma melhor.

— Não! — quase grito, horrorizada. — Não pode! Vou dar uma festa surpresa para o Luke! O que significa que ele deve ficar *surpreso*! — Começo a ficar quente de tanta frustração. Ninguém *entende* isso?

— Ah, isso só melhora. Então ele não faz ideia, é isso?

— A menor!

— E a festa será amanhã à noite?

— Isso — digo automaticamente, e depois quero bater em mim. Eric pode ser meu amigo, mas, antes de qualquer coisa, ele é jornalista de tabloide.

— Não deixe que ele chegue perto do *Daily World*, então. — Eric dá uma risada. — O aniversário dele será a minha matéria principal. O centro financeiro precisa de uma animada, depois de tudo o que aconteceu recentemente. Você, mocinha, deu um motivo para todos se divertirem um pouco. Não vou deixar isso passar. Com certeza vários editores estão atrás de você também.

— Mas...

— E nós não seremos os únicos a dar a notícia. Então, é melhor manter o seu marido longe da imprensa.

— Não! Você não pode!

Mas ele já desligou. Olho para o celular com cara de idiota. Isso não pode estar acontecendo. Minha festa surpresa, supersecreta, sobre a qual ninguém deveria saber... vai estar nos *jornais*?

À noite, já estou praticamente recomposta, mesmo que agora tenha 23 vídeos-tributos postados no YouTube e Eric tenha colocado um artigo sobre a festa do Luke na página do *Daily World* na internet. Já enviei um e-mail desesperado para todos os convidados e clientes da Brandon Communications, avisando que a festa continua sendo surpresa e pedindo para que eles, pelo amor de Deus, não tentem entrar em contato com Luke.

Bonnie mandou uma pilha de papéis para distrair Luke hoje à noite, e alguns simpáticos clientes concordaram em mantê-lo ocupado amanhã, inventando vários problemas, mas nada muito convincente. Para ser sincera, estou estressada. Ainda temos a noite toda e um dia inteiro antes da festa, o mundo todo já sabe e há uma tenda gigantesca na casa ao lado. Como vou manter isso em segredo?

— Não se preocupe, falta pouco agora. — Suze me dá um beijo, já vestida com seu casaco e um cachecol. — Vou embora agora. Nos vemos amanhã, para o grande dia!

— Suze. — Eu seguro suas mãos. — Muito obrigada. Não sei o que eu teria feito sem você e o Tarkie e... e tudo mais.

— Deixa de ser boba. Foi divertido! De qualquer jeito, Elinor fez a maior parte das coisas. E Bex... — Ela faz uma pausa e, de repente, assume uma expressão séria. — O Luke *vai* ficar impressionado. Vai mesmo.

— Você acha mesmo?

— Eu tenho certeza. Vai ser sensacional. — Ela aperta as minhas mãos. — É melhor eu ir, senão ele pode me ver.

Quando a porta se fecha, meu celular toca mais uma vez, e eu olho para o aparelho, cansada. Passei tanto tempo no telefone hoje que parece que as minhas cordas vocais estão se desgastando. Finalmente, de algum lugar, tiro energia para atender. Não reconheço o número, o que não é nenhuma surpresa.

— Alô. Aqui é a Becky.

— Becky? — Ouço uma voz calma, de mulher. — Você não me conhece, mas meu nome é Sage Seymour.

O quê?

Uma onda de adrenalina passa por mim, como se eu tivesse tomado três latinhas de Red Bull e ganhado várias medalhas nas Olimpíadas, tudo ao mesmo tempo. Estou falando com Sage Seymour? Ela sabe meu *nome?*

Sage Seymour está sentada em algum lugar segurando um telefone e falando comigo. O que será que ela está usando? Quer dizer, não é um pensamento pervertido. Só por...

Vamos, Becky. *Responda.*

— Ah. Ah, oi. — Estou tentando, desesperadamente, parecer calma, mas a minha voz idiota aumentou três oitavas. — Hum, oi! Oi!

Não consigo sair da palavra "oi".

— Contratei o seu marido para fazer um trabalho de PR — diz ela, com sua voz animada e completamente familiar agora. — Mas acho que você já sabe disso.

Minha mente saltita em pânico. Eu sei? Quer dizer, é claro que não sei, ao menos não oficialmente. Mas se eu disser que o Luke não me contou, isso não vai parecer estranho? Como se não estivesse interessado ou nunca falasse com a esposa?

— É tão emocionante! — Sou uma grande fã sua.

Quero me matar. Pareço tão *ridícula*.

— Foi uma escolha meio "inusitada". Mas, sabe, eu estava cansada desses idiotas de Hollywood. Em dez *minutos*, seu marido teve as ideias mais sensatas do mundo.

Sinto uma pontada de orgulho. Eu *sabia* que o Luke faria um bom trabalho.

— Então, eu fiquei sabendo da sua festa — acrescenta Sage, casualmente. — Parece ser importante.

Hein? Como é que ela...

— É-é — gaguejo. — Quero dizer, é muito importante...

— Entrei no YouTube. Os tributos são ótimos. Então, meu assistente recebeu o e-mail da Bonnie. Você precisa distrair o Luke, não é?

— Isso! Tudo foi parar na internet, mas era para ser uma grande surpresa e...

— E se eu o mantiver ocupado para você? — diz Sage calmamente. — Posso exigir que ele venha para o set. Dou um ataque de diva. Eu sei encenar muito bem. Assim que estiver no set, nós tomamos conta do Luke. Vamos mostrar as coisas para ele e mantê-lo ocupado até você precisar dele. Depois, podemos mandá-lo num carro.

— Nossa. — Engulo em seco. — Seria maravilhoso.

Estou com muita inveja. Eu quero ir para o set de filmagens. *Eu* quero que me mostrem as coisas. Estou tentando pensar num motivo essencial para que eu precise ir com ele quando ela acrescenta:

— Você tinha um programa de TV, não é? *Morning Coffee?*

— Tinha! — digo, impressionada.

— Eu assistia quando estava de folga. Você era engraçada.

— Bom... obrigada!

— Vamos sair para tomar um drinque, um dia.

É como se o mundo tivesse virado de cabeça para baixo. Seguro firme o telefone, imaginando se estou sonhando. Sage Seymour me chamou para tomar um drinque? A estrela de cinema, vencedora do Oscar me chamou para tomar um drinque? Eu fantasiei este momento durante toda a minha *vida*. Quer dizer, eu sempre achei que isso aconteceria. Eu não disse? Eu sempre soube que estava destinada a ser amiga das estrelas de cinema!

Talvez a gente se torne melhores amigas!

Talvez eu venha a ser dama de honra no casamento dela. Você sabe, se ela casar ou algo assim. Eu não precisaria ser a pessoa que ficará ao lado dela. Posso ser a terceira da fila.

— Isso seria... ótimo — consigo, de alguma forma, falar.

— Perfeito. Bem, não se preocupe com o Luke. Ele está na mão. E boa sorte amanhã! Tchau, Becky.

E, assim, ela se vai. Toda afobada, salvo o número no meu celular. Sage Seymour. No meu celular. Sage Seymour. Como se fosse uma amiga minha.

Ai, meu Deus, isso é tão legal!

Mando uma mensagem para Gary e Bonnie — Boas notícias! Sage Seymour disse que vai cuidar do Luke amanhã até a hora da festa — quando ouço a chave do Luke na porta da frente. Jogo longe meu celular e pego uma revista.

Tudo bem. Aja com naturalidade. Eu *não* estava conversando com a minha nova melhor amiga, Sage Seymour.

— Oiê! — digo, levantando o olhar. — Como foi o seu dia? Como está o Gary?

— Se Deus sabe. — Luke balança a cabeça. — Ele estava completamente fora de si. Eu disse que ele precisava de férias. — Luke faz uma careta ao tirar o casaco. — Minha nossa, o meu braço. Fui picado umas 5 mil vezes.

— Ah, querido! — digo, com compaixão. — Bem, tenho certeza de que todas foram necessárias. Se é melhor para a sua saúde...

— Eu nunca tinha feito um exame médico desses. A médica me fez correr durante *uma hora*. — Ele parece descrente. — E havia *seis* questionários com perguntas que se repetiam. Quem desenvolve essas coisas é um grande imbecil.

Davina me disse, mais cedo, que Luke foi o paciente mais mal-humorado que ela já teve e que ele fez um sermão sobre como aquele exame era ineficiente e um desperdício de tempo. O que não deixa de ser verdade, já que ela o prolongou por quatro horas além do normal.

— Coitadinho. — Contenho uma risada. — Bem, infelizmente, uma pilha de papéis chegou para você ler com urgência...

Caso você ache que estava escapando por um minuto.

Pego a caixa que Bonnie mandou entregar à tarde, cheia de contratos e cartas. Isso deve mantê-lo ocupado.

— Vou entrar na internet. — Luke se anima. — Este é o meu laptop novo? Excelente.

Sinto faíscas de alarme enquanto ele abre o laptop. Mesmo que eu saiba que é seguro. Eles me prometeram. E, de fato, logo Luke reclama de novo:

— Essa porcaria não tem acesso à internet! — Ele bate algumas vezes no laptop. — Qual é o problema desta porcaria de *servidor?*

— Ah, querido — digo, inocentemente. — Deixa pra lá. Bem, por que não dá uma olhada nessa papelada? Você pode dar um jeito no seu laptop amanhã. Já comeu? Quer um pouco de risoto? A Janice trouxe.

Estou esquentando o risoto na cozinha quando ouço o telefone do Luke tocar.

— Luke Brandon. — Mal consigo ouvi-lo atender. — Ah, Sage! Olá. Espere um minuto...

Ele fecha a porta da sala. Droga.

Hesito por um instante. Depois, caminho na ponta dos pés pelo corredor e colo a orelha na porta.

— Bem, sinto muito por isso... — Luke está dizendo. — É *claro* que você é nossa prioridade. Sage... Preste atenção, Sage... Ninguém está dizendo isso, Sage...

Maravilha! Ela deve estar dando um show e tanto. Bem, é claro que está. Ela é atriz.

— Bom, é claro que posso... Oito *da manhã?* Em Pinewood. Está certo. Tudo bem. Vejo você lá.

Há um silêncio na sala, e eu me pergunto se devo ir embora na ponta dos pés; mas então ouço a voz dele de novo:

— Bonnie? É o Luke. Acabei de falar com a Sage. Infelizmente, ela confirmou todas as suspeitas que eu tinha. Essa mulher é um pesadelo. Ela insiste em que eu vá ao set de filmagens dela amanhã. — Ele faz uma pausa. — Não *sei* por quê! Do nada! Ela falou umas besteiras sobre declarações de imprensa e estratégias. Ela parece completamente egocêntrica, paranoica, e acha que não estamos interessados o suficiente... Enfim, eu te ligo quando estiver voltando para o escritório. — Ele baixa o tom de voz, de forma que eu preciso me grudar ainda mais na porta para ouvir. — Graças a Deus, eu não contei para a Becky. Alguma coisa me disse para esperar até termos certeza de que ia dar certo... — Ele para de falar. — Não! É claro que eu ainda não comentei isso com a Becky. É só uma possibilidade. Só vou falar quando estiver tudo certo.

Aguço os ouvidos. O que é uma possibilidade? O que pode dar certo?

— Nos vemos amanhã, Bonnie. Obrigado por tudo.

Droga. Ele está vindo. Volto correndo para a cozinha, onde, é claro, o risoto queimou no fundo da panela. Estou misturando as partes queimadas ao restante quando Luke entra.

— Vou acordar mais cedo amanhã, a propósito — diz ele, reservadamente. — Vou encontrar uma cliente.

— Coma um pouco, então. — Coloco o prato na frente dele, como uma esposa perfeita, e sem levantar suspeitas. — Amanhã é um grande dia. É o seu aniversário, lembra?

— Droga. É claro que é. — Ele fica alarmado por um segundo. — Becky, você não fez nenhum plano, não é? Você sabe que nós temos aquele treinamento importante da empresa. Vai até de noite e eu não sei que horas vou voltar...

— É claro — consigo dizer, num tom tranquilo. — Sem problemas! Vamos fazer alguma coisa legal no sábado.

Ai, céus. Eu não aguento. Minha boca fica tremendo, com uma leve histeria, e sinto como se houvesse balões flutuando sobre a minha cabeça.

Tem uma tenda lá fora! A sua festa é amanhã!

Todos sabemos da surpresa, menos você!

Eu não acredito que ele não adivinhou. Não acredito que mantive isso em segredo durante todo esse tempo. Sinto como se houvesse apenas uma cortina bem fina escondendo tudo na minha cabeça e que a qualquer minuto ele vai puxá-la e ver tudo.

— Becky... — Luke está me analisando, com a testa franzida. — Aconteceu alguma coisa? Você está chateada com alguma coisa?

— O quê? — Dou um pulo. — Não! Nada! Deixa de ser bobo. — Pego a minha taça de vinho, dou um gole e sorrio para Luke da maneira mais convincente que consigo. — Não aconteceu nada. Está tudo certo.

Mantenha o controle, Becky. Apenas mantenha o controle. Faltam menos de 24 horas.

Pessoas Que Sabem Da Festa

Eu

Suze

Tarquin

Danny

Jess

Tom

Mamãe

Papai

Janice

Martin

Bonnie

Aquelas três mulheres que estavam ouvindo na mesa ao lado

Gary

O encanador da Janice

Rupert e Harry, da The Service

Erica

Os diretores de marketing da Bollinger, da Dom Perignon, da Bacardi, da Veuve Clicquot, da Party Time Beverages, da Jacob's Creek, da Kentish English Sparkling Wine

Cliff

Manicure (eu estava tão estressada que precisava falar com alguém, e ela prometeu não abrir o bico)

165 convidados (sem contar com as pessoas da Brandon C)

500 leitores da Style Central

Elinor

O garçom do Ritz (tenho certeza de que ele estava ouvindo)

Funcionários da Elinor (6)

Pessoas do bufê (quantas realmente sabem? Talvez apenas uma ou duas?)

35 funcionários da Brandon C
10 mil contatos da Brandon C
97.578 usuários do YouTube (na verdade, 98.471 —
    acabou de aumentar)
1,8 milhão de leitores do Daily World

Total = 1.909.209

Tudo bem. Não entre em pânico. Contanto que todos fiquem quietos até amanhã.

VINTE

E, de repente, já são 3 da tarde. Faltam menos de *quatro* horas.

Passei o dia todo em pé, minhas pernas estão doendo e meu punho está travado de tanto segurar o telefone no ouvido... mas conseguimos. Realmente conseguimos. Tudo está no lugar. É empolgante. Todos já estão em seus lugares. Os líderes da equipe já fizeram a última reunião. Elinor está pilhada. Ela e Jess se tornaram uma espécie de subequipe, fazendo listas e verificando juntas todos os detalhes, obsessivamente. Na verdade, há um espírito de competição crescendo entre elas. As duas identificaram todos os probleminhas e encontraram soluções muito rápido, como um faz-tudo especializado em festas.

Jess fica dizendo que Elinor é uma mulher talentosa e que ela deveria ir para o Chile e usar suas habilidades de organização em algo que tenha *valor*, e fica perguntando se ela já pensou em fazer um trabalho voluntário. A resposta de Elinor é aquela cara inexpressiva e fria. (Não consegui deixar de reclamar com Jess ontem: quem disse que uma *festa* não tem valor?)

Luke ainda está com Sage no set de filmagens, em Pinewood, e ela me mantém atualizada por mensagens. Parece que todo mundo está sabendo do segredo, todo o elenco e a equipe. Eles confiscaram o celular novo do Luke assim que ele chegou e o colocaram na cadeira do diretor, com fones de ouvido. Quando ele se mostrou agitado, mostraram-lhe todos os sets e trailers. Depois o fizeram almoçar. Logo em seguida, Sage inventou um monte de coisas para reclamar com ele. Depois o colocaram de volta na cadeira do diretor. Toda vez que ele tenta falar, ela diz: "Ssh! Preciso me concentrar!", ou o diretor briga com ele.

Então, basicamente, ele ficará preso até as 6. Depois Bonnie vai ligar para ele e dizer que mandou um contrato importantíssimo lá para casa sem querer, e que ele precisa assiná-lo hoje. Então, ela vai pedir, encarecidamente, para ele fazer isso e enviar para ela por fax. E o carro vai trazê-lo de volta para cá. E eu vou recebê-lo na porta. E depois...

Toda vez que penso nisso, fico toda arrepiada. Mal posso esperar. Mal posso esperar!

As pessoas do bufê estão andando de um lado para o outro na cozinha da Janice. A tenda está iluminada, como se fosse uma nave espacial. O quintal da Janice parece um festival de pano.

Agora eu só preciso tomar banho, fazer as unhas e arrumar a Minnie...

— Oi, filha.

Nos últimos dias, só falei com a minha mãe por mensagens enigmáticas usando o celular da Janice. Ao ouvir agora sua voz, quase derrubo a xícara de chá no chão. Ela deve ter entrado sem eu ouvir.

Meu estômago dá um nó quando ela entra na sala. Não estou preparada para isso.

Tudo começou quando Janice chamou os meus pais para tomar um drinque antes da festa. Minha mãe disse que se eu não a convidasse, então ela não viria. Janice respondeu que tinha certeza de que mamãe *estava* convidada e perguntou se ela não tinha um convite. Mamãe respondeu, toda sensível, que tinha sido *desconvidada*. Então, eu falei para Janice que ela só estaria desconvidada se quisesse. E minha mãe disse que não ia se intrometer onde não era bem-vinda. Então meu pai resolveu se manifestar. Ele ligou para Janice e disse que todas nós estávamos sendo ridículas. E foi mais ou menos aí que parou.

— Ah. — Engulo em seco. — Oi, mãe. Achei que vocês ainda estivessem no West Place. Cadê o papai?

— Lá fora, no carro. Então, a festa é hoje mesmo?

Sua voz está tão tensa e magoada que eu me encolho, mas, ao mesmo tempo, ela parece estar ressentida. É ela que está se divertindo com banhos de lama e coquetéis. Por que *ela* acha que pode ficar ressentida?

— É. — Faço uma pausa, depois acrescento, dando de ombros: — Você tinha razão, aliás. Quase *foi* um desastre mesmo. Eu realmente não ia conseguir fazer tudo sozinha.

— Filha, ninguém disse que você precisava fazer tudo sozinha. E me desculpe por ter dito... — Ela não continua, constrangida.

— Bem, eu também sinto muito — digo, um pouco rispidamente. — Espero não decepcionar você hoje.

— Eu não sabia que tinha sido convidada.

— Bem... Eu não sabia que você não tinha sido.

Nós duas estamos viradas cada uma para um lado. Não tenho certeza do que fazer agora.

— Ah, minha filha. — A fachada tranquila da minha mãe se desfaz primeiro. — Não vamos discutir! Sinto muito por ter mencionado... você-sabe-quem. O Sr. Wham!, o Club Tropicana. Wake Me Up Before You Go Go.

— Já entendi — digo rapidamente, antes que ela cante um rap completo do Wham!.

— Não quis deixar você mal. Eu só estava *com medo* por você, filha.

— Mãe, você não precisa se preocupar comigo! — Reviro os olhos. — Sou adulta, lembra? Tenho 29 anos. Sou *mãe*.

— E *eu* sou mãe! — Ela coloca a mão no peito, dramaticamente. — Você vai ver, filha! Isso não acaba! Nunca!

Ai, meu Deus. É verdade? Vou continuar me preocupando com a Minnie quando ela tiver 29 anos e for casada?

Não. De jeito nenhum. Não sou nada parecida com a minha mãe. Estarei num cruzeiro no Caribe quando este dia chegar. Estarei me divertindo.

— Enfim — mamãe está dizendo. — Seu pai e eu conversamos muito nos últimos dias, na sauna e durante as massagens...

Francamente. Será que os meus pais saíram do spa por um segundo?

— Entendo por que você não quis nos contar sobre a casa — continua ela, e seu rosto está vermelho. — Sinto muito por ter exagerado, filha. Percebi que eu tenho estado um pouco... *tensa* nessas últimas semanas. — Ela suspira intensamente. — É que passamos por um momento difícil, com todo mundo em casa... e a Contenção de Gastos não ajudou...

— Eu sei. — Fico cheia de remorso na hora. — E nós estamos tão agradecidos por morar aqui...

— Você não precisa ficar agradecida! Esta é a sua casa, filha!

— Mas mesmo assim, foi por tempo demais. Não é à toa que todo mundo tenha ficado irritado. Sinto muito por ter estressado você com as nossas coisas e sinto muito por ter mentido... — Minha fachada tranquila também já se desfez por completo. — E é *claro* que eu quero que você venha para a festa, se quiser.

— É claro que eu quero! A Janice disse que será maravilhosa. Ela contou que vai maquiar as pessoas e que comprou mais três tubos de Touche Éclat!

Eu *preciso* conversar com a Janice.

— Vai ser maravilhosa mesmo. Você vai ver. — Não consigo deixar de ficar feliz. — Espere só para ver o bolo, mãe. E a *decoração*.

— Ah, filha, vem aqui. — Mamãe me abraça forte. — Estou *tão* orgulhosa de você. Tenho certeza de que será maravilhosa! A Janice disse que o tema é *Orgulho e preconceito*. O Luke vai ficar ótimo de Sr. Darcy! Comprei um chapéu antigo, o seu pai vai usar aquela calça de época, até o joelho, e eu vou fazer cachos no cabelo...

— *O quê*? — Me afasto. — Não é nada de *Orgulho e preconceito*! De onde veio *isso*?

— Ah. — Mamãe está surpresa. — Bom, tenho certeza de que a Janice disse que ia usar aquele vestido azul, lindo, daquela peça de teatro amadora...

Pelo amor de Deus. Só porque a Janice vai usar a fantasia de Sra. Bennet de repente a festa toda é sobre *Orgulho e preconceito*?

— Não é *Orgulho e preconceito*. E *não* é japonês. Então, nem pense em usar um quimono.

— Bem, o que é então? *Tem* algum tema?

— Mais ou menos. — Pondero por um instante e, depois, tomo uma decisão rápida. — Venha ver.

Eu a levo para a cozinha, abro a minha pasta e pego os desenhos do Danny.

— Aqui estão os projetos. É supersecreto. Não diga nenhuma palavra para ninguém.

Ela os analisa por um tempo, e então vejo estampado o reconhecimento em seu rosto.

— Ah, *Becky* — diz ela, finalmente. — Ah, *filha*.

— Eu sei. — Não consigo deixar de sorrir. — Não é maravilhoso?

Fui eu que insisti que deveria ser uma festa personalizada, feita sob encomenda, que significaria mais para o Luke do que para qualquer outra pessoa ali presente. E fui eu que tive a ideia, de fato. Mas, para ser sincera, foi Elinor que fez tudo acontecer. Elinor e sua influência multimilionária, seu talão de cheques multimilionário e sua total recusa em receber um "não" como resposta.

— Mas como... — Mamãe está folheando os projetos, chocada.

— Eu tive ajuda — digo, vagamente. — Muita ajuda.

As únicas pessoas que sabem sobre o envolvimento de Elinor são Suze, Jess, Bonnie e Danny. De algum jeito, ela conseguiu orquestrar tudo dos bastidores. As pessoas do bufê e todos os garçons acham que eu que mando, que eu estou pagando por tudo e que eu sou a chefe. Nem a Janice faz ideia.

Isso está me deixando cada vez mais desconfortável. Quer dizer, a Elinor fez tanta coisa... Ela deveria ganhar o crédito. Mas o que eu posso fazer?

— E o que você fez com o Luke? — Mamãe olha em volta, como se eu o tivesse enfiado num dos armários.

— Ele está bem. Está num set de filmagens com uma nova cliente.

— Set de filmagens? — Ela arregala os olhos.

— Sssh! Para todos os efeitos não estou sabendo disso! Vão mantê-lo ocupado pelas próximas três horas. — Olho o relógio. — Depois ele vem para cá e... surpresa!

— E o que você vai usar, Becky? — Ela interrompe os meus pensamentos e seus olhos estão brilhando, cheios de curiosidade. — Comprou alguma coisa nova?

Por um instante, finjo que não ouvi a pergunta. Eu estava evitando pensar sobre isso.

— Becky? Você comprou alguma coisa?

— Não — digo, finalmente. — Não comprei. Vou pegar alguma coisa do meu armário.

— Querida! — Mamãe parece chocada. — Isso não é do seu feitio!

— Eu sei. — Sento numa cadeira e roo as unhas, me sentindo um pouco desanimada. — Mas eu não podia fazer compras, não é? Não depois da promessa que fiz para o Luke.

— É claro que ele não contava com uma *festa*. Quero dizer, tenho certeza de que ele abriria uma exceção...

— Eu não quis arriscar. Você não entende, mãe, ele está levando isso muito a sério. A Nanny Sue disse que eu sou viciada em compras — acrescento, deprimida. — Ela disse que eu preciso ir para um campo de treinamento, senão a Minnie será assim também.

— *O quê?* — Mamãe parece revoltada. — Que absurdo! Não dê ouvidos. São todos charlatões atrás de dinheiro. Campo de treinamento me parece "golpe", isso sim. Você não vai, não é, filha?

Eu amo a minha mãe. Ela sempre diz a coisa certa.

— Não sei. Talvez. A questão é que o Luke acreditou plenamente nela. — Suspiro. — E, afinal de contas, é o aniversário *dele*. É o dia *dele*. Como eu poderia fazer deste dia o dia dele se comprasse um vestido novo para mim?

Não quero admitir isso, mas no fundo temo que, depois de organizar uma festa surpresa brilhante, eu acabe estragando tudo quando ele me perguntar quanto gastei nos sapatos novos.

— Então tomei uma decisão, mãe. — Levanto a cabeça. — Vou usar alguma coisa que eu já tenha.

— Bem... que bom para você, filha! — Ela dá um sorriso encorajador. — Vamos fazer o seguinte: vamos dar uma olhada no seu armário agora e ver o que encontramos. Anda, anda!

Enquanto eu a sigo pela escada, meus pés estão pesados. Foi por isso que adiei tanto o momento de escolher a roupa. Todo mundo vai usar um vestido novo hoje, até a Minnie.

Enfim. Deixa pra lá. Fiz uma promessa e preciso dar o melhor de mim. Não é como se eu não *tivesse* roupas.

— Então, você tem alguma ideia? — pergunta minha mãe quando entramos no quarto. — O que tem no seu armário?

— Talvez o meu vestido preto de renda? — Tento parecer animada. — Ou aquele vestido azul que usei antes do Natal? Ou talvez... — Abro o armário e paro no meio da frase. O que é isso?

Que capa chique e nova da The Look é essa pendurada no meio do meu armário? E por que tem um laço vermelho gigante em cima?

— Pode abrir! — diz ela, animada. — Abre!

Olhando suspeitamente para mamãe, eu abro a capa. Vejo uma parte de um vestido verde-escuro de seda, suntuoso, e respiro fundo. *Não*. Não pode ser...

Puxo o zíper todo, só para garantir... E ele automaticamente se liberta da capa, como um rio verde-escuro e brilhante.

É um Valentino.

É um Valentino de alça única adornada de joias, uma peça que chegou na The Look há um mês. Acho que experimentei umas vinte vezes, mas *nunca* teria dinheiro para comprar, e...

De repente, vejo um cartão preso no cabide e o abro toda nervosa.

Para Becky. Uma coisinha para você pegar no seu armário. Com amor, mamãe e papai.

— Mãe. — As lágrimas encheram os meus olhos e eu não paro de piscar. — Não precisava. Não *precisava*.

— Foi a Janice! — Mamãe não consegue mais se conter. — Ela disse que você não ia comprar nada novo. Ora, não podíamos permitir isso! É a nossa pequena Becky! E está aí, no seu armário! Está vendo? Você entendeu, filha? — Ela está em êxtase, triunfante. — Já está *no seu armário!* Você está cumprindo promessa que fez para o Luke!

— Eu entendi — digo, ao mesmo tempo rindo e chorando. — Mas, mãe, é um Valentino! Custa uma fortuna!

— Bem, não foi exatamente uma pechincha! — Ela respira fundo. — Sabe, a Wendy's Boutique, em Oxshott, tem vestidos de gala *muito* razoáveis, e às vezes eu me pergunto por que vocês meninas...

Ela para de falar quando percebe a minha expressão. Nós já discutimos sobre a Wendy's Boutique várias vezes ao longo dos anos.

— Enfim. Perguntei, à sua colega Jasmine o que eu poderia comprar e ela de cara sugeriu esse vestido. *E* me deu o desconto dos funcionários e um outro grande desconto por estar com um pequeno defeito! — ela termina, triunfante.

— Pequeno defeito? — Olho para o vestido. — Não está com defeito!

— Ela soltou a bainha — diz mamãe, de maneira conspiratória. — Ela é espertinha, essa Jasmine. E, depois, todas as suas amigas tão legais fizeram uma vaquinha para pagá-lo. Então, é presente delas também.

— Que amigas? — Não estou entendendo nada. — Você está falando da Jasmine?

— Não! Suas amigas da loja. Suas clientes! Todas estavam lá, sabia? Elas assinaram um cartão também. Onde está? — Ela começa a procurar na bolsa. — Aqui.

Ela me entrega um cartão simples, da Smythson, no qual alguém escreveu: "Divirta-se hoje, Becky, e nos encontramos novamente na The Look, MUITO EM BREVE! Com amor, Davina, Chloe e todas as suas leais amigas."

Embaixo há mais umas vinte assinaturas, e eu fico cada vez mais perplexa ao lê-las.

— Mas o que é que todas elas estavam fazendo na loja ao mesmo tempo?

— Pedindo reembolso! — diz minha mãe, como se fosse uma coisa muito óbvia. — Você não sabia? Elas lançaram uma campanha para reintegrar você!

Ela me entrega um papel impresso, rosa fluorescente, e eu o pego, descrente. Era *disso* que a Davina estava falando?

TRAGAM A BECKY DE VOLTA!!!

Nós, abaixo assinadas, queremos protestar contra o tratamento dispensado à nossa estimada amiga e consultora de moda Becky Brandon (ex-Bloomwood).

Como resultado do tratamento insensível e injustificado da The Look, nós vamos:

— **Boicotar** o Departamento de Personal Shopping
— **Espalhar** a notícia entre nossas amigas e contatos, e
— **Devolver as compras** imediatamente.

— Devolver as compras? — Levanto os olhos, dando uma risada. — O que isso quer dizer?

— Elas estão devolvendo tudo o que compraram — mamãe diz, satisfeita. — E fizeram direitinho. Estavam todas na fila, com roupas lindas, devolvendo coisas caras e que ainda estavam embrulhadas. Todas estavam recebendo o dinheiro de volta, nos seus cartões dourados. Fico até com medo de imaginar quanto tudo custou. Uma mulher tinha três vestidos longos, Yves Saint sei lá o quê. Custavam 5 mil libras *cada um*. Uma mulher loura da Rússia, pode ser?

— A Olenka? — digo, completamente chocada. — Esses vestidos foram um pedido especial. Ela os *devolveu*?

— Ela jogou no caixa, assim. — Minha mãe demonstra a cena, com um gesto extravagante. — Ela é muito dramática, não é? "*Issa* é para Becky e *issa* é para Becky." Depois, o gerente apareceu no seu departamento. — Mamãe está cada vez mais envolvida com a história. — Posso dizer que ele ficou muito nervoso quando viu como a fila estava enorme. Ele estava todo afobado, e disse: "Senhoras, por favor, pensem melhor." Ofereceu um cappuccino, mas todas riram dele.

— Aposto que sim! — Posso imaginar Trevor tentando controlar todas as minhas clientes. Elas são muito atrevidas.

— Então, se ele não ligar para você pedindo desculpas até o fim do dia, eu sou a mulher do padre — diz mamãe, tranquilamente. — Pelo que eu entendi, você deveria estar tirando satisfações com *eles*, filha.

— Espera. — De repente, sinto meu rosto latejando. — Espera um minuto. Mãe, eu não te contei que tinha sido suspensa do trabalho.

— Eu sei que não — diz ela, calmamente. — Fiquei um pouco surpresa, devo admitir. Quer dizer, eu sabia que era o seu dia de folga. Eu não tinha percebido que, agora, *todos* os dias eram dias de folga! — Ela ri, toda feliz.

— Então você veio aqui... — digo, sem acreditar — sabendo que eu tinha sido suspensa e não disse nada?

— O que eu ia dizer? Você vai dar o seu jeito. Nós nos preocupamos com você, Becky. Mas também acreditamos em você. — Ela faz carinho na minha mão. — Você vai ficar bem.

— Ah, mãe. — Olho para o Valentino, depois para o rosto gentil e carinhoso da minha mãe e sinto as lágrimas surgirem novamente. — Não acredito que você comprou um vestido para mim.

— Bem, filha. — Ela faz carinho na minha mão de novo. — Nós nos divertimos tanto no West Place que queríamos agradecer. Compramos sapatos também! — Ela indica, com a cabeça, a caixa de sapato que está na parte de baixo do armário.

— Sapatos *também*? — Pego a caixa.

— Isso, Cinderela! — Mamãe pisca para mim. — Fiquei sabendo que até a Jess vai usar um vestido novo e limpo na festa.

— *Agora*, vai. — Reviro os olhos.

O vestido da Jess foi uma verdadeira saga. Primeiro, ela ia pedir um vestido solto, de algodão cru, sem graça, do catálogo ecologicamente correto. Então eu disse que ela precisava usar uma coisa mais glamourosa e ela deu uma de superior, perguntando por que deveria apoiar o consumismo descartável por apenas uma noite. Depois disso, eu falei: "Quis dizer que você deveria pegar uma roupa *emprestada*. Todas as celebridades fazem isso e é *muito* mais ecológico do que comprar alguma coisa num catálogo." E então ela ficou sem saber o que dizer. Bom, ela vai usar um vestido exclusivo do Danny Kovitz e não há como Jess escapar disso.

Estou abrindo a caixa de sapato, toda animada, quando meu celular toca.

— Eu atendo, filha. — Mamãe vai até a cadeira onde meu celular está. — É... — Ela analisa o visor mais de perto e fica boquiaberta. — Sage Seymour? Sage Seymour, a *atriz*?

— É! — Dou uma risadinha. — Ssh! Fica tranquila!

Acredito que Sage vai me atualizar sobre Luke. Da última vez que ela ligou, ele aparentemente estava comendo um burrito e falando com o coreógrafo.

— Oi, Sage! Como estão as coisas?

— Ele sumiu! — Ela parece desesperada. — Sinto muito, nós o perdemos.

— *O quê*? — Sento nos calcanhares, com um pedaço de papel de seda soltando dos meus dedos. — Mas... *como*?

— Ele simplesmente foi embora. Chamou um carro e sumiu. Nem pegou o celular com o gerente. Eu estava me maquiando, não fazia ideia...

— Há quanto tempo?

— Meia hora, talvez?

Meia *hora*? Meu coração acelera, alarmado.

— Para onde o carro foi? Será que você consegue descobrir?

— Não! Não é um dos nossos. Parece que ele disse que precisava ir e o produtor prometeu arranjar um carro assim que estivesse pronto, sabe, enrolando um pouco... Mas acho que ele não podia esperar.

Isso é típico do Luke. Ele não consegue simplesmente ficar quieto e aproveitar o fato de estar num set de filmagens, como qualquer pessoa normal. Ele precisa arranjar um carro sozinho e voltar para o trabalho. Ele não esta nem aí para celebridades.

— Preciso voltar — diz Sage. — Mas, Becky, eu sinto muito. Nós fizemos besteira. — Ela parece sincera.

— Não! Deixa de ser boba! Você foi sensacional. Não é culpa *sua* se ele foi embora. Tenho certeza de que eu vou encontrá-lo.

— Bom, me dê notícias, está bem?

— Claro. — Desligo o telefone, com a respiração acelerada, e olho para minha mãe. — Você não vai acreditar. O Luke sumiu. Ninguém sabe onde ele está.

— Bem, liga para ele, filha! Ele está com o celular...

— Ele não *tem* celular! — quase grito. — Quebrei o BlackBerry dele e o Luke estava com uma porcaria de um celular novo, que deixou lá no set. Não sei qual é a empresa de aluguel de carros que ele está usando. Quer dizer, acho que ele está voltando para o escritório, mas não sei...

De repente entro em pânico quando vejo a magnitude da situação. E se ele não estiver a caminho do escritório? E se ele estiver vindo para cá? Ele pode acabar vendo tudo antes que esteja pronto.

— Muito bem. — Começo a agir. — Precisamos avisar todo mundo. Vou ligar para a Bonnie, você conta para a Janice, vamos ligar para as empresas de carro... vamos encontrá-lo.

Depois de dez minutos, todo mundo já está reunido na cozinha da Janice para uma reunião de emergência.

Tudo está pior do que eu imaginava. Bonnie acabou de me encaminhar um e-mail do Luke que ele enviou antes de sair do estúdio, usando a conta de e-mail de alguém do set. Ele disse que não conseguiria voltar para o escritório a tempo de participar do programa de treinamento da empresa, pediu desculpa e desejou a ela um bom fim de semana.

Que diabos ele está *fazendo?* Aonde ele *vai?*

Tudo bem, Becky. Fique calma. Ele vai aparecer.

— Certo — anuncio para o grupo reunido. — Oxshott, temos um grande problema. Luke está desaparecido. Eu acabei de fazer um mapa. — Aponto para o diagrama que desenhei rapidamente. — Estas são as direções que ele pode ter seguido, a partir do Estúdio Pinewood. Acho que podemos descartar a direção norte...

— Ooh! — exclama Suze de repente, olhando para seu celular. — Tarkie disse que alguém da família real viu os vídeos no YouTube e quer mandar uma mensagem de feliz aniversário para o Luke. Eles estão caçando juntos — explica ela, envergonhada, quando todos olham para ela, chocados.

— Quem? — Janice fica toda animada. — *Não* é o príncipe William!

— O Tarkie não disse. Deve ser o príncipe Michael de Kent — diz Suze, como quem pede desculpa.

— Ah. — Todos ficam um pouco decepcionados.

— Ou o David Linley? — diz Janice, entusiasmada. — Eu adoro os móveis dele, mas vocês já *viram* os preços?

— Parem com isso! — Balanço os braços com frustração. — Concentrem-se! Quem se importa com os móveis? Isto é uma *emergência*. Primeiro, precisamos de alguém que fique de olho lá fora, pois se o Luke voltar para cá, vamos ter que tirá-lo daqui. Segundo, precisamos pensar muito para descobrir aonde ele foi. Terceiro...

— Seu celular — diz mamãe, de repente.

Meu BlackBerry está vibrando em cima da mesa, exibindo um número do centro de Londres que eu não reconheço.

— Pode ser ele! — meu pai diz.

— Ssh!

— Silêncio!

— Coloca no viva-voz!

— Não!

— Todo mundo *quieto*!

É como se fosse uma ligação de um sequestrador terrorista depois de dias de espera. Todo mundo fica em silêncio e me observa enquanto eu atendo.

— Alô.

— Becky? — A voz do Luke é inconfundível. E está tranquila. Ele não *imagina* o quanto nós estamos estressados?

— Mantenha-o na linha! — mamãe sussurra, como se fosse uma agente do FBI tentando rastrear a localização dele.

— Oi, Luke! Onde você está? No trabalho?

Mandei bem. Dei uma de quem não sabia de nada.

— Para falar a verdade, não. Estou no hotel Berkeley. — Sinto um sorriso na sua voz. — E eu quero convidar você e a Minnie para virem comemorar o meu aniversário comigo. Se você quiser.

O-quê-o-quê-o-quê-o-quê-o-quê?

Caio sentada numa cadeira, com as pernas bambas, tentando ignorar todos os rostos curiosos à minha volta.

— Como assim? — consigo dizer, finalmente.

Se ele tiver organizado uma festa de aniversário sem me avisar, eu vou *matá-lo*. É sério.

— Querida, percebi que você ficou decepcionada ontem quando eu disse que estaria ocupado num treinamento. Deu para ver no seu rosto.

Eu não fiquei nada!, quero gritar. *Não fiquei! Você se enganou!*

— Ah, é? — digo.

— E isso me fez pensar. É o meu aniversário! Que se dane, precisamos comemorar. Tivemos um ano dos infernos e merecemos dar uma relaxada. Vamos nos encontrar, nós três, jantar, beber champanhe... depois podemos colocar a Minnie para dormir no quarto ao lado e ver se a gente faz aquele irmãozinho para ela. — Sua voz está mais sedutora e provocante do que nunca. — O que acha? Já pedi o champanhe.

Não acredito no que estou ouvindo. Em qualquer outro momento, eu teria morrido e ido para o céu com esse convite. *Em qualquer outro maldito momento.*

— Certo — digo baixinho. — Bem... me parece maravilhoso! Só... espere um segundo...

Tapo o celular com a mão e olho desesperadamente em volta para todo mundo.

— Ele quer que eu vá até um quarto de hotel para beber champanhe! Para comemorar o aniversário dele!

— Mas hoje tem a festa! — diz Janice, que está claramente atrás do prêmio de Comentário Mais Óbvio.

— Eu *sei* que tem a festa! — digo, quase ferozmente. — Mas como eu posso dizer "não" sem levantar suspeitas?

— Faz as duas coisas? — diz Suze. — Champanhe, comemoração, sei lá mais o quê e volta correndo para cá.

Analiso essa sugestão freneticamente.

Champanhe. Comida. Sexo.

Podemos fazer tudo em... meia hora? Quarenta minutos, no máximo? Voltaríamos com tempo de sobra.

— Isso — decido. — Vou até lá, entro na brincadeira e o trago de volta o mais rápido possível.

— Não dê bobeira, querida. — Janice parece ansiosa.

— O trânsito fica horrível a essa hora — Martin se manifesta. — É melhor pegar o Luke e vir para cá.

— Posso deixar a Minnie com você, mãe?

— É claro, filha!

— Muito bem. — Respiro fundo e volto a falar no celular, tentando soar o mais melosa possível: — Oi, Luke. Vou chegar aí o mais rápido possível. Mas sem a Minnie. Mamãe está aqui e vai tomar conta dela. Acho que precisamos ficar *à deux*, não acha?

— Melhor ainda.

Ele dá aquela risada grossa que eu adoro, e eu estremeço. Por que ele resolveu escolher *esta noite* para virar o marido perfeito?

Enfim. Que seja. Preciso ir.

— Até daqui a pouco! — digo, ofegante. — Te amo!

Luke reservou um apartamento e abre a porta segurando uma taça de champanhe. Uma música de jazz está tocando baixo, e ele está de roupão. De *roupão*.

— Oi. — Ele sorri e se abaixa para me beijar.

Ai, Deus. Isso está mais radical do que eu imaginava. Ele mudou completamente de marcha. Está com um ritmo mais lento, com uma voz mais preguiçosa. Eu não o vejo assim tão relaxado desde a nossa lua de mel. O apartamento é maravilhoso, com painéis na parede, um sofá de veludo e uma cama gigantesca. Se o momento fosse *qualquer* outro...

— Oi! — Me afasto. — Puxa, que grande surpresa!

— Foi um impulso. — Luke sorri. — Na verdade, isso é culpa sua — acrescenta ele, olhando por cima do ombro, indo em direção ao bar.

— *Minha?* — Ele está brincando?

— Todas as vezes que você disse que nós deveríamos relaxar mais, curtir, ficar tranquilos... você tinha razão. Não está impressionada?

— Estou — digo, quase gritando. — Isto é maravilhoso.

— Então, vamos relaxar. Temos a noite toda. — Ele me entrega uma taça e beija meu pescoço lentamente. — Posso encher a banheira? Dá pra nós dois.

Um *banho?* Quanto tempo isso vai demorar? Preciso acabar com essa história de uma vez. Preciso agilizar as coisas. Olho para o meu relógio e fico preocupada. Já é mais tarde do que eu imaginava. Temos uma festa para ir. Não há *tempo para tomar banho.*

Só que... olha o rosto dele. Ele vai ficar arrasado. E ele se esforçou tanto, e aposto que a banheira é linda...

Podemos tomar um banho muito rápido. Entramos, saímos, acabou.

— Boa ideia! Deixa comigo! — Ando apressada até o banheiro suntuoso, de mármore, e abro as torneiras.

Nossa. Cosméticos Asprey. Não resisto, abro um óleo para banho e sinto o cheiro. Humm.

— Não é ótimo? — Luke surge atrás de mim e me envolve com seus braços, me apertando forte. — Só nós dois, a noite toda. Não precisamos nos apressar...

Muito bem, *não* temos tempo para esse negócio de "a noite toda".

— Luke... hum... precisamos transar rápido. — Viro-me para ele, a cabeça a mil. — Precisamos transar muito rápido, correndo, porque... quero ter um menino.

— O quê? — Luke parece assombrado. Era de se esperar, já que estou inventando tudo isso agora.

— Isso mesmo. — Concordo seriamente com a cabeça. — Li sobre isso num livro, e descobri que precisamos transar muito rápido. Sem preliminares. Só... bum.

— *Bum*? — repete Luke, sem entender.

Por que ele está tão relutante? Deveria estar *satisfeito*. Quer dizer, se você soubesse quantas vezes...

Enfim. Não é relevante agora.

— Bum — digo firmemente. — Então... vamos nessa!

Por que ele não está fazendo nada? Por que está franzindo a testa, sentado na beirada da banheira, como se algum problema grave lhe tivesse ocorrido?

— Becky — diz ele, finalmente. — Não me sinto à vontade para tentar escolher o sexo do bebê. Eu amo a Minnie. Eu *adoraria* outra Minnie. E se você sentiu, de alguma forma, que eu preferia um menino...

— Não! Eu não acho isso! — digo rapidamente. — É só que... Por que não? E, depois, a gente pode tentar fazer uma menina! Para equilibrar as coisas!

Até *eu* sei que o que estou dizendo não faz sentido, mas, por sorte, Luke está acostumado com isso.

— A banheira está pronta! — Tiro a blusa. — Vem!

Muito bem, não acho necessário entrar em detalhes sobre o que aconteceu depois. E, de qualquer jeito, quase não *há* detalhes. Só sei que começamos na banheira e fomos parar no chuveiro. E, mesmo assim, só demorou 14 minutos. E Luke não faz ideia de que eu o estou provocando sutilmente.

Bem, para ser sincera, eu meio que me esqueci da provocação quando a coisa esquentou. Ou, para dizer de outra forma, um ficou provocando o outro. Não quero me gabar, mas acho que nós poderíamos ganhar uma medalha olímpica no quesito "posição em dupla, embaixo d'água". Ou no "nado sincronizado freestyle". Ou no...

Ah. Tudo bem. Continuando.

A questão é que foi uma maneira sensacional de começar a noite. Sinto que estou tão radiante que nem vou precisar de blush! E se nós nos vestirmos e formos embora agora...

— Quer comer alguma coisa?

Quando vou em direção à sala, me secando rapidamente, vejo que Luke está de roupão de novo, largado no sofá.

— Dá uma olhada nisso. — Ele aponta para a bandeja na mesa. — Bolinhos fashion.

Bolinhos *fashion*?

Apesar de não querer, preciso me apressar, mas não consigo deixar de suspirar de alegria. É uma bandeja cheia de bolinhos fofos, em formatos de sapatos e bolsas.

— Todos foram inspirados em um acessório diferente. — Luke parece satisfeito. — Achei que você iria gostar. Prove um. — Ele me dá uma bota de cano alto aberta do lado.

É uma delícia. Estou quase chorando. Esta é a noite mais perfeita, e eu preciso impedir que continue...

Talvez eu coma só mais um bolinho.

— Mais champanhe? — Agora ele está enchendo a minha taça.

E mais uma taça de champanhe. Bem rápido.

— Não é maravilhoso? — Luke me puxa e eu deito sobre seu peito, me sentindo relaxada, sentindo seu coração batendo contra minha pele. — Foi um dia e tanto.

— Concordo plenamente. — Dou um belo gole de champanhe.

— Perder todo tipo de tecnologia foi estranhamente liberador. Estou há 48 horas sem e-mail, internet e um celular que funcione. E, quer saber? Eu sobrevivi.

— Eu sabia. — Viro a cabeça para olhar para ele. — Acho que toda semana você deveria ficar um dia sem BlackBerry. Vai fazer bem à sua saúde.

— Talvez faça mesmo — diz Luke, passando a mão por dentro da minha perna de novo. — Talvez a gente venha *para cá* toda semana. Seria ótimo para a minha saúde.

— Com certeza! — Dou uma risadinha. — Um brinde a isso! — Quando levanto a minha taça de champanhe, o próprio BlackBerry toca e eu fico paralisada.

— Ignore — diz Luke, tranquilamente.

— Mas é a minha mãe — digo, olhando para o visor ao pegar o aparelho. — Pode ter a ver com a Minnie. É melhor eu atender... Alô.

— Becky! — A voz da minha mãe está tão alta e ansiosa que eu dou um pulo. — A Janice acabou de ver um alerta de trânsito! Tem uma confusão horrível na A3. Como está por aí? Já saíram?

Sinto uma pontada de pânico.

Ai, Deus. O que eu estou *fazendo*, bebendo champanhe e comendo bolinhos? Olho para Luke. Ele está deitado no sofá, de roupão, com os olhos fechados. Pela sua cara, ficaria aqui a noite toda.

— Hum, ainda não...

— Bem, comece a se mexer, filha! Você não vai querer ficar presa no trânsito!

— Já vou! Estamos a caminho. Até daqui a pouco.

— O que houve?

Luke abre um dos olhos quando coloco o BlackBerry na mesa. Tenho cerca de dez segundos para pensar numa história legítima e convincente.

Muito bem. Já sei.

— Luke, precisamos ir agora — digo, urgentemente. — A Minnie está histérica porque nenhum de nós dois deu boa-noite para ela. Então precisamos voltar para Oxshott, dar boa-noite para ela, garantir que ela esteja bem e depois nós voltamos. Rápido! Se veste! — Já estou vestindo a minha calcinha.

— *Voltar?* — Luke senta e olha para mim. — Becky, você pirou? Não vamos voltar!

— A Minnie está péssima! Mamãe disse que ela vai acabar ficando doente. Não podemos simplesmente abandoná-la!

— Ela vai ficar bem. Vai pegar no sono e ficar bem.

Calmamente, ele toma um gole de champanhe, e eu sinto uma pontada de indignação. Quer dizer, tudo bem, a Minnie não está péssima, mas e se estivesse?

— Como você pode dizer isso? Ela é nossa filha!

— E nós estamos tendo uma noite de folga! Não é nenhum crime, Becky. Se voltamos para Oxshott, posso garantir que ela estará dormindo antes de chegarmos.

— Mas eu não vou conseguir relaxar! Não vou conseguir aproveitar! Como posso ficar aqui bebendo champanhe, enquanto a minha filhinha está tendo... — minha mente busca uma palavra, enlouquecidamente — ... convulsões?

— *Convulsões*?

— Mamãe disse que está muito preocupada com a saúde da Minnie. Ela disse que nunca tinha visto nada assim. — Encaro Luke de modo desafiador. — Eu vou, mesmo que você não vá!

Por um instante morro de medo de ele dizer: "Tudo bem, pode ir, até mais tarde." Mas, finalmente, ele bota a taça na mesa, com pesar, e suspira.

— Tudo bem. Que seja. Vamos dar boa-noite para ela.

— Ótimo! Perfeito! — Não consigo esconder o meu alívio. — Ainda está cedo e nós podemos aproveitar a noite. Vamos levar os bolinhos e o champanhe — digo, casualmente. — Caso a gente fique com fome no caminho.

Eu não vou deixar esses bolinhos deliciosos para trás, de jeito *nenhum*. E, assim que me visto, corro para o banheiro e enfio todos os cosméticos na minha bolsa. Também não vou deixar isso para trás.

Estou quase pronta e Luke está vestindo o casaco quando o meu BlackBerry apita com uma mensagem.

Estão a caminho de Oxshott? Tudo aqui está maravilhoso e em ordem!!!!! Suze.

Quase! digito de volta. Até daqui a pouco!!!!!

Enquanto descemos de elevador, eu sorrio nervosa para Luke. De repente, percebo que estamos quase lá! Está quase na hora da surpresa! Depois de tanto tempo, tanto planejamento...

De repente fico muito animada como fogos de artifício brilhantes, e eu não consigo deixar de abraçá-lo.

— Tudo bem?

— Acho que sim. — Ele levanta a sobrancelha ironicamente. — Espero que a gente ganhe pontos com alguém lá em cima por sermos pais assim tão dedicados.

— Tenho certeza de que ganharemos.

De algum jeito, consigo fazer uma voz meio normal, mas mal consigo me conter. É isso! Em menos de uma hora vamos chegar lá e o Luke vai ficar de queixo caído e tão surpreso que não vai nem conseguir *falar*...

Eu o apresso para fora do elevador e pelo foyer. Minhas pernas estão leves e meu corpo todo está tremendo de tanta expectativa.

— Veja até que horas o bar fica aberto — improviso. — Vou ver se consigo chamar um táxi.

Já deixei um carro esperando lá fora. Vou fingir que consegui um táxi na rua.

— Luke? Luke Brandon?

Um executivo careca, inclinado sobre o balcão da recepção, levantou o olhar. Ele já bebeu bastante, e eu percebo isso na hora quando vejo seus olhos vermelhos.

— Ah. Olá, Don. — Luke sorri brevemente. — Tudo bem? Donald Lister, da Alderbury Consulting — Luke o apresenta. — Esta é a minha esposa, Becky.

O rosto corado do homem se abre num sorriso.

— Espere um minuto. Droga! Luke Brandon! É você! — Ele aponta para Luke como se tivesse ganhado um prêmio e estivesse reivindicando o dinheiro. — Minha nossa! Feliz aniversário, meu chapa! Então, como foi?

O mundo fica embaçado por um segundo.

Muito bem, temos que ir embora. Agora. Tentando não demonstrar meu pânico, eu enfio meu braço no de Luke e o puxo gentilmente, mas ele não se mexe.

— Bem, obrigado. — Luke dá um sorriso educado e surpreso. — Como você sabia?

— Está brincando! *Todo mundo* está... — O homem para de falar quando olha para mim. — Droga. — Ele dá uma gargalhada constrangida. — Não estraguei tudo, não é?

Penso rapidamente em algo para dizer, mas tudo o que eu quero é voltar no tempo, enforcar esse homem idiota, me livrar dele e sair *daqui*...

— O festão é hoje? — O homem tapa a boca com a mão. — Vocês estavam a caminho... Ah, droga.

Quero pular em cima dele como um tigre e arrancar a cabeça desse idiota com os dentes. Cala a boca, cala a BOCA.

— Desculpa, desculpa! Eu não disse nada. — Ele bate no ar algumas vezes, como se quisesse apagar as palavras, depois sai andando rápido.

Mas ele não pode apagar as palavras. Elas estão soltas, como formigas voadoras girando no ar.

Pela primeira vez na vida, eu queria estar casada com um homem das cavernas, imbecil e desligado.

Mas Luke não é um imbecil. E eu o conheço bem demais. Ele pode parecer apático para um estranho, mas eu percebi que sua mente estava a mil. Vi exatamente quando ele soube a verdade. Agora seu rosto está inexpressivo, mas dá para ver nos seus olhos. Ele se vira e sorri.

— Bem... Não faço a menor ideia do que *isso* quis dizer — diz ele, com uma voz pouco sincera.

Ele sabe.

Estou dormente.

VINTE E UM

Durante a longa viagem de táxi, nós mal conversamos. No início, tento manter um clima alegre, mas tudo o que eu digo parece falso e vazio até para mim mesma. Entramos numa curva em direção a Oxshott e estamos quase chegando. Eu deveria estar fervilhando de animação, mas nada está acontecendo como planejei.

De repente, uma lágrima escorre pelo meu rosto, e eu a enxugo rapidamente antes que Luke possa ver.

— Becky... — Ele parece estar sofrendo.

Ótimo. Ele viu. Até o meu próprio *corpo* idiota está entregando tudo.

Por um instante ficamos nos encarando, como se a telepatia de casal estivesse, finalmente, funcionando entre nós. Sei o que ele está pensando. Sei o que ele está sentindo. Ele faria de tudo para voltar no tempo, faria de tudo para não saber. Mas não pode "des-saber".

— Becky... — Luke parece torturado ao analisar meu rosto. — Por favor...

— Tudo bem. Eu só...

— Eu não...

Tudo que dizemos são trechos de frases sem sentido. É como se nenhum dos dois quisesse arriscar chegar perto da verdade. Então, de repente, Luke parece tomar uma decisão e me puxa para perto dele.

— Eu vou ficar surpreso — diz ele, com uma voz baixa e intensa. — Vou mesmo. Não sei de nada. Se você soubesse como estou emocionado... — Ele para de falar respirando forte. — Becky, por favor, não fique chateada... — Ele pega as minhas mãos e as segura com tanta força, que eu me afasto.

Não consigo falar. Não acredito que estamos tendo esta conversa.

— Já estamos chegando.

Enxugo os olhos e dou uma olhada na minha maquiagem. Suze já preparou o meu vestido e Danny ficou de escolher uma roupa para Luke.

Tudo bem, digo firmemente para mim mesma. Mesmo que não seja exatamente o que planejei, está tudo bem. Luke está aqui, eu estou aqui, ele vai ter uma festa e vai ser sensacional.

— Feliz aniversário, querido — murmuro, quando o táxi estaciona em frente à casa de Janice, e aperto a mão de Luke.

— O quê? Por que estamos parando *aqui*?

Luke está se esforçando para parecer a pessoa mais surpresa do mundo. Eu preferia que ele não agisse assim. Ele não sabe fazer isso.

— Pode sair...

Sorrio para ele. Por mais que eu saiba que ele sabe, sinto a animação fervilhando de novo. Quer dizer, ele não sabe *tudo.* Pago o motorista do táxi e conduzo Luke pela casa escura de Janice. O pessoal do bufê deve estar escondido na cozinha ou já deve estar lá na tenda, mas mesmo assim eu não ouso acender as luzes.

Ai. Acabei de bater o quadril na mesa idiota da Janice. Por que ela tem *mesas* em todos os lugares?

— Muito bem, lá fora...

Eu o empurro para a frente, passo por janelas-portas e sigo em direção ao quintal. Lá está a tenda, totalmente decorada com luzes piscantes e iluminada por dentro. No entanto, há um grande silêncio, como se não houvesse duzentas pessoas lá dentro.

— Becky... — Luke para de andar e olha. — Não estou acreditando nisso. Não estou *acreditando* no que você... Você organizou tudo sozinha?

— Vamos!

Eu arrasto Luke pelo tapete da entrada e meu coração acelera de repente. Acho bom todos estarem presentes.

É claro que estão.

Respiro fundo e abro a tenda.

— SURPRESA!!

O barulho é fenomenal. Há uma multidão de rostos felizes na nossa frente. Reconheço apenas algumas pessoas. Janice está bem próxima, com seu vestido da Sra. Bennet, e Jess está usando um modelo escultural preto, maravilhoso, além de uma maquiagem intensa, para combinar. Ao olhar em volta da tenda, não consigo deixar de me orgulhar. As luzinhas foram penduradas e os balões prateados estão flutuando. Neles está impressa a frase "Feliz Aniversário, Luke", com a mesma fonte da logo da Brandon Communications. Por toda a tenda há pôsteres promocionais de mentirinha e jornais, ampliados, que contêm manchetes diferentes e histórias sobre Luke Brandon. (Eu escrevi todas.) A atração principal é um gráfico iluminado, exatamente como os que são feitos para os comunicados de imprensa da Brandon C. Nele há fotos de Luke em todos os anos, desde quando era bebê até a idade adulta, e o título é: "Luke — um ano e tanto."

Logo acima da nossa cabeça e espalhados por todos os lados estão os meus pompons. Colocamos luzinhas entre eles e os penduramos como se fossem grinaldas. Ficou *maravilhoso*.

— Parabéns pra você... — alguém começa a cantar, e a multidão acompanha, animada.

Olho rapidamente para Luke.

— Nossa! — ele exclama no momento certo. — Isto é tão... Eu não fazia ideia!

Devo admitir que ele está se esforçando muito para parecer admirado.

— O Luke é um bom camarada... — todos estão cantando agora.

Luke reconhece os rostos na multidão e cumprimenta a todos com acenos e sorrisos. Assim que a cantoria acaba, ele pega uma taça com a garçonete e a ergue em direção a todos.

— Seus filhos da mãe! — diz ele, e todos começam a rir.

A pequena banda que está no canto começa a tocar Gershwin e as pessoas cercam Luke. Eu o observo enquanto ele as cumprimenta.

Ele não ficou boquiaberto. Não ficou sem voz de tão surpreso. Mas... eu sabia que ele não reagiria. Assim, desde o minuto em que aquele cara abriu a boca, no hotel Berkeley.

— Becky! Que fantástico! — Uma mulher da Brandon Communications, cujo nome eu esqueci (mas me lembro desse vestido Alexander McQueen maravilhoso), vem falar comigo. — Você fez toda a decoração?

Erica e seus funcionários estão circulando com os canapés, e eu vejo Janice abordando uma loura elegante com um estojo de pó. Pelo amor de Deus. Eu disse a ela: *Nada de maquiagem*. Preciso impedi-la, e rápido.

Mas antes que eu consiga, um homem mais velho me dá uma bebida, se apresenta como um antigo colega de Luke e pergunta quanto tempo demorei para planejar tudo. Depois sua esposa (vestido flutuante, batom exagerado) me pergunta, toda animada, se eu vi os vídeos no YouTube. Uns 15 minutos se passam e eu não fiz mais nada além de conversar com estranhos. Nem sei onde Luke está.

Há um pouco de vento entrando pelas aberturas da tenda e todos começam a se afastar da entrada.

— Pessoal! Um minuto, por favor.

A voz forte de Luke enche a tenda e na mesma hora todas as pessoas da Brandon Communications param de falar e prestam atenção, como se ele fosse fazer uma apresentação da empresa. Os outros fazem o mesmo e o lugar fica totalmente em silêncio, numa rapidez incrível.

— Eu só quero dizer... obrigado. — Ele analisa a multidão de rostos sorridentes. — Todos vocês. Não acredito que tantos amigos antigos estejam aqui e estou ansioso para botar o papo em dia. Não acredito que todos vocês *sabiam* disso, seus tratantes. — Todos riem. — E até agora não acre dito que Becky conseguiu me enganar. — Ele se vira para mim. — Becky, receba os aplausos.

Uma salva de palmas começa, e eu faço uma reverência.

— Foi totalmente surpresa, Luke? — pergunta a mulher que exagerou no batom. — Você não tinha a menor ideia?

Luke lança o olhar mais cuidadoso do mundo para mim, de maneira quase imperceptível.

— Claro que não! — Ele parece um pouco forçado. — Eu não fazia a menor ideia até entrar na... — Ele para de falar. — Quer dizer, obviamente eu suspeitava de *alguma coisa* quando entramos no táxi...

Ele para de novo, coça o rosto, constrangido, e há um silêncio curioso e cheio de expectativa na tenda.

. — É o seguinte. — Luke levanta o olhar, finalmente, e sua aparência refinada de sempre, vai embora. — Não quero mentir para vocês. Não quero ficar fingindo, porque isto é importante demais para mim. Quero dizer o que eu realmente sinto. Alguém, *de fato,* abriu o bico mais cedo. Só um pouco. Então, sim, eu estava esperando... alguma coisa. Mas quer saber? Não é a surpresa que importa numa festa como esta. O que importa é que alguém se esforçou tanto, que isso simplesmente... impressiona você. E você pensa: "O que eu fiz para merecer isso?" — Ele faz uma pausa. Sua voz treme um pouco. — Sou o homem mais sortudo do mundo e quero propor um brinde. À Becky.

Estou olhando para o meu celular, que não parou de vibrar com mensagens o tempo todo, e eu so ouvi um pouco do discurso de Luke. Mas, agora, levanto o olhar.

— Ah, Luke. — Me permito sorrir. — Você está enganado. O que importa numa festa como esta *é* a surpresa. Leve a sua bebida. Pegue o seu casaco. E venha por aqui, por favor. Gente, se todos vocês puderem pegar o casaco e nos acompanhar...

Do nada, Daryl, Nicole, Julie e três amigos deles apareceram e estão empurrando as araras com os casacos. Todos os convidados estão se olhando, desnorteados. Daryl pisca para mim e eu pisco de volta. Ele é sensacional.. Há uma semana veio falar comigo dizendo que tinha melhorado sua performance de engolidor de fogo e perguntou se eu não queria testá-lo de novo. Eu disse não, obrigada, mas tenho outra coisinha para você fazer. Todos os seis adolescentes estão arrumados com camisas brancas e coletes. E Nicole está usando os sapatos Vivienne Westwood, eu reparei.

Luke não mexeu um músculo. Ele parece completamente perplexo.

Ha!

— Becky... — Ele franze a testa. — Que diabos...

Ha! Ha!

— Você acha que *esta* é a sua festa? — Olho para a tenda ironicamente.

Estou quase pulando de alegria ao levá-lo de volta, pela casa de Janice, até a rua. E lá estão eles. Bem na hora.

Quatro ônibus enormes estão estacionados lá fora. Todos são pretos e na lateral está escrito, em branco:

A VERDADEIRA FESTA SURPRESA DO LUKE

— O qu...

Luke está de queixo caído. Ele parece não conseguir falar. *Isssssssooooo!*

— Pode entrar — digo, alegremente.

* * *

Eu sei, eu sei, eu não contei para você. Desculpa.

Eu *queria*. Mas fiquei com medo de você abrir o bico.

O clima no ônibus é fantástico. O nível de animação parece ter aumentado 10 graus. Fico ouvindo frases como "Para onde nós estamos *indo*?", "Você sabia?" e muitas risadas.

E Luke parece completamente chocado. Eu nunca o tinha visto *tão* chocado. Acho que vou surpreendê-lo mais um pouco.

— Muito bem, vamos colocar a venda... — digo quando chegamos na curva.

— Não. — Ele começa a rir. — Você não pode estar falando sério!

— Vamos colocar a venda! — Ergo para ele um dedo de repreensão.

Na verdade, estou gostando dessa onda de poder. Ele está completamente sob o meu controle. Olho para fora do ônibus e vejo que estamos quase chegando!

Mando a mensagem Cinco minutos para Suze e imediatamente recebo de volta um OK. Ela está lá, esperando por mim com meus pais, Minnie, Danny e o restante da Equipe Dois.

É isso mesmo. Eu tive duas equipes. Bem, na verdade, foi ideia da Elinor.

Sei que Elinor ainda está lá, porque Suze mandou uma mensagem, há alguns minutos, dizendo que ela estava verificando todos os detalhes freneticamente e que os funcionários estão morrendo de medo dela.

Ao entrarmos na longa avenida de árvores, vejo que todos os convidados estão olhando, curiosos, pelas janelas do ônibus; faço um gesto, colocando o dedo na boca, para não falarem nada. Não que Luke fosse adivinhar, eu acho. Ele só foi uma vez à casa nova da Suze.

Eu disse "casa". Mas o que eu quis dizer foi "lar majestoso com um parque".

Vir para cá foi uma decisão de última hora. Nós pretendíamos alugar um local, e Elinor estava quase pagando para fazer um outro evento mudar de data (ela é implacável, como uma assassina treinada) quando Suze disse, de repente: "Espera um minuto! E a Letherby Hall?"

Acho que às vezes Suze realmente esquece quantas casas ela e Tarquin possuem. Ela com certeza não fazia ideia de quantos quartos tem lá.

Enfim. Quando tomamos *essa* decisão, tudo começou a dar certo. Ou, pelo menos, tudo foi rapidamente forçado a dar certo. E é o cenário perfeito, dos sonhos, e o mais romântico para uma festa. Consigo ouvir as pessoas fazendo "oh" e "ah" atrás de mim ao verem a casa com suas duas alas grandiosas, a cúpula central e as pilastras dóricas em todos os cantos. (Sei que as pilastras são dóricas porque Tarkie me disse. Na verdade, estou torcendo para que alguém me pergunte sobre elas.)

Há uma brisa no ar quando todos saímos dos ônibus e passamos por cima dos cascalhos. A entrada principal está aberta e iluminada. E eu chamo todo mundo, em silêncio, ainda guiando Luke. Atravessamos o chão de pedra antiga e logo estamos reunidos em frente às portas duplas e majestosas do Grande Hall.

Consigo ouvir sussurros, risadinhas e "ssssh!" atrás de mim. Sinto a expectativa agora. Estou quase com medo. É isso. Chegou a hora.

— Muito bem. — Minha voz treme um pouco quando solto a venda dele. — Luke... feliz aniversário!

Quando abro as portas duplas, os suspiros atrás de Luke são como o barulho de um grande fluxo de água. Mas só estou olhando para o rosto dele. Está pálido.

Se eu o queria de queixo caído e sem palavras... consegui.

Ele dá um passo para a frente, admirado. Depois outro... depois outro.

O Grande Hall foi todo transformado no palco daquele teatro de brinquedo vintage que ele comprou para Minnie, o teatro de brinquedo da época em que ele era criança. Todos os cenários de *Sonho de uma noite de verão* foram meticulosamente reproduzidos. Há arbustos, árvores e torres de castelo. Também há um riacho com lodo. Pequenas mesas e cadeiras estão entre a folhagem. A banda está tocando, baixinho uma música mágica. Em algumas árvores há mais pompons, como se fossem grandes flores. Estou muito orgulhosa. Eles ficaram bons *mesmo*.

— Isto é... — Luke engole em seco. — É exatamente igual ao...

— Eu sei. — Seguro a mão dele com força.

Minha ideia sempre foi essa. Mas eu nunca conseguiria ter feito isso de maneira tão espetacular se não fosse pela Elinor.

— Papaaaai! — Minnie sai correndo de trás de uma árvore, usando o mais lindo vestido de fadas, delicado e com asas, que Danny fez para ela. — Feliz! Feliz papai!

— Minnie! — Luke parece impressionado ao pegá-lo no colo. — De onde você... Como você... Suze! Jane! Graham! Danny! — Ele vira a cabeça abismado quando todos saem dos esconderijos.

— Feliz aniversário!

— Surpresa!

— Diga alguma coisa, Luke querido! Faz um discursinho!

Não acredito que minha mãe está apontando uma câmera para o rosto do Luke. Ela *sabe* que contratamos um cinegrafista profissional.

— *Bonnie?* — Luke parece ainda mais chocado quando Bonnie surge de trás de uma cachoeira, com um vestido água-marinha espetacular e um sorriso envergonhado no rosto. — Por favor, não me diga que *você* estava envolvida também.

— Só um pouco.

— Isso é simplesmente... surreal. — Ele balança a cabeça e olha, de novo, em volta do ambiente mágico. — Quem mais *sabe* que é meu aniversário?

— Quem mais? Hum... — Troco olhares com Bonnie e fico com vontade de rir. — Mais algumas pessoas. Quase todo o centro financeiro.

— Os leitores do *Daily World* — acrescenta Bonnie. — E o diário financeiro *Standard* e o *Mail* publicaram um artigo.

— Você recebeu mensagens de três membros da família real — acrescenta Suze, animada.

— Não se esqueçam do YouTube! — diz papai. — Cem mil exibições, pela última contagem!

Luke nos olha como se estivéssemos loucos.

— Vocês estão brincando — diz ele, e nós balançamos a cabeça.

— Espere só para ver as homenagens! — fala mamãe. — E você tem o seu próprio site de Feliz Aniversário!

— Mas... isso é loucura. — Luke coloca a mão na cabeça. — Eu *nunca* comemoro o meu aniversário. Quem diabos...

— A Becky teve muito trabalho.

— Tentando manter tudo em *segredo*! — exclamo, indignada. — Tentando *impedir* as pessoas de abrir o bico e postar coisas na internet! É como tentar controlar um polvo.

— Uma bebida, senhor?

Do nada surge um modelo masculino maravilhoso usando uma das fantasias de *Sonho de uma noite de verão* do Danny. Suas coxas estão cobertas de tecidos de pele, há uma coroa de folhas na sua cabeça e ele está sem camisa, bronzeado e *muito* sarado. (Acho que essa é a interpretação fantasiosa do Danny para a peça, ou seja, basicamente uma floresta cheia de homens gatos.)

O modelo está segurando uma bandeja de madeira que parece mais um pedaço de árvore, cheia de drinques com etiquetas prateadas.

— Posso oferecer um Brandon, uma Bloomwood ou uma Minnie. E depois, você e sua esposa podem se trocar, antes da apresentação.

— Apresentação? — Luke se vira para mim. Levanto as sobrancelhas, misteriosamente, e aperto a mão dele de novo.

— Espere e verá.

É a festa mais incrível e sensacional que eu já vi. Simplesmente é.

Quer dizer, eu sei que ajudei a organizar e tudo mais, então não posso me gabar. Eu deveria ser modesta e autodepreciativa, dizendo: "Ah, foi legal, eu acho", ou "No quesito festas, até que não foi ruim" e dar de ombros, mudar de assunto e falar sobre o tempo.

Mas, sinto muito, não vou fazer isso. Vou dizer a *verdade* para você. E a verdade é que foi a festa mais surreal de todos os tempos e todo mundo disse isso, até as pessoas que estão acostumadas a frequentar várias festas, como o bispo St. John Gardner-Stone, que, no fim das contas, é um fofo e sabe contar boas piadas.

Até agora, tudo está perfeito. Quando Luke estava pronto e eu já estava com o meu divino vestido verde, nós ocupamos os nossos assentos entre as cadeiras espalhadas pelo hall. Segurando nossas bebidas, vimos uma trupe de dança circense fazer acrobacias sensacionais à nossa volta, nas árvores da floresta, ao som de uma música maravilhosa e em meio a lasers piscando.

Depois, vieram os engolidores de fogo, uma trupe tcheca que faz vários truques geniais. (Eles incluíram o Alonzo/Alvin na coreografia, porque eu mandei, e ele parecia completamente horrorizado e animado durante todo o tempo.)

Depois, uma tela enorme desceu do teto, outra trilha sonora começou a tocar e todas as homenagens do YouTube para o Luke foram apresentadas. Eu quase chorei.

Tudo bem. Eu segurei algumas lágrimas.

Não que os vídeos fossem *bons*. Ver um monte de executivos da Kettering fazendo um péssimo rap com "Feliz aniversário, Luke, meu chapa", num celular tremido não é exatamente como assistir a *Um sonho de liberdade*. Mas foi pelo fato de terem se dado àquele trabalho. São pessoas que eu nem conheço, desejando um feliz aniversário para o Luke.

Depois, mostramos todas as mensagens de vídeo dos amigos que não puderam vir, como Michael e o pai do Luke, seguidas por mensagens de texto do site, piscando, uma atrás da outra. E, finalmente, um vídeo de cuja existência eu nem sequer sabia e que, aparentemente, Suze recebeu, por e-mail, uns dez minutos antes de nós chegarmos. Começa com Sage Seymour no set de filmagens, sentada na cadeira do diretor, dizendo: "Luke, querido, onde diabos você ESTÁ?" e fingindo que ele deveria estar filmando uma cena com ela. O vídeo acaba com todo o elenco e a equipe desejando feliz aniversário para o Luke. Até os mais famosos.

Assim que Sage apareceu na tela, Luke virou a cabeça para mim e disse: "Mas como..."

E eu não consegui deixar de rir e sussurrar no ouvido dele: "Luke, admita. Não faz sentido ficar tentando me esconder as coisas."

Eu esperava que ele fosse rir, mas não. Para ser sincera, ele parecia até um pouquinho assustado.

Depois nós sentamos para comer um banquete maravilhoso na Galeria Longa, que estava decorada com grinaldas de flores e mais pompons de plástico. (Eu realmente fiz *muitos*.) Várias pessoas fizeram discursos, e Luke agradeceu a todo mundo, um bilhão de vezes, e eu agradeci a todo mundo, um bilhão de vezes. Depois, também Luke fez um discurso emocionante sobre Annabel e o teatro de brinquedo, no qual falou sobre como essas lembranças eram especiais para ele que acabara comprando o mesmo teatro para Minnie e que esperava que ela tivesse as mesmas lembranças *dele* um dia. E todo mundo enxugou as lágrimas.

Ah, e ele disse umas coisas legais sobre mim. Sabe como é

Depois, chegou a hora do café com o "Biscoito de Avelã do Luke", e todos fizeram "oh" e "ah", de novo. Eu e Suze nos olhamos e eu sussurrei "Obrigada" para ela.

Depois, a banda apareceu no palco do Hall Leste (todos os cômodos da casa da Suze têm nomes). E, agora, em outra sala enorme, tem uma pista de dança, onde está tocando uma música tranquila. As pessoas ainda estão circulando pela sala *Sonho de uma noite de verão* e depois vamos ter sorvete, fogos de artifício e um comediante, só que o Luke ainda não sabe disso.

Eu o estou observando do meu lugar, perto do riacho. Ele está cercado de velhos amigos, com a Minnie no colo, e eu não o vejo feliz assim desde...

Não sei. Desde muito tempo.

Estou me perguntando qual será a minha próxima bebida quando Suze aparece na minha frente, com seu vestido que, devo admitir, é quase mais fabuloso do que o meu. É roxo-escuro, com uma cauda, e ela o comprou em Paris, na Christian Dior, e não me disse quanto foi. O que significa que deve ter custado *milhões*.

— Bex, não sei o que fazer com a... — Ela faz uma pausa e depois sussurra: — Elinor.

— O que tem ela? — Olho em volta, nervosa, para ver se Luke pode ouvir. Suze chega mais perto e diz, no meu ouvido:

— Ela ainda está aqui.

Sinto um choque. Ela está *aqui*?

Elinor me disse um milhão de vezes que não ficaria para a festa. Ela disse que iria embora meia hora antes de nós chegarmos. Eu simplesmente deduzi que ela já tinha ido.

— Mas onde... — Olho rapidamente em volta.

— A culpa é minha. — Suze fica com uma expressão triste. — Eu simplesmente não pude *suportar* a ideia de ela não ver nada. Não depois de tudo o que ela fez. Eu sabia que ela não poderia *vir*, de fato, para a festa... então, perguntei se ela gostaria de se esconder na Passagem do Padre, para ficar olhando.

Suze olha para cima, e eu acompanho o olhar dela. Há um pequeno balcão de ferro, no nível do primeiro andar, que eu não tinha percebido. Mas está vazio.

— Não entendi — digo, meio perdida. — Onde ela está?

— Escondida atrás de um painel secreto, observando pelo olho mágico. — Suze morde o lábio, ansiosa. — Ela disse que só queria ver você e o Luke chegando e saber se tudo tinha dado certo. Disse que sairia de fininho, depois. Mas acabei de pedir para o Tarkie ver se o carro dela ainda está aqui, e ele disse que sim. Ela ainda deve estar lá! Ela não comeu nada, está em pé num lugar minúsculo... e eu estou preocupada. E se ela ficar doente? Afinal, quantos anos ela tem?

Ai, Deus. Isso tudo pode dar muito errado.

Olho para Luke, mas ele está rindo de alguma coisa e nem repara em mim.

— Vamos lá.

A escada para a Passagem do Padre é pequena, estreita e tem cheiro de mofo, e eu seguro o meu precioso vestido

Valentino. Quando Suze empurra, cuidadosamente, a porta de madeira antiga, a primeira coisa que vejo são os ombros estreitos e rígidos de Elinor. Seu rosto está colado no painel à sua frente e ela parece uma estatua. Nem sequer nos ouviu chegar.

— Elinor? — sussurro, e ela se vira rapidamente, com um olhar de pânico no rosto pálido.

— Está tudo bem! Somos eu e a Suze. Trouxemos um lanchinho para você. — Ofereço um prato de minissobremesas do jantar, mas ela se afasta.

— Preciso ir.

— Não! Não precisa. Só queríamos ver se você estava bem.

— O Luke não suspeita que eu estou aqui?

— Não. Nem um pouco.

Silêncio. Elinor volta a observar a festa e eu olho para Suze, que dá de ombros, como se dissesse: "O que vamos fazer agora?"

— O Luke e a Minnie parecem ser muito ligados — diz Elinor, colada no olho mágico. — Ele age de forma tão natural com ela.

— Hum... pois é.

— Com os seus pais também.

Não respondo. Isso tudo é surreal demais. Como é que eu me meti nesta situação? Como posso estar num buraco apertado com a minha sogra megera-rica e nós duas estarmos nos escondendo do homem que nos une?

E como posso estar sentindo vontade de dar um carinhoso e demorado abraço nela? Com vontade de fazer com que ela participe de tudo, querendo tirá-la deste buraco escuro e distante e levá-la para a luz e o calor da festa? Ela nunca me pareceu tão vulnerável e solitária quanto agora. E é graças a ela que nós estamos nos divertindo tanto.

— Está maravilhoso lá embaixo. — Estico a mão, cautelosamente, e aperto o braço dela. — Todos estão dizendo que esta é a melhor festa a que já foram.

— O Luke está gostando? — Ela se vira.

— Meu Deus, é claro! Ele está adorando! Você viu o *rosto* dele?

— Você fez o ano dele mais feliz! — concorda Suze, entusiasticamente. — Ele está muito emocionado. Passeou por toda a floresta, vendo todos os detalhes. Tudo está perfeito.

Elinor não diz nada, mas vejo uma pequena faísca de satisfação nos seus olhos. E, de repente, eu não aguento mais. Isto está errado. Quero que o Luke saiba. Quero que todo mundo saiba. Houve uma grande força motivadora por trás da noite de hoje. E esta força foi a mãe do Luke.

— Elinor, vamos lá para baixo. — As palavras saem antes que eu possa impedi-las. — Vamos descer e curtir a festa. — Ouço o suspiro chocado de Suze, mas o ignoro. — Vamos. Eu acerto tudo com o Luke.

— Sinto que isso será impossível.

— Que nada!

— Preciso ir embora. Agora. Já fiquei tempo demais.

Elinor abre a bolsa e pega um par de luvas de couro. Ai, Deus, agora eu a assustei.

— Olha, eu sei que vocês dois tiveram seus problemas — digo, de maneira persuasiva. — Mas este é o momento perfeito para resolver tudo. Nesta festa! E quando ele souber que você estava por trás disso tudo... ele vai amar você! Ele vai *ter que* amar você!

— É exatamente por isso que eu não posso descer. — Sua voz parece tão cruel que eu me encolho, mas pode ser só por causa do ar empoeirado daqui. — Não banquei esta festa para ganhar o amor do Luke, de maneira ostentosa.

— Não é isso... Não quis dizer...

— Não vou descer. Não vou participar da comemoração. Não quero que ele saiba que eu tive qualquer participação nesta noite. Você nunca contará para ele. *Nunca*, está me ouvindo, Rebecca?

Seus olhos me encaram, furiosos, e eu me afasto com medo. Apesar de toda a vulnerabilidade, ela pode ser muito assustadora.

— Está bem! — Engulo em seco.

— Não há condições vinculadas à noite de hoje. Eu fiz isto pelo Luke. — Ela está olhando de novo pelo olho mágico. — Eu fiz isto pelo Luke — repete ela, quase que como para si própria.

Há um longo silêncio. Suze e eu nos entreolhamos, nervosas, mas nenhuma de nós duas ousa dizer nada.

— Se eu descesse, se me expusesse como a benfeitora, seria para mim mesma. — Ela se vira e me olha calmamente, com olhos que não demonstram nada. — Como você disse tão claramente, um ato incondicional não requer retribuição.

Nossa, ela é muito dura consigo mesma. Se fosse comigo, eu inventaria um motivo para fazer tudo pelo Luke, ser a nobre benfeitora *e* ir para a festa.

— Então... você nunca vai contar a ele? — pergunto. — Nunca? Ele nunca vai saber que foi você?

— Ele nunca vai saber. — Ela olha para Suze sem emoção. — Por favor, me dê licença? Preciso passar.

Acabou? Sem "toca aqui", abraços em grupo, "vamos fazer isso de novo"?

— Elinor... espere.

Estico os braços, mas ela não reage. Então, chego mais perto dela, naquele espaço minúsculo, mas *mesmo assim* ela não parece entender o que estou fazendo. Então, finalmente, eu envolvo com meus braços, cuidadosamente, sua estrutura magra, me sentindo como a Minnie quando abraça uma árvore aleatória no parque.

Não estou acreditando que isto está acontecendo. Estou abraçando a Elinor.

Eu. Abraçando *Elinor*. Porque eu *quero*.

— Obrigada — murmuro. — Por tudo.

Elinor se afasta, parecendo mais rígida do que nunca. Ela acena brevemente com a cabeça para mim e para Suze. Depois, sai pela porta de madeira.

— Será que alguém vai vê-la? — pergunto, olhando ansiosa para Suze, que balança a cabeça.

— Há um caminho que dá para a saída por trás. Eu o mostrei, mais cedo, para ela.

Me encosto na parede velha e empoeirada e suspiro pesadamente.

— Nossa.

— Pois é.

Nossos olhos se encontram na escuridão, e eu sei que Suze está pensando o mesmo que eu.

— Você acha que ele um dia vai saber que foi ela?

— Não sei. — Balanço a cabeça. — Eu simplesmente...
não sei. — Dou uma olhada, de novo, pelo olho mágico. —
Vamos. É melhor a gente descer.

A festa está animada lá embaixo. Os convidados estão
perambulando por todos os lados, segurando bebidas, usando chapeuzinho prateado de festa (estouramos *crackers* durante o jantar), passeando pela floresta de verão, admirando
a cachoeira, que agora está iluminada com deslumbrantes
luzes coloridas, ou se reunindo em volta das mesas de roleta.
O pessoal do bufê está circulando com sorbets de maracujá,
em colheres individuais. Os modelos do Danny estão andando pela festa com suas espetaculares fantasias de *Sonho
de uma noite de verão*, como se tivessem vindo de uma terra
distante e mágica. As risadas ecoam por todos os lados, assim como as conversas e o som da banda, reverberando pelo
chão, e de vez em quando o flash de um laser da apresentação. Preciso dançar de novo daqui a pouco.

Vou em direção ao bar, onde um barman que veio especialmente de Nova York está entretendo um pequeno grupo
fazendo malabarismo com a coqueteleira. Lá, para a minha
surpresa, vejo Janice e Jess brindando com sorrisos gigantes,
carinhosos e simpáticos no rosto.

O que está acontecendo? Pensei que elas se odiassem.

— Oi! — Toco no ombro de Jess. — Como vão as coisas? A Jess não está *sensacional*? — acrescento para Janice.

— Absolutamente linda! — concorda Janice. — Que
roupa maravilhosa!

— O vestido é bonito — diz Jess, mexendo, constrangida, no vestido e entortando o decote. — Bonito e simples. E
o tecido é sustentável.

Ela é sempre assim. É só alguém elogiar sua aparência que ela fica desconfortável e começa a se sabotar.

— A Jess pegou esse vestido emprestado com o Danny — conto para Janice enquanto ajeito, pacientemente, o decote. — É um protótipo da sua nova coleção *eco-couture*. Sabia que deve ser o vestido mais caro da festa? — acrescento, alegremente. O que não deixa de ser verdade, mesmo que a Suze tenha gastado milhões. — Foi mais caro do que o meu — acrescento.

— O quê? — Jess fica pálida. — Do que você está *falando*?

Fico com vontade de rir ao ver a expressão que ela faz. Eu estava guardando essa informação.

— Pois é. Porque é feito com uma seda natural, tecida à mão — explico. — Eles precisam esperar os casulos caírem naturalmente das árvores, não usam nenhuma máquina e todas as artesãs são muito bem pagas. Só foram feitos uns três desses. Na Browns custaria...

Me inclino para a frente e sussurro o preço no ouvido da Jess. Ela fica com uma cara de quem quer morrer na hora.

— Além do mais, ninguém no mundo usou nenhuma peça dessa nova coleção — digo. — Você tem noção de que está fazendo a história da moda?

Qualquer outra pessoa no mundo ficaria animadíssima por estar fazendo a história da moda. Jess parece completamente assustada.

— *Aproveite*! Você está *fabulosa*. — Coloco o braço no seu ombro e aperto bem forte até que ela começa a rir, relutante.

— Então, vocês estão se divertindo? Já dançaram? — Não consigo deixar de sorrir vendo a expressão animada de Janice. Parece que ela bebeu alguns bons drinques.

— Ah, Becky! — Janice fica agitada. — Adivinhe, querida, adivinhe! A Jess vai ter um bebê!

O quê? Olho, chocada, de Jess para Janice, para a barriga de Jess, para sua bebida e de volta para seu rosto. Ela não pode estar...

Ai, meu Deus, será que o remédio da Janice que aumenta a fertilidade *deu certo*? E por que a Jess está tão satisfeita?

— É só uma possibilidade — corrige Jess, revirando os olhos. — E não é um bebê. Ele tem 3 anos.

— Ele é o anjinho mais lindo! — fala Janice, como se Jess não tivesse dito nada. — Podemos mostrar a foto para a Becky?

Observo, chocada, enquanto Jess mexe na bolsa. Ela pega uma fotografia e a vira para mim. Vejo um garotinho sorridente, de cabelo escuro e desgrenhado, uma pele morena e algumas sardinhas espalhadas pelo nariz.

Meu coração se derrete na hora. Ele parece tão desajeitado e afetuoso que fico com vontade de rir, só que eu poderia acabar magoando a Jess.

— Ele é...

— Talvez. — Jess está reluzente. — Ainda é cedo.

— Você deveria pensar sobre adotar uma criança, sabe, Becky. — Janice está inflada de tanto orgulho. — Como eu disse para a sua mãe, esta é a *única* maneira responsável de se ter um filho hoje em dia. Foi a Angelina quem deu início a esse movimento, é claro.

Foi a Angelina quem deu início a esse movimento? Esta é a mesma mulher que estava surtando, há cinco minutos, porque seu filho talvez não passasse os genes adiante? Reviro os olhos para Jess, mas ela só ri e dá de ombros.

— Bem, boa sorte! — digo. — Quando é que você... você sabe. Pega ele?

— Como eu disse, ainda é cedo. — Jess parece cautelosa. — Talvez não sejamos aprovados, talvez sejamos reprovados em vários aspectos... Eu não deveria ter mostrado a foto, na verdade.

Aham, sei. Como se Jess fosse ser reprovada em alguma coisa.

Vou ser tia! Minnie vai ter um primo!

— Bem, estou muito feliz por você. — Aperto o braço de Jess. — E fico contente por você estar se divertindo, Janice.

— Ah, querida, é maravilhoso! Sei que foi um grande esforço para você. — Janice me envolve, meio bêbada, com o braço. — Mas valeu a pena.

— Sim — diz Jess, antes que eu possa responder. — Valeu a pena mesmo. — Ela olha nos meus olhos e dá um sorrisinho.

Jess e Janice vão atrás de Tom, e eu peço uma bebida para mim. Enquanto estou parada esperando, quase perdida num sonho feliz, vejo Luke pelo espelho atrás do bar. Ele está ao lado da mesa de roleta, com Minnie ao lado, olhando por cima. Ele parece estar completamente, totalmente, cem por cento feliz. Todos estão concentrados numa pilha enorme de fichas. Quando a roleta para, há um grande grito. Todos começam a rir e bater uns nas costas dos outros, e Minnie está dando gritinhos de alegria.

Quando a crupiê começa a falar e os jogadores fazem novas apostas, Luke percebe, de repente, que eu o estou observando. Ele olha para um sofá tranquilo, num canto, e se afasta da multidão, segurando firmemente a mão de Minnie.

— Balinhas! — diz Minnie, triunfalmente, quando eles me alcançam, e balança a mão, cheia de fichas verdes e vermelhas.

— Não são balinhas, querida. — Quero rir. — São fichas! — Agora ela está muito confusa. — Não são de comer, são fichas *especiais*. Você ganha dinheiro com elas, na mesa mágica! Ou... perde — acrescento rapidamente, quando vejo que Luke levantou as sobrancelhas. — Geralmente, você perde. Então, nunca aposte dinheiro, Minnie. Apostar é *feio*.

Pronto. Uma amostra rápida de como ser uma mãe responsável.

Luke senta no sofá e eu faço o mesmo. Meus ouvidos estão zumbindo, por eu ter dançado perto da banda, e meus pés estão começando a latejar... mas o resto do meu corpo está quase em transe de tanta emoção. A festa está perfeita. Está sendo melhor do que eu jamais poderia ter imaginado. E ainda não acabou. Ainda faltam as melhores partes!

— Você ficou surpreso? — pergunto, pela milionésima vez, só para ouvi-lo dizer.

— Becky... — Luke balança a cabeça, descrente. — Eu não fiquei apenas *surpreso*. Eu fiquei completamente embasbacado.

— Ótimo — digo, satisfeita.

Dou um gole no meu drinque (um Brandon) e me encosto no sofá antigo, de veludo, com Minnie no meu colo e o braço de Luke nos envolvendo. Por alguns instantes nós dois ficamos quietos, apenas contemplando a cena a nossa volta.

— Aquele pedido de Natal — diz Luke de repente. — Você fez um pedido para mim. No shopping. Lembra?

Ai, meu Deus, eu *sabia* que ele tinha ouvido. E ele não falou nada sobre isso esse tempo todo.

— O seu pedido era sobre essa festa? — pergunta ele. — Foi por isso que você saiu correndo para calar a boca da elfa?

Minha mente volta para as palavras que eu escrevi naquele papel de Natal. Parece que foi há milhões de anos.

— Foi — digo, depois de uma pausa. — Isso mesmo. Eu pedi para conseguir fazer uma festa surpresa para você e que você realmente *ficasse* surpreso. E você ficou!

— Seu pedido se realizou. — Ele sorri.

— É verdade. — Olho para ele, depois passo a mão, gentilmente, na sua face. — Se realizou mesmo.

— Então, me diga. — Seus olhos brilham, de repente, de prazer. — Quais são exatamente as partes do seu recente comportamento estranho que eu posso atribuir à organização da festa?

— Eu não estava *estranha*. — Dou um tapa nele.

— Meu amor, você estava beirando a loucura. Para gerar um menino, nós precisamos transar muito, muito rápido?

— Festa. — Sorrio.

— Ovulando?

— Festa.

— O botox? O suposto "implante"?

Não consigo deixar de rir da expressão dele.

— Festa. Eu fui encontrar com a Bonnie, pela primeira vez. Ah, e não brigue mais com ela por comentar sobre o seu gel de banho! — acrescento, seriamente. — Fui *eu* que pedi para ela comentar. E a academia. E qualquer outra coisa que possa ter parecido estranha.

— *Você?* — Ele me encara. — Ah, pelo amor... — Ele balança a cabeça quando tudo, obviamente, começa a fazer sentido. — Como é que eu não *percebi?* Eu deveria saber que ela não ficaria tão instável da noite para o dia. E os 16 casacos? — acrescenta ele, de repente. — Isso foi coisa da festa também.

— Er... não — admito. — Foi a Minnie mesmo. Menina levada, Minnie — acrescento, em reprovação.

— Mas o que eu realmente não entendo é... como você *conseguiu fazer* tudo isso? — Ele aponta para a festa. — Quero dizer, Becky, está mais do que espetacular. Está... — Ele para de falar.

Sei o que ele está tentando dizer. Ele não quer falar, mas está preocupado, achando que eu posso ter feito um grande empréstimo para bancar tudo isso, e que só vou contar amanhã, quando revelar que estamos falidos.

Francamente, ele poderia ter um pouco mais de *fé*.

Mas não adianta fingir que esta noite não custou rios de dinheiro. Qualquer imbecil pode perceber.

— Eu tive... ajuda — digo. — Uma grande, *grande* ajuda. Com tudo. A Bonnie foi maravilhosa — acrescento, rapidamente, antes que ele queira saber quem ajudou com os gastos. — Ela coordenou tudo, fez a lista de convidados, mandou os convites...

— E é claro que esse era o motivo para ela estar tão distraída naquele dia. — Luke suspira, parecendo arrependido. — Está bem, já entendi. Eu fiz besteira. Estou devendo um belo buquê de flores para ela.

— *Não* podem ser lírios — ressalto. — Você sempre compra lírios e ela não suporta, mas é educada demais para dizer alguma coisa. Compre flor da ervilha-de cheiro e ranúnculo. Ou eu posso dizer quais são seus produtos preferidos da Jo Malone.

Luke me olha, chocado.

— Mais alguma coisa?

— Muitas, se estiver interessado — digo, alegremente.

— Bonnie e eu somos melhores amigas agora. Contamos tudo uma para a outra.

— Ah, contam, é? — Luke me olha como se não tivesse certeza do que acha disso.

— Ficamos muito próximas com toda essa correria. Foi uma saga e tanto. — Dou um gole no meu drinque e tiro os sapatos. Falar sobre tudo com Luke faz com que eu fique mais relaxada. — Você nem imagina. Tentando não deixar você entrar na internet, quebrando o seu BlackBerry...

— Ainda não acredito que você fez isso. — Ele dá um pequeno sorriso, apesar de eu não estar certa de que ele *realmente* tem senso de humor quando se trata do seu BlackBerry.

— E a pior coisa foi aquela porcaria de reunião em Paris! Ai, meu Deus, eu quase *matei* você! — Não consigo deixar de rir. — Todo mundo ficava falando "O que a gente faz? Como vamos remarcar a reunião?" E você estava tão *satisfeito* consigo mesmo...

— Droga. — Consigo ver que Luke entendeu tudo. — É claro. A reunião ia ser hoje... — Ele para de falar. — Espere um minuto. Você não está dizendo... — Dá para ver seu cérebro funcionando. — Você com certeza não tinha como estar por trás *disso*. Não está me dizendo que você, pessoalmente, de algum jeito, conseguiu que Sir Bernard Cross resolvesse fazer a reunião comigo, não é? — Ele dá uma risada atônita. — Quer dizer, eu acredito que você seja capaz de muitas coisas, Becky, mas *disso*...

Continuo sorrindo, mas por dentro eu estou me batendo. Já falei demais. Vamos mudar de assunto, rápido.

— Não eu, exatamente. Ai, Deus, e a *tenda*...

Rapidamente começo a contar toda a história da troca da tenda e Luke ri nos momentos certos, mas dá para ver que ele está preocupado. Quando termino, ficamos em silêncio e ele dá um gole na bebida, pensativo, e eu sei exatamente para onde os pensamentos dele estão indo.

— Eu sempre soube que alguém poderoso estava por trás daquela reunião — diz ele, finalmente, encarando seu drinque. — Eu disse a mesma coisa na época. Dava para sentir que havia alguém poderoso nos bastidores, me ajudando. E agora eu acho que sei quem foi. — Ele levanta o olhar e me encara. — É óbvio. E o motivo de você não querer me dizer também é óbvio.

Meu coração para. Minha mão está congelada segurando o copo. Luke é tão esperto. Sua mente funciona tão rápido. Eu não deveria ter deixado nada escapar.

Ele está com raiva?

Umedeço os lábios, de tanto nervosismo.

— Luke, eu realmente não posso dizer nada.

— Entendo. — Ele dá um belo gole na bebida e ficamos sem falar nada por um tempo.

Enquanto estamos sentados ali, com a festa bombando à nossa volta, lanço olhares cautelosos para ele. Luke não explodiu de raiva. Ele não ficou furioso e não saiu dizendo que isso tinha acabado com a noite dele. Será que ele não é tão amargo quanto imaginei?

Fico pensando em Elinor escondida naquele buraco minúsculo, cheio de mofo. Se eu a tivesse convencido a ficar... será que eu teria conseguido fazer os dois se reconciliarem?

— Mas, Becky, você tem noção de que isso não é apenas um favorzinho? — Luke interrompe meus pensamentos. — Isso é imenso. Quero dizer, tudo isto. — Ele gesticula, indicando todo o ambiente, e baixa o tom de voz. — Esta... pessoa. Também estava por trás disto, não é?

Faço que sim com a cabeça, devagar. Se ele sabe, não adianta fingir.

Luke suga o ar com força, mexendo a bebida.

— Você sabe que eu vou precisar agradecer, Becky. De algum jeito. Mesmo que a pessoa não queira receber os agradecimentos.

— Eu... Eu acho que seria legal, Luke. — Engulo em seco. — Muito legal.

Sinto as lágrimas enchendo os meus olhos. Assim, do nada, as coisas foram resolvidas. Vamos nos encontrar e vai ficar tudo bem, vai ser meio forçado e constrangedor, mas eles vão conversar. E Luke vai ver a mãe com a Minnie. E ele vai perceber que ela tem um outro lado.

— Não há nada como o momento presente. — Luke fica em pé, com uma energia repentina. — Sabe, eu não disse nada, mas eu sempre suspeitei de que era o Tarquin. Como ele e Sir Bernard se conhecem? Foram caçar juntos, é?

Demoro um tempinho para acompanhar o que ele está dizendo. Ele acha que a pessoa por trás disto tudo é o *Tarquin*?

— E, é claro, que ele esteve tentando, desesperadamente, me recompensar pela minha ajuda no início do ano — diz Luke. — Mas, sério, uma generosidade desse porte é exagero. — Ele olha em volta como se não acreditasse. — Não sei *como* poderei agradecê-lo um dia. E a Suze também. Os dois estavam juntos nessa, não é?

Nãããão! Errado! Você entendeu tudo errado!

Quero dizer alguma coisa, fazê-lo perceber que não foi nada disso. Mas o que eu posso fazer? Não posso trair a confiança da Elinor, não depois de tudo o que ela disse.

— Espere um minuto! — Levanto correndo, colocando Minnie no sofá. — Luke, você não pode dizer nada!

— Não se preocupe, Becky. — Ele sorri. — Não vou estragar tudo. Se eles querem permanecer incógnitos, tudo bem. Mas se alguém se dá ao trabalho de fazer algo tão excepcional e especial quanto isto... — Seu rosto está reluzente. — Essa pessoa merece um agradecimento em público. Você não concorda?

Meu coração está dando cambalhotas. Ele deveria saber que era a mãe por trás disso tudo. Ele deveria saber, deveria saber.

— Vamos, Minnie, o papai precisa fazer um discurso. — Antes que eu possa reagir, Luke segue em direção ao Hall Leste. — Suze? — ele a chama, todo alegre, quando passa por ela. — Pode vir aqui um pouco? E o Tarquin?

— O que está acontecendo? — pergunta Suze ao vir atrás de nós. — O que o Luke está fazendo?

— Ele acha que foram vocês — sussurro baixo. — Você e o Tarkie. Ele acha que vocês falaram com Sir Bernard e pagaram por tudo isto. Agora ele quer agradecer.

— Está brincando! — Suze para, de repente, com o incômodo evidente em seus olhos escuros. — Mas... não fomos nós!

— Eu sei! Mas como eu posso dizer isso a ele?

Por um instante nós apenas nos encaramos, ansiosas.

— Será que o Luke suspeita que a Elinor teve *alguma coisa* a ver com isto? — diz Suze finalmente.

— Nada. Ele nem sequer a mencionou.

Ele mencionou o mundo todo. Toda a sua família. Todos os seus amigos. Brindou a todos no discurso. Mas não a ela.

Luke agora está no palco, no meio da música, e o vocalista da banda entregou o microfone para ele.

— Senhoras e senhores, eu gostaria de um momento, posso? — A voz de Luke ecoa no ambiente. — Já fiz muitos agradecimentos hoje. Mas eu só queria dar atenção para um casal muito, muito especial. Eles abriram esta linda casa para nós, nos receberam com uma hospitalidade maravilhosa... e muito, *muito* além disso, algo que não vou comentar aqui... — Ele faz uma pausa significativa e posso ver Tarquin olhando, confuso, para Suze. — Mas, por favor, saibam, Suze e Tarquin, que nunca esquecerei o que vocês fizeram. Aos Cleath-Stuart. — Luke levanta o copo, e todos os convidados na pista de dança fazem o mesmo e, depois, começam a aplaudir.

Suze está tentando sorrir graciosamente, enquanto as pessoas se viram para ela, aplaudindo.

— Me sinto péssima — murmura ela, desesperadamente, entre os sorrisos. — E a Elinor?

— Foi escolha dela — murmuro de volta. — Não há nada que possamos fazer.

Penso em Elinor correndo para casa, no meio da noite, com os ombros rígidos. Sem ninguém fazendo um brinde a ela, ninguém sorrindo para ela, ninguém nem sequer se lembrando dela. E, de repente, faço uma promessa silenciosa, para mim mesma.

Luke vai saber, um dia. Ele vai saber um dia.

— Canta "New York, New York"! — alguém grita para Luke, e todos começam a rir.

— De jeito nenhum.

Ele dá um sorriso e devolve o microfone para o vocalista, que imediatamente faz uma contagem para a banda começar uma nova música.

— Suze, querida. — Tarquin chegou perto de nós, com uma expressão de perplexidade. — Que diabos o Luke...

— Ele estava nos agradecendo por sermos bons amigos — diz ela, toda feliz. — Você sabe.

— Ah. — A testa do Tarquin se desfranze. — Um cara generoso. — Reparo, de repente, em uma antiga etiqueta de escola, com um nome, para fora do seu blazer. Está escrito "W.F.S. Cleath-Stuart". O *pai* dele.

— Tarkie — eu o chamo. — Uma sujeirinha. — Enfio a etiqueta de volta na gola e pisco para Suze, que balança a cabeça com um sorriso de lamento.

Observamos Luke caminhar pela multidão, falando e balançando a cabeça para as pessoas, enquanto passa. Quando do ele para a fim de falar com Matt, da Brandon C, eu percebo, de repente, que Minnie está pegando a bebida de Matt e colocando na boca. Matt nem percebe.

— Minnie! — Saio correndo e pego o copo. — Não! Você *não* toma drinque! Luke, você viu o que ela fez?

Em outro momento, Luke teria ficado furioso. Agora, ele simplesmente a pega no colo e franze a testa, brincando com ela.

— Por favor, Minnie. Você não conhece as regras? Nada de apostas e bebidas. Entendeu? E nada de compras pela internet. Pelo menos, não até você ter, no mínimo... 3 anos.

— Feliz papai! — Minnie o cutuca com um guarda-chuvinha purpurinado do drinque.

— Agora você vai ficar com a vovó um pouco. — Ele a coloca no chão e a guia até minha mãe. — Preciso ter uma conversinha com a mamãe. — Quando ele me puxa da pista de dança, fico um pouco surpresa. Sobre o que ele precisa conversar?

Não é o vestido Valentino, com certeza. Não pode ser. Eu *disse* para ele que foi um presente da minha mãe.

— Eu ia deixar para contar mais tarde — começa ele, quando chegamos a um lugar tranquilo, na clareira do *Sonho de uma noite de verão*. — Mas, por que não agora?

— Com certeza — concordo, um pouco apreensiva.

— Apesar de que você já deve estar sabendo. — Ele revira os olhos, lamentando. — Quero dizer, você obviamente sabe que Sage Seymour é minha cliente.

— Nós, organizadoras de festas, sempre sabemos de tudo. — Sorrio, com carinho. — Até os segredos que nossos maridos *estavam tentando esconder*.

— E você já falou com ela.

— Várias vezes, por sinal. — Jogo o cabelo para trás, casualmente. — Nós nos demos muito bem. Ela disse que temos que sair um dia para tomar um drinque.

Suze quase *morreu* quando eu contei para ela. Ela perguntou se podia ir junto, como minha assistente.

— Então... você sabe de tudo? — insiste Luke. Ele está claramente tentando chegar em algum lugar, mas eu não sei o que é.

— Er...

— Você *não* sabe de tudo. — Ele está analisando o meu rosto, como se tentasse me decifrar.

— Talvez eu saiba — desvio.

Droga. Por que eu não sei de tudo?

— Os caras da imobiliária acabaram de ligar e deixaram uma mensagem com a Bonnie. — Ele parece mudar completamente de direção. — Encontraram um lugar para nós. Mas, é claro, tudo depende.

— Certo — concordo, sabiamente. — É claro. Tudo depende. De... muitas coisas.

Fico com vontade de acrescentar "De repolhos e reis".

— Becky... — Luke me olha de maneira estranha. — Você não faz a menor ideia do que eu estou falando, não é?

Ai, eu não posso mais continuar fingindo.

— Não! — exclamo, com raiva. — Não sei! Me conta!

— Você não tem nenhuma pista do que vou dizer. — Ele cruza os braços, com cara de quem está gostando.

— Deve ser alguma coisa muito sem graça — respondo. — Então eu sei, mas esqueci, porque é uma coisa chata.

— Justo. — Ele dá de ombros. — Deixa pra lá. Não é muito importante. Vamos voltar?

Deus, como ele é irritante.

— Me conta. — Olho com raiva para ele. — Agora. Ou não vai ganhar a sacolinha da festa. E as lembrancinhas são *ótimas*.

— Está bem — Luke cede. — Bom, para recapitular o que você já deve saber... — Ele dá um sorriso. — Eu comecei a trabalhar para Sage Seymour.

Sinto uma pontadinha de alegria. Meu marido está trabalhando para uma estrela de cinema! Isso é tão legal!

— E ela gosta da ideia de ter alguém de fora da indústria cinematográfica mostrando diferentes perspectivas das coisas. Na verdade, ela gosta *tanto*... — Luke faz uma pausa, com a boca tremendo — ... que ela me chamou para trabalhar para ela em Los Angeles por um tempo. Eu trabalharia com a equipe dela, faria alguns contatos e, se as coisas corressem *muito* bem, poderia abrir uma filial de mídia da Brandon Communications. Becky. — Ele me olha assustado. — Você está bem? *Becky?*

Não consigo falar. Los Angeles?

Hollywood?

— E... todos nós iríamos? — gaguejo, assim que a minha voz volta.

— Bom, essa era a minha ideia. O Gary pode cuidar das coisas por aqui por um tempo, então eu pensei em ficar três meses lá. Mas, é claro, temos que considerar o seu trabalho. — Ele parece ansioso. — Eu sei que você está indo bem, que está querendo entrar para a diretoria...

Meu trabalho. Droga. Ele nem sabe sobre o meu trabalho.

— Sabe de uma coisa, Luke? — digo, da maneira mais sincera que consigo. — Somos parceiros. Uma *equipe*. E se a minha carreira precisar ficar em suspenso por um tempo... que seja. Casamento é isso. Além do mais, eles têm lojas em Los Angeles, não têm? E eu tenho green card, não tenho?

— Bem... que ótimo! — Ele levanta o copo para um brinde. — Parece que temos um plano.

Ele está falando sério? Assim?

— Então... nós ficaríamos em Hollywood — digo, só para garantir. — Por três meses.

— Isso.

— Eu nunca fui a Hollywood.

— Eu sei. — Ele sorri. — Divertido, não é?

Meu coração está pulando, como um peixe. Hollywood! Eu, Becky Brandon, ex-Bloomwood, em Hollywood!

Luke está dizendo outra coisa. Sua boca está se mexendo, mas eu não consigo ouvir. Imagens sedutoras estão passando pela minha mente. Eu, andando de patins pelo calçadão, toda bronzeada e sarada. Eu andando num carro conversível pelo Sunset Boulervard. (Preciso aprender a dirigir carros americanos.) Eu e Sage Seymour de bobeira em sua piscina cor-de-rosa em formato de concha, usando biquínis da mesma loja descolada do centro, e Minnie, toda bonitinha, com um vestido de verão.

As pessoas vão me chamar de A Garota com Sotaque Inglês. Ou, talvez, A Garota que é Melhor Amiga da Sage Seymour. Ou, talvez... A Garota de Óculos Escuros Brancos. (Isso. Vou comprar um par amanhã. Pode ser o meu estilo.)

E vai fazer sol o tempo todo! E nós podemos tomar smoothies na Rodeo Drive! E talvez eu vá à cerimônia do Oscar... talvez a gente conheça o Johnny Depp... talvez eu possa ser figurante em algum filme...

— Becky? — A voz de Luke finalmente me tira do êxtase. — O que você acha?

Sinto como se o meu sorriso fosse deslocar meu maxilar.

— Quando pegamos o avião?

THE LOOK
601 Oxford Street
Londres W1

À Sra. Rebecca Brandon
The Pines
43 Elton Road
Oxshott
Surrey

11 de abril de 2006

Prezada Rebecca,

Obrigado pela carta do dia 10 de abril.

É uma pena que você não possa aceitar a minha oferta para retornar para a The Look, como membro da diretoria e com um aumento de salário. Obviamente, sua família vem em primeiro lugar, mas tenha certeza de que o seu cargo estará disponível quando voltar de Los Angeles.

Aproveite a viagem.

Trevor Holden
Diretor-Executivo

OBS: *Por favor, você pode pedir para as suas clientes* PARAREM *de devolver as roupas? Nós estamos desesperados.*

Nanny Sue Empreendimentos

Onde a vida em família vem em primeiro lugar...

Consultoria — Workshops — Mídia — Ajuda aos Pais — Palestras

À Sra. Rebecca Brandon
The Pines
43 Elton Road
Oxshott
Surrey

12 de abril de 2006

Prezada Rebecca,

Obrigada pela sua carta do dia 10 de abril.

É uma pena que você não possa participar do nosso Programa de Vício em Gastos por causa da sua viagem para a Califórnia. Entendo como ficou decepcionada e "arrasada" com isso.

Se servir de consolo, tenho certeza de que você encontrará grupos parecidos em Los Angeles e talvez possa fazer terapia lá.

Desejo tudo de bom,

Julia Summerton
Diretora do Programa para Adultos

UNIDADE DO DEPARTAMENTO CENTRAL
DA POLÍTICA MONETÁRIA

5º Andar
180 Whitehall Place
Londres SW1

À Sra. Rebecca Brandon
The Pines
43 Elton Road
Oxshott
Surrey

13 de abril de 2006

Prezada Rebecca,

Obrigado pela sua carta do dia 10 de abril. Desejo tudo de melhor
na sua futura viagem para Los Angeles.

Infelizmente, tenho quase certeza de que o *British Journal of
Monetary Economics* não tem uma vaga para "correspondente em
Los Angeles", como você sugere. E o editor não "planeja criar
editorias mais interessantes que falem sobre filmes e fofoca".

No entanto, caso surjam outras oportunidades, garanto que entrarei
em contato.

Tudo de bom e bon voyage!

Atenciosamente,

Edwin Tredwell
Diretor de Pesquisa Política

GRUTA DO PAPAI NOEL
Pedido de Natal
(coloque no Poço de Desejos para o Papai Noel ler!!!)

Querido Papai Noel,

É a Becky de novo. Espero que esteja bem.

Quero um top azul-claro do Zac Posen. É o modelo que tem um laço, tamanho 38.

Também quero aqueles sapatos Marni que vi com a Suze. Sem ser os de salto alto de madeira, e sim os outros.

Um irmãozinho para a Minnie.

E acima de tudo, Papai Noel, eu queria que o Luke conseguisse ser completamente, cem por cento feliz, relaxar e esquecer toda a merda.* Só uma vez.

Obrigada. Bjs, Becky

*desculpa

AGRADECIMENTOS

Quero agradecer imensamente à minha editora Linda Evans e também a Kate Samano, Polly Andrews, Laura Sherlock, Gavin Hilzbrich e ao restante da fantástica equipe da Transworld, que são muitos para listar aqui, porém imensamente queridos.

Conto com o apoio de várias pessoas maravilhosas, em particular de Araminta Whitley, Harry Man, Peta Nightingale, Nicki Kennedy, Sam Edenborough, Valerie Hoskins, Rebecca Watson, minha família e a diretoria. Agradeço a todos. Eu não conseguiria fazer isso sem vocês.

O nome "Nicole Taylor" aparece no livro devido a um leilão para ajudar a Children's Trust, que eu fiquei feliz em apoiar. A Children's Trust oferece ajuda especializada para crianças portadoras de necessidades especiais e é uma causa inspiradora. Eu gostaria de agradecer a Nicole, pela sua proposta generosa.

E, finalmente, eu gostaria de agradecer a todos os meus leitores por apoiarem lealmente a Becky e a mim ao longo de todos esses anos. E quero mandar um "oi" para todos da minha página no Facebook!

Este livro foi composto na tipologia Adobe Caslon Pro,
em corpo 11,5/15,8, impresso em papel off-set 90g/m²,
no Sistema Cameron da Divisão Gráfica
da Distribuidora Record.